어휘력 자신감

초등 국어

4

단계

★ 초등 국어 어휘력 자신감은 ★ 이런 교재예요!

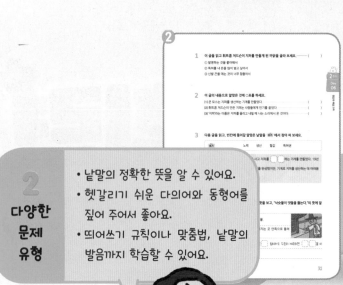

2 다양한 문제 유형

- 낱말의 정확한 뜻을 알 수 있어요.
- 헷갈리기 쉬운 다의어와 동형어를 짚어 주어서 좋아요.
- 띄어쓰기 규칙이나 맞춤법, 낱말의 발음까지 학습할 수 있어요.

1 쉽고 재미있는 지문

- 글 내용이 쉽고 재미있어요.
- 주제가 다양해서 지루하지 않아요.
- 글이 길지 않아 부담스럽지 않아요.
- 글을 읽으면서 속담과 관용어는 물론, 한자 성어와 교과 어휘까지 익힐 수 있어서 좋아요.

독해력을 키우는
즐거운 공부 습관!

3 교과서 배경 지식

- 교과서에 나오는 개념어를 쉽고 깊이 있게 익힐 수 있어요.
- 글을 통해 배경 지식을 알 수 있어서 교과서 내용이 머리에 쏙쏙 들어와요.

어휘력 UP!

5

• 다양한 놀이 활동을 통해 어휘 학습에 흥미를 더해 줘요.
• 그림을 통해 우리말 어휘를 생생하게 익힐 수 있어요.
• 붙임딱지를 붙이며 성취감도 느껴요.

즐거운
놀이
활동

하루 15분 ♥
어휘력 자신감!

한자로 공부하면
어려울 것 같았는데
그렇지 않았어요!

4
폭넓은
한자
어휘

• 한자가 지니고 있는 뜻을 쉽고 빠르게 알 수 있어요.
• 같은 한자가 쓰인 낱말을 폭넓게 익힐 수 있어서 어휘력이 쑥쑥 길러져요.

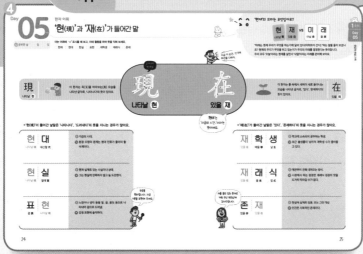

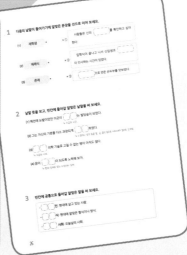

✦ 이 책의 차례 ✦

별책 부록 **주간 테스트**

독해력을 키우는
즐거운 공부 습관

하루 15분

- 어휘력을 위한 하루 15분 즐거운 공부 습관!
- 어휘력 자신감과 함께 시작하세요.

어휘력 자신감 1단계 | 2단계 | 3단계 | 4단계 | 5단계 | 6단계

1주 어휘 미리보기

뜻을 알고 있는 낱말에 V표 해 보세요.
알고 있는 낱말은 글에서 어떻게 쓰였는지 확인하고,
모르는 낱말은 글을 읽으며 재미있게 익혀 보아요.

	배울 내용	배울 낱말		공부한 날
Day 01	속담 낫 놓고 기역 자도 모른다	☐ 지체 ☐ 체면 ☐ 콧대 ☐ 행색	☐ 북적북적하다 ☐ 인연 ☐ 알은체 ☐ 흔쾌히	월 일
Day 02	관용어 하늘이 노래지다	☐ 아득히 ☐ 넋 ☐ 가빠지다 ☐ 말문	☐ 너울거리다 ☐ 볼품없다 ☐ 울부짖다 ☐ 온데간데없다	월 일
Day 03	한자 성어 기우(杞憂)	☐ 쇠약해지다 ☐ 영문 ☐ 미덥다 ☐ 의심	☐ 빈손 ☐ 한심하다 ☐ 꺼지다 ☐ 환하다	월 일
Day 04	교과 어휘 – 과학 이런 화석도 있어요	☐ 화석 ☐ 지층 ☐ 퇴적암 ☐ 늪	☐ 흔적 ☐ 퇴적물 ☐ 보존 ☐ 발굴	월 일
Day 05	한자 어휘 '현(現)'과 '재(在)'가 들어간 말	☐ 현재 ☐ 현실 ☐ 재학생 ☐ 존재	☐ 현대 ☐ 표현 ☐ 재래식	월 일

속담
낫 놓고 기역 자도 모른다

아는 어휘에 ✔ 표시를 해 보고, 어휘의 뜻을 생각하며 글을 읽어 보세요.

□ 지체 □ 북적북적하다 □ 체면 □ 인연 □ 콧대 □ 알은체 □ 행색 □ 흔쾌히

공부한 날

월   일

① **주막집**: 시골 길가에서 밥과 술을 팔고, 돈을 받고 나그네를 묵게 하는 집.

② **선비**: (옛날에) 학문을 배우고 익힌 사람.

③ **지체**: 어떤 집안이나 개인이 사회에서 가지고 있는 신분이나 지위.

④ **대감**: 조선 시대에 벼슬을 한 사람을 높여 부르던 말.

⑤ **북적북적했습니다**: 많은 사람이 한곳에 모여 매우 어수선하고 시끄럽게 계속 떠들었습니다.

⑥ **체면**: 남을 대하기에 떳떳한 입장이나 얼굴.

⑦ **인연**: 사람들 사이에 맺어지는 관계.

⑧ **콧대**: 우쭐하고 거만한 태도를 빗대어 이르는 말.

⑨ **알은체**: 사람을 보고 인사하는 표정을 지음.

⑩ **행색**: 겉으로 드러나는 차림새나 태도.

⑪ **낫 놓고 기역 자도 모르다**: 기역 자 모양으로 생긴 낫을 보면서도 기역 자를 모를 듯하다는 것으로 아주 무식함을 빗대어 이르는 말.

⑫ **흔쾌히**: 기쁘고 유쾌하게.

옛날, 어느 ①주막집에 ②선비 여럿이 하룻밤을 머물게 되었습니다. 선비들 중에는 과거를 보러 가는 선비, 마을에서 훈장을 하는 선비, 벼슬을 지내는 ③지체가 높은 ④대감도 있었습니다.

그날따라 주막은 손님으로 ⑤북적북적했습니다. 방마다 손님이 가득 차서 빈방이 부족했습니다. 어쩔 수 없이 선비들은 모두 한방에서 머물러야 했습니다. 서로 ⑥체면을 차리느라 누구 한 명 먼저 눕지도 못하고 서로 눈치만 살피고 있었습니다. 바로 그때 한 노인이 방 안으로 들어와 이렇게 말했습니다.

"실례하오. 이렇게 만난 것도 ⑦인연이니 잘 부탁하오."

하지만 ⑧콧대 높은 선비들은 노인을 ⑨알은체도 하지 않았습니다. 땟국물이 줄줄 흐르는 옷과 다 해져서 너덜너덜한 갓으로 보아 거지나 다름없다고 생각했기 때문이었습니다. 선비들이 그런 생각을 하거나 말거나 노인은 한쪽 구석에 앉아서 잠을 청했습니다. 그러나 방 안의 선비들은 비좁은 방에서 초라한 ⑩행색의 노인과 같은 방을 사용해야 한다는 것이 싫었습니다. 노인을 내쫓길 바라던 선비들은 머리를 맞대고 일을 꾸몄습니다.

"보아하니 저 노인은 ⑪낫 놓고 기역 자도 모를 듯하오. 시를 짓자고 하여 못 지으면 방에서 내보냅시다."

"좋소. 그럼 나부터 시작하겠소."

이렇게 해서 돌아가면서 시 짓기가 시작되었습니다. 노인의 차례가 되자, 그는 이렇게 말했습니다.

"나는 시를 지을 줄 모르오. 그러니 대신 그림을 그리겠소."

선비들은 속으로 노인을 비웃었지만 겉으로는 ⑫흔쾌히 허락했습니다.

"그러시오. 대신 잘 그리지 못하면 방에서 나가 주셔야 하오."

– 메주 도사 ①

* Day 02로 이어집니다.

1 이 이야기의 내용으로 맞는 것에 ○표, 틀린 것에 ×표를 해 보세요.

(1) 노인은 선비들의 반응은 신경 쓰지 않고 행동하였다.·············(○ / ×)

(2) 노인은 시를 짓기 싫어서 그림을 그리겠다고 하였다.·············(○ / ×)

(3) 선비들은 모두 친한 사이였기 때문에 같은 방에 머물렀다.·············(○ / ×)

2 다음은 선비들이 시를 짓자고 한 의도를 정리한 것입니다. 빈칸에 들어갈 알맞은 낱말을
보기 에서 찾아 써 보세요.

> 보기   초라한   비좁은   내쫓으려는

> 노인이 거지나 다름없다고 여겨 알은체도 하지 않은 선비들은 ☐☐☐ 방에서
>
> ☐☐☐ 행색의 노인과 함께 있는 것이 싫었음.

⬇

> 선비들은 노인이 낫 놓고 기역 자도 모를 것이라고 생각하고, 시를 짓자고 하여 못 지으면
>
> 방에서 ☐☐☐☐☐ 의도로 시 짓기를 제안함.

3 다음을 보고, 속담 "낫 놓고 기역 자도 모른다."의 뜻에 알맞도록 문장을 완성해 보세요.

낫   기역

➜ 속담 "낫 놓고 기역 자도 모른다."는 낫의 모양과 기역 자의 모양이 비슷한 데서 나온 말이다.

기역 자 모양으로 생긴 낫을 보면서도 기역 자를 모른다는 것으로 '아는 것이 너무 (있음 / 없음).'

을 빗대어 이르는 말이다.

4 다음의 낱말과 뜻이 알맞도록 선으로 이어 보고, 빈칸에 들어갈 알맞은 말을 써 보세요.

(1) 지체 •

• ① 남을 대하기에 떳떳한 입장이나 얼굴.

(2) 체면 •

• ② 어떤 집안이나 개인이 사회에서 가지고 있는 신분이나 지위.

(3) 큰 실수를 하는 바람에 동생 앞에서 [ ][ ]을 구겼다.

(4) 어느 날 [ ][ ] 높은 양반 한 사람이 그를 찾아왔다.

5 다음의 낱말 뜻을 보고, 빈칸에 들어갈 알맞은 말을 써 보세요.

(1) 이번 시험을 잘 봐서 그 아이의 [ ][ ]를 꺾어 주고 싶다.
↳ 우쭐하거나 거만한 태도.

(2) 도훈이는 화가 나서 나에게 [ ][ ][ ]도 하지 않았다.
↳ 사람을 보고 인사하는 표정을 지음.

6 밑줄 친 부분이 보기 의 '꾸몄다'와 같은 뜻으로 사용된 문장에 ○표를 해 보세요.

> 보기   선비들은 머리를 맞대고 일을 <u>꾸몄다</u>.

(1) 수민이는 생일날 친구들을 만나러 가기 위해 예쁘게 <u>꾸몄다</u>. ·········· (   )

(2) 지원이는 이야기를 재미있게 <u>꾸몄다</u>. ························· (   )

(3) 친구를 골탕 먹이기 위한 계획을 <u>꾸몄다</u>. ·················· (   )

7 속담 "낫 놓고 기역 자도 모른다."를 알맞게 사용한 친구에게 ○표를 해 보세요.

"낫 놓고 기역 자도 모른다."고
벽에 자기 이름이 붙어 있는데도,
동생은 자기 이름인 줄도
몰랐어.

상우

"낫 놓고 기역 자도
모른다."라는 속담이 있어.
오빠가 리코더 연주 방법을
알려 줘서 이제는 오빠보다도
더 잘할 수 있게 되었어.

현서

8 다음 낱말의 뜻을 참고하여 문장에서 알맞은 말에 ○표를 해 보세요.

바라다	어떤 일이 이루어지거나 그렇게 되었으면 하고 생각하다.
바래다	볕이나 습기 때문에 색이 희미해지거나 누렇게 변하다.

(1) 우리 모두가 너의 성공을 (바라고 / 바래고) 있다.

(2) 오래된 일기장이 누렇게 (바라고 / 바래고) 있다.

두 낱말이 합쳐질 때
뒷말이 [ㄲ, ㄸ, ㅃ, ㅆ, ㅉ]으로
소리 나면 'ㅅ'을 덧붙여 적어요.

틀리기 쉬워요!

9 다음 문장에서 소리 나는 대로 쓴 말을 바르게 고쳐 써 보세요.

(1) 지수는 [코때]가 무척 높다. ➝ ☐

(2) [하루빰] 사이에 강물이 불어났다. ➝ ☐

(3) [나문닙]이 마당에 잔뜩 쌓였다. ➝ ☐

스스로
붙임딱지

하늘이 노래지다

아는 어휘에 ✔ 표시를 해 보고, 어휘의 뜻을 생각하며 글을 읽어 보세요.

☐ 아득히 ☐ 너울거리다 ☐ 넋 ☐ 볼품없다 ☐ 가빠지다 ☐ 울부짖다 ☐ 말문 ☐ 온데간데없다

🕐 공부한 날

월   일

---

❶ **아득히**: 보이는 것이나 들리는 것이 희미하고 매우 멀게.

❷ **너울거렸습니다**: 물결 등이 부드럽고 느릿하게 자꾸 흔들거리며 움직였습니다.

❸ **넋**: 정신이나 마음.

❹ **볼품없고**: 겉으로 드러나 보이는 모습이 초라하고.

❺ **너나없이**: 너나 나나 가릴 것 없이 다 마찬가지로.

❻ **하늘이 노래지고**: 충격을 받아 정신이 아찔해지고.

❼ **가빠졌습니다**: 힘에 겨워 숨쉬기가 어려워졌습니다.

❽ **울부짖는**: 감정이 격하여 마구 울면서 큰 소리를 내는.

❾ **메주**: 콩을 삶아서 찧은 다음, 덩이를 지어서 띄워 말린 것. 간장, 된장, 고추장 따위를 담그는 원료로 씀.

❿ **말문**: 말을 할 때 여는 입.

⓫ **온데간데없고**: 감쪽같이 사라져서 찾을 수가 없고.

노인이 붓을 들고 그림을 그리기 시작하자, 종이 위에 산이 ❶아득히 솟고 하늘이 생겼으며 바다가 ❷너울거렸습니다. 그리고 바다 위에 배 한 척이 그려지는데 모두 그의 손놀림에 감탄했습니다. 선비들이 그림을 ❸넋을 놓고 바라보다가 정신을 차려 보니, 물결이 출렁이는 배 안이었습니다. 노인은 이렇게 말했습니다.

"모두 잘 들으시오. 이 섬에는 아주 보기 좋은 복숭아가 있소. 그것을 따 먹으면 나이가 절반으로 줄어 젊어지지만, 큰 위험이 닥칠 거요. 하지만 ❹볼품없고 쭈글쭈글한 복숭아는 따 먹어도 좋소."

그러나 섬에 내려 복숭아를 보자 선비들은 노인의 말을 모두 잊고 겉으로 맛있게 보이는 복숭아를 ❺너나없이 따 먹기 시작했습니다. 노인이 돌아오라고 소리치자 선비들은 다시 배에 탔습니다. 한참을 가다 보니 비바람이 몰아쳐 배가 뒤집힐 것 같았습니다.

다. 선비들은 ❻하늘이 노래지고 숨이 ❼가빠졌습니다.

"내 말을 귀담아듣지 않고 먹지 말라는 복숭아를 따 먹어서 이렇게 된 것이오. 겉보기에 좋으면 다 좋은 줄 아시오? 이제 당신들은 벌을 받을 것이오."

"아이고, 젊어지는 복숭아를 먹고 젊어지지도 못한 채 죽는구나!"

"잘못했습니다. 살려 주세요."

선비들이 ❽울부짖는 소리가 들리자, 이상하게 생각한 주막집 주인은 음식을 차리다 말고 달려와 방문을 열었습니다. 방 안에는 선비들이 ❾메주 부스러기를 입에 물고 방바닥을 치며 울고 있었습니다.

주막집 주인은 ❿말문이 막혀 가만히 쳐다보다가 이내 선비들에게 소리쳤습니다.

"점잖으신 선비님들이 무슨 꼴입니까? 정신 좀 차려 보세요."

그 말에 선비들이 울음을 멈추고 정신을 차려 보니, 바다도 배도 ⓫온데간데없고 메주 부스러기를 입에 물고 방바닥에 앉아 있는 것이었습니다.

노인도 보이지 않았습니다. 그는 아마도 메주 도사였을 것이라고 합니다.

– 메주 도사 ②

1 이 이야기의 내용으로 알맞은 것에 ○표를 해 보세요.

(1) 선비들이 타고 있는 배가 뒤집혀 모두 바다에 빠졌다. ·································· ( )

(2) 선비들은 노인의 말을 듣고 볼품없는 복숭아만 먹었다. ·························· ( )

(3) 방 안의 선비들은 메주 부스러기를 입에 문 채 울고 있었다. ·················· ( )

2 다음은 노인이 선비들에게 가르쳐 주고 싶었던 교훈을 정리한 것입니다. 빈칸에 들어갈 알맞은 말을 골라 ○표를 해 보세요.

겉보기에 맛있어 보이는 복숭아를 먹으면 젊어지지만 { 큰 위험 / 좋은 일 }

이 생길 것이라는 말을 통해 노인은 사람을 { 겉모습 / 됨됨이 } (으)로 판단해

서는 안 된다는 점을 가르치고 있어.

3 친구들이 한 말을 읽고, '하늘이 노래지다'의 뜻으로 알맞은 것을 골라 ○표를 해 보세요.

> **지우**: 중학생 오빠가 읽고 있는 책이 너무 어려워서 보는 순간 하늘이 노래졌어.

> **승원**: 친한 친구가 갑자기 전학을 간다는 소식을 들으니 하늘이 노래지는 것 같았어.

(1) 너무 놀라 정신이 아찔하다. ·· ( )

(2) 기대한 것과 달라 실망하다. ·· ( )

4 다음의 낱말과 뜻이 알맞도록 선으로 이어 보세요. 그리고 빈칸에 들어갈 알맞은 말을 써 보세요.

(1) 아득히 •

(2) 너나없이 •

(3) 온데간데없이 •

• ① 감쪽같이 사라져서 찾을 수가 없게.

• ② 너나 나나 가릴 것 없이 다 마찬가지로.

• ③ 보이는 것이나 들리는 것이 희미하고 매우 멀게.

(4) 기차가 오는 것이 [   ] 보이는데, 친구가 [   ] 사라져 버렸다.

(5) 어려운 이웃을 돕기 위해 [   ] 기부에 참여하였다.

5 빈칸에 공통으로 들어갈 알맞은 말을 써 보세요.

• 교통사고로 너무 놀란 수길이는 한동안 [   ]을 놓고 지냈다.

• 도둑이 들자 너무 놀란 시영이는 한동안 [   ]을 잃고 쓰러져 있었다.

6 빈칸에 공통으로 들어갈 알맞은 말을 골라 번호를 써 보세요. ⋯⋯⋯⋯⋯⋯⋯ (   )

배 한 [   ]   군함 한 [   ]

① 말   ② 접   ③ 줌   ④ 척

7 밑줄 친 낱말과 바꾸어 쓸 수 있는 말을 골라 번호를 써 보세요.

(1) 이 식당은 겉모습은 **볼품없지만** 음식 맛은 뛰어나다. ────────── (　　　)

① 초라하지만

② 화려하지만

(2) 친구의 사고 소식을 듣고 **하늘이 노래지고** 숨이 가빠졌다. ────────── (　　　)

① 정신이 아찔하고

② 정신이 번쩍 들고

틀리기 쉬워요!

8 다음 문장에서 올바른 표현에 ○표를 해 보세요.

(1) 약속 장소에 친구가 보이지 (않았다 / 안았다).

(2) 어젯밤에 숙제를 마치지 (못한 체 / 못한 채) 잠이 들었다.

(3) 아무리 찾아봐도 가방이 (온데간데없다 / 온대간대없다).

틀리기 쉬워요!

9 다음 문장의 밑줄 친 부분을 바르게 고쳐 써 보세요.

(1) 미술관에서 아름다운 그림을 <u>넉을 잃고</u> 바라보았다.

(2) 아버지께서는 사람들이 많은 곳에서 <u>점잔게</u> 행동하라고 말씀하셨다.

(3) 반가운 마음에 단숨에 달려왔더니 숨이 <u>가파져서</u> 말하기가 힘들었다.

한자 성어

기우 (杞 나라 이름 기 憂 근심 우)

아는 어휘에 ✔ 표시를 해 보고, 어휘의 뜻을 생각하며 글을 읽어 보세요.

☐ 쇠약해지다 ☐ 빈손 ☐ 영문 ☐ 한심하다 ☐ 미덥다 ☐ 꺼지다 ☐ 의심 ☐ 환하다

⏰ 공부한 날

월	일

❶ **쇠약해질**: 힘이 쇠하고 약해질.

❷ **빈손**: 아무것도 가진 것이 없는 손.

❸ **영문을 모르는**: 일이 돌아가는 형편이나 그 까닭을 모르는.

❹ **한심하게**: 정도에 너무 지나치거나 모자라서 딱하게.

❺ **그늘**: 근심이나 걱정이 가득한 어두운 얼굴에 나타나는 표정.

❻ **미더운**: 믿음성이 있는.

❼ **꺼지면**: 바닥 등이 내려앉아 빠지면.

❽ **의심**: 불확실하게 여기거나 믿지 못하는 마음.

❾ **눈초리**: 어딘가를 향해 보는 눈빛.

❿ **환한**: 표정이나 성격이 밝은.

⓫ **기우**: 쓸데없는 걱정.

옛날, 중국의 기나라에 걱정 많은 사람이 살고 있었습니다. 그 사람은 걱정이 너무 많아 밥도 편하게 먹지 못하고 잠도 제대로 자지 못해 ❶쇠약해질 정도였습니다.

하루는 걱정 많은 사람이 산에 나무를 하러 갔다가 ❷빈손으로 돌아왔습니다. ❸영문을 모르는 마을 사람들이 그에게 물었습니다.

"여보시게, 무슨 일이 있는가? 오늘은 왜 그냥 왔는가?"

"나무를 하다가 그 나무에 깔릴까 봐 걱정되어서 그냥 왔습니다."

"에이, 무슨 걱정을 그렇게 하나?"

마을 사람들은 혀를 끌끌 차며, 그를 ❹한심하게 생각했습니다.

어느 날, 걱정 많은 사람이 얼굴에 ❺그늘이 가득한 채 길을 가고 있었습니다. 그때 마침 감나무에서 열매가 툭 하고 떨어졌습니다.

"어이쿠!"

걱정 많은 사람은 잔뜩 겁을 먹고 집으로 돌아가 한동안 집 밖으로 나오지 못했습니다. 이 소문을 듣고 친구가 찾아왔습니다.

"아니, 이게 무슨 일인가?"

"하늘이 무너지면 어쩌나 하는 걱정에 내가 요새 잠을 못 잔다네."

"여보게 하늘이 무너진다고? 그럴 일은 없다네."

걱정 많은 사람이 못 ❻미더운 눈빛으로 쳐다보자, 친구는 웃으며 말을 이었습니다.

"하늘은 공기로 이루어진 것이라네. 공기는 숨을 쉴 때 우리 몸을 드나드는 것이지, 지붕처럼 무너지는 것이 아니라네."

"그렇지만 땅은? 땅이 ❼꺼지면 어쩌나?"

그는 ❽의심에 찬 ❾눈초리로 끊임없이 걱정했습니다.

"안심하게, 친구. 땅은 흙이 단단히 덮고 있어서 우리가 아무리 밟고 뛰어도 꺼지지 않는다네."

이 말을 들은 기나라 사람은 그제서야 ❿환한 얼굴로 걱정하는 것을 그만두었습니다.

이런 쓸데없는 걱정을 가리켜 사람들은 '기나라 사람의 걱정.'이라는 뜻으로 ⓫'기우'라고 불렀답니다.

1 이 글에서 기나라 사람이 나무를 하러 갔다가 빈손으로 돌아온 까닭을 골라 번호를 써 보세요. ···( )

① 도끼를 잃어버려서

② 나무를 베는 방법을 몰라서

③ 나무가 무거워서 들고 올 수 없어서

④ 나무를 하다 그 나무에 깔릴까 봐 걱정되어서

2 다음은 기나라 사람과 친구의 대화를 정리한 것입니다. 내용에 맞도록 보기 의 낱말을 알맞은 모양으로 바꾸어 빈칸을 채워 보세요.

보기 　　　　　　　　　 꺼지다　　무너지다

기나라 사람 : 하늘이 ☐☐☐☐ 어쩌지?

친구 : 하늘은 공기로 이루어진 것이고, 공기는 무너지는 것이 아니야.

기나라 사람 : 땅이 ☐☐☐ 어쩌지?

친구 : 땅은 흙이 단단히 덮고 있어서 꺼지지 않아.

3 다음은 '기우'의 한자 뜻과 이 글에 나오는 인물의 모습을 정리한 것입니다. 빈칸을 채우며 '기우'의 뜻을 완성해 보세요.

'기우'의 한자 뜻		기나라 사람의 모습	기나라 사람의 성격
杞	憂	☐☐이 무너지고 ☐이 꺼질까 봐 걱정함.	쓸데없는 ☐☐이 많다.
나라 이름 기	근심 우		

➜ '기우'는 '기나라 사람의 걱정.'이라는 뜻으로, 앞일에 대한 ☐☐☐☐ 걱정을 이르

는 말이다.

4 밑줄 친 낱말과 바꾸어 쓸 수 <u>없는</u> 낱말을 골라 번호를 써 보세요.

(1) 뚜렷한 목표 없이 하루하루를 보내는 내가 **한심하게** 여겨졌다. ············ (   )

　　　　　① 딱하게

　　　　　② 어이없게

　　　　　③ 한가하게

(2) 그는 **의심**에 찬 눈초리로 나를 쳐다보았다. ····························· (   )

　　　　　① 의혹

　　　　　② 의문

　　　　　③ 믿음

5 밑줄 친 낱말의 뜻으로 알맞은 것을 〈보기〉에서 골라 번호를 써 보세요. ·············· (   )

> **보기** 그늘
>
> ① 빛이 어떤 물체에 가려져 생긴 어두운 부분. 예 <u>그늘</u>에 가서 쉬자.
> ② 근심이나 걱정이 가득한 어두운 얼굴에 나타나는 표정. 예 얼굴에 <u>그늘</u>이 가득하다.

> 윤아는 <u>그늘</u>이라고는 찾아보기 힘들 만큼 밝은 성격이다.

6 빈칸에 들어갈 알맞은 말을 〈보기〉에서 찾아 써 보세요.

> **보기**　　　　　　　미더워　　　끊임없이

(1) 목표를 이루기 위해 [   ] 노력하였다.

(2) 엄마께서 나를 못 [   ] 하는 표정으로 바라보셨다.

7 '기우'라는 한자 성어와 관련 있는 친구의 이름을 써 보세요.

와! 신난다!
체육 시간이다.
오늘은 무엇을 할지
너무 기대된다.

태민

체육 시간이네.
난 운동을 잘 못하는데······.
내가 너무 못한다고 다른 친구들이
날 원망하면 어쩌지?

세빈

(   )

틀리기 쉬워요!

8 보기 와 같이 소리 나는 대로 써 보세요.

앞말의 받침을 뒷말의
'ㅇ' 자리로 옮겨
발음해요.

> 보기   낮에 → [나제]   옷을 → [오슬]

(1) 오늘은 ➡ [   ]

(2) 것을 ➡ [   ]

(3) 뜻으로 ➡ [   ]

9 보기 의 낱말을 문장에 어울리게 알맞은 모양으로 바꾸어 빈칸에 써 보세요.

> 보기 **환하다**
>
>   1. 빛이 비치어 맑고 밝다.
>
>   2. 표정이나 성격이 밝다.

(1) 밤인데도 대문 밖에는 불이 [   ] 켜져 있다.

(2) 할머니께서 [   ] 미소로 나를 반겨 주셨다.

스스로
붙임딱지

Day 04 이런 화석도 있어요

아는 어휘에 ✔ 표시를 해 보고, 어휘의 뜻을 생각하며 글을 읽어 보세요.

☐ 화석　☐ 흔적　☐ 지층　☐ 퇴적물　☐ 퇴적암　☐ 보존　☐ 늪　☐ 발굴

🕐 공부한 날

월　　　　일

① 흔적: 어떤 사물이나 현상이 없어졌거나 지나간 뒤에 남은 자국이나 자취.

② 지층: 자갈, 모래, 진흙 등으로 이루어진 암석들이 층층이 쌓여 굳어진 것.

③ 퇴적물: 자갈이나 모래 등이 흐르는 물이나 바람 등에 의하여 운반되어 쌓인 것.

④ 퇴적암: 자갈, 모래, 진흙 등의 퇴적물이 굳어져 만들어진 암석.

⑤ 호박: 송진이 오랜 시간이 지나 단단하게 굳어진 것.

⑥ 미세한: 분간하기 어려울 정도로 아주 작은.

⑦ 보존되는: 잘 보호되고 보관되어 남겨지는.

⑧ 매머드: 코끼릿과의 화석 포유류. 몸의 길이는 4미터 정도이며, 4만 년 전부터 1만 년 전까지 생존하였던 동물.

⑨ 늪: 땅바닥이 우묵하게 뭉떵 빠지고 늘 물이 괴어 있는 곳.

⑩ 발굴되었습니다: 땅속이나 큰 덩치의 흙, 돌 더미 따위에 묻혀 있는 것이 발견되어 파내어졌습니다.

1 화석은 옛날에 살았던 생물의 몸체와 생물이 생활한 **①**흔적이 **②**지층이나 암석에 남아 있는 것을 말합니다. '화석' 하면 가장 먼저 떠오르는 것이 무엇인가요? 공룡 뼈 화석이나 삼엽충 화석, 고사리 화석 등이 떠오를 거예요. 대부분의 화석은 생물의 몸체나 발자국과 같은 흔적 위에 자갈이나 모래 등이 물이나 바람에 의해 운반되어 쌓이는 **③**퇴적물이 오랜 시간이 지나 단단하게 굳어져 만들어집니다. 그래서 화석은 주로 **④**퇴적암들이 층층이 쌓여 굳어진 지층 속에서 발견되지요.

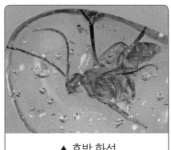

▲ 호박 화석

2 퇴적암이 아닌 신기한 곳에서 발견되는 화석도 있습니다. 그중 하나가 **⑤**호박 화석입니다. 호박은 소나무에서 나오는 끈끈한 액체인 송진이 시간이 지나 단단하게 굳어진 것을 말합니다. 이런 호박 속에 개미나 거미, 모기 같은 작은 곤충들이 갇혀 함께 굳어져 화석이 되는 것입니다. 호박 화석은 생물의 **⑥**미세한 부분까지 그대로 **⑦**보존되는 경우가 많습니다.

3 러시아의 시베리아 한 호수 속에서는 얼음 속에 파묻혀 있던 **⑧**매머드 화석이 발견되었습니다. 동물 화석은 대부분 쉽게 썩지 않는 뼈나 이빨, 발톱 등의 부분이 발견되지만, 얼음 속 매머드 화석은 살이 썩지 않은 채 원래 모습 그대로 발견되었습니다. 얼음 속 화석 중에는 동물의 배설물이나 위 속의 음식이 함께 남아 있는 것도 있습니다.

▲ 매머드 화석

4 타르라는 물질 속에서 발견되는 화석도 있습니다. 타르는 화석 연료인 석유에서 나오는 물질로, 검고 끈적끈적한 액체입니다. 땅속에서 타르가 스며 나오면서 **⑨**늪과 같은 구덩이가 만들어지는데, 이 구덩이에 빠진 동물들이 굳어져 화석으로 발견된 것입니다. 타르 구덩이로 유명한 곳은 미국의 로스앤젤레스입니다. 로스앤젤레스의 수백 개가 넘는 타르 구덩이에서 매머드나 검치호랑이와 같은 동물 화석뿐 아니라 다양한 식물 화석이 **⑩**발굴되었습니다.

1 빈칸에 들어갈 알맞은 낱말을 써 보세요.

> 옛날에 살았던 생물의 몸체와 생물이 생활한 흔적이 남아 있는 것을 ☐☐이라고 한다.

2 이 글의 내용으로 맞는 것에 ○표, 틀린 것에 ×표를 해 보세요.

(1) 화석은 주로 지층 속에서 발견된다. ··· (○ / ×)

(2) 타르 속에서 발견된 화석은 모두 동물이었다. ······························· (○ / ×)

(3) 동물 화석은 대부분 뼈와 살이 그대로 남아 있다. ······················· (○ / ×)

3 다음은 퇴적암이 아닌 곳에서 발견된 화석을 정리한 것입니다. 빈칸에 들어갈 알맞은 낱말을 보기 에서 찾아 써 보세요.

보기	얼음　　타르　　호박

2 문단	송진이 굳어져 만들어진 ☐☐ 화석
3 문단	러시아의 시베리아에서 발견된 ☐☐ 속 화석
4 문단	화석 연료인 ☐☐ 구덩이에서 발견된 화석

4 빈칸에 들어갈 알맞은 말을 글에서 찾아 써 보세요.

> 얼음 속 동물 화석은 살이 썩지 않은 채 원래 모습 그대로 발견되기도 하고, 이 중에는 동물의 ☐☐☐이나 위 속의 ☐☐이 함께 남아 있기도 한다.

5 다음의 낱말과 뜻이 알맞도록 선으로 이어 보세요.

(1) 화석 •

(2) 퇴적암 •

(3) 지층 •

• ① 자갈, 모래, 진흙 등의 퇴적물이 굳어져 만들어진 암석.

• ② 자갈, 모래, 진흙 등으로 이루어진 암석들이 층층이 쌓여 굳어진 것.

• ③ 옛날에 살았던 생물의 몸체와 생물이 생활한 흔적이 지층이나 암석에 남아 있는 것.

6 다음 낱말이 알맞게 쓰이지 <u>않은</u> 것을 골라 번호를 써 보세요. ·············· (　　　)

보존되다

① 발견된 문화재들은 박물관에 <u>보존되었다</u>.
② 경찰들이 도착할 때까지 범행 현장이 잘 <u>보존되었다</u>.
③ 인간의 무분별한 개발로 자연환경이 많이 <u>보존되었다</u>.

7 빈칸에 공통으로 들어갈 알맞은 말을 골라 번호를 써 보세요. ·············· (　　　)

• 주스를 엎질렀더니 바닥이 　□□□□ 했다.

• 신발 바닥에 껌이 붙어서 　□□□□ 했다.

① 끈적끈적　　　　② 거칠거칠　　　　③ 매끈매끈

8 낱말의 관계가 보기 와 <u>다른</u> 것을 골라 번호를 써 보세요. ·············· (   )

보기	생물 – 동물

① 동물 – 매머드   ② 음식 – 피자   ③ 식물 – 나팔꽃   ④ 선생님 – 학생

틀리기 쉬워요!

9 다음 문장에서 올바른 표현을 골라 ○표를 해 보세요.

'이에요'는 '예요'로 줄여 쓰기도 해요.

(1) 그 케이크는 엄마와 내가 함께 만든 (거에요 / 거예요).

(2) 땅속에 (파묻혀 / 파뭍혀) 있던 보물을 캐냈다.

틀리기 쉬워요!

10 밑줄 친 낱말의 발음으로 알맞은 것을 골라 번호를 써 보세요.

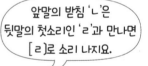

앞말의 받침 'ㄴ'은 뒷말의 첫소리인 'ㄹ'과 만나면 [ㄹ]로 소리 나지요.

(1) **인류**의 발전은 과학 기술의 발전과 함께 이루어졌다. ·············· (   )

     ① [인뉴]

     ② [일류]

(2) 천연 **원료**로 만든 비누를 샀다. ·············· (   )

     ① [원뇨]

     ② [월료]

틀리기 쉬워요!

11 다음 문장의 밑줄 친 부분을 바르게 고쳐 써 보세요.

(1) 단단하게 <u>굳어진</u> 떡을 다시 쪘다. ➡ [   ]

(2) 산사태로 인해 마을에 <u>같혀</u> 있던 사람들이 구조되었다. ➡ [   ]

맞은 개수 _____ /11개

스스로 붙임딱지

'현(現)'과 '재(在)'가 들어간 말

아는 어휘에 ✔ 표시를 해 보고, 아래 활동을 하며 뜻을 익혀 보세요.

☐ 현재   ☐ 현대   ☐ 현실   ☐ 표현   ☐ 재학생   ☐ 재래식   ☐ 존재

現
나타날 현

이 한자는 옥[玉]을 바라보는[見] 모습을 나타낸 글자로, '나타나다'의 뜻이 있어요.

순서대로 써 봐요

現
나타날 현

● '현(現)'이 들어간 낱말은 '나타나다', '드러내다'의 뜻을 지니는 경우가 많아요.

현 대	
나타날 現 대신할 代	뜻 지금의 시대. 예 환경 오염의 문제는 현대 인류가 풀어야 할 숙제이다.

현 실	
나타날 現 열매 實	뜻 현재 실제로 있는 사실이나 상태. 예 그는 현실에 만족하지 않고 늘 도전한다.

표 현	
겉 表 나타날 現	뜻 느낌이나 생각 등을 말, 글, 몸짓 등으로 나타내어 겉으로 드러냄. 예 감정 표현에 솔직하다.

우승을 축하합니다. 지금 기분을 표현해 주세요.

'현재'의 의미는 무엇일까요?

현	재	vs	미	래
나타날 現	있을 在		아닐 未	올 來

"미래는 현재 우리가 무엇을 하는가에 달려 있다(마하트마 간디)."라는 말을 들어 보셨나요? 현재의 우리가 무엇을 하고 있는지가 우리의 미래를 결정한다는 뜻이랍니다. 우리 모두 '오늘'이라는 현재를 살면서 '내일'이라는 미래를 준비해 보아요.

지금 이 순간, 현재에 최선을 다하자.

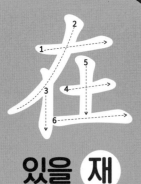

在
있을 재

이 한자는 흙 속에서 새싹이 새로 돋아나는 모습을 나타낸 글자로, '있다', '존재하다'의 뜻이 있어요.

在
있을 재

'현재'는 '지금의 시간.'이라는 뜻이에요.

● '재(在)'가 들어간 낱말은 '있다', '존재하다'의 뜻을 지니는 경우가 많아요.

재	학	생
있을 在	배울 學	날 生

뜻 학교에 소속되어 공부하는 학생.

예 최근 출생률이 낮아져 재학생 수가 줄어들고 있다.

재	래	식
있을 在	올 來	법 式

뜻 예전부터 전해 내려오는 방식.

예 시장에서 파는 된장은 재래식 된장의 맛을 도저히 따라갈 수가 없다.

저를 쓸모 있는 존재로 키워 주신 부모님께 감사드립니다.

존	재
있을 存	있을 在

뜻 현실에 실제로 있음. 또는 그런 대상.

예 인간은 사회적인 존재이다.

1 다음의 낱말이 들어가기에 알맞은 문장을 선으로 이어 보세요.

(1) 재학생 •

(2) 재래식 •

(3) 존재 •

• ① 사람들은 신의 [   ]를 확인하고 싶어 한다.

• ② 입학식이 끝나고 나서 신입생과 [   ] 이 인사하는 시간이 있었다.

• ③ [   ]으로 만든 손두부를 맛보았다.

2 낱말 뜻을 보고, 빈칸에 들어갈 알맞은 낱말을 써 보세요.

(1) 예전에 논밭이었던 이곳이 [ ][ ]는 빌딩숲이 되었다.
   ↳ 지금의 시간.

(2) 그는 자신의 기분을 다소 과장되게 [ ][ ]하였다.
   ↳ 느낌이나 생각 등을 말, 글, 몸짓 등으로 나타내어 겉으로 드러냄.

(3) [ ][ ] 의학 기술로 고칠 수 없는 병이 아직도 많다.
   ↳ 지금의 시대.

(4) 꿈이 [ ][ ]이 되도록 노력해 보자.
   ↳ 현재 실제로 있는 사실이나 상태.

3 빈칸에 공통으로 들어갈 알맞은 말을 써 보세요.

• [ ][ ]**인**: 현대에 살고 있는 사람.

• [ ][ ]**식**: 현대에 알맞은 형식이나 방식.

• [ ][ ]**사회**: 오늘날의 사회.

4 빈칸에 들어갈 알맞은 말을 보기 에서 골라 문장을 완성해 보세요.

보기   현실   비현실적   현대적   전통적

경복궁은 옛날에 지어진 (3) ⬜⬜⬜인 건축물이야.

드라마에 나오는 인물들은 정말 멋져. 그런데 왜 (1) ⬜⬜에는 이런 사람이 없는 걸까?

나는 한복 같은 전통적인 복장이 참 예쁘더라. 색도 곱고.

드라마 속 인물들이 너무 (2) ⬜⬜⬜⬜인 거 아니니?

나는 (4) ⬜⬜⬜인 복장이 좋아. 편하고 활동적이지.

추위를 나타내는 말

- **강추위**: 눈도 오지 않고 바람도 불지 않으면서 몹시 매운 추위.
- **강(強)추위**: 눈이 오고 매운바람이 부는 심한 추위.
- **꽃샘추위**: 이른 봄, 꽃이 필 무렵의 추위.
- **늦추위**: 제철보다 늦게 드는 추위. 또는 겨울이 다 가도록 가시지 아니하는 추위.
- **손돌이추위**: 음력 10월 20일 무렵의 심한 추위.
- **장대추위**: 오랫동안 내리 계속되는 심한 추위를 빗대어 이르는 말.
- **첫추위**: 그해 겨울 처음으로 닥친 추위.
- **한추위**: 한참 심한 추위.

겨울이라면 눈 오고 매운바람 부는 강(強)추위가 있어야 제맛이지!!!

강(強)추위

올 겨울의 문은 내가 열었네!!

첫추위

봄이 오긴 일르다구. 한두 차례 꽃샘추위가 지나야 봄이지!

꽃샘추위

2주 어휘 미리보기

뜻을 알고 있는 낱말에 V표 해 보세요.
알고 있는 낱말은 글에서 어떻게 쓰였는지 확인하고,
모르는 낱말은 글을 읽으며 재미있게 익혀 보아요.

낙숫물이 댓돌을 뚫는다

아는 어휘에 ✔ 표시를 해 보고, 어휘의 뜻을 생각하며 글을 읽어 보세요.

□ 시초 □ 발명 □ 군화 □ 번거롭다 □ 특허 □ 생산 □ 헐값 □ 용도

🕐 공부한 날

　　월　　일

옷이나 신발, 가방 등에 널리 쓰이는 지퍼가 어떻게 만들어졌는지 알고 있나요? 지퍼의 [1]시초가 된 잠금장치를 [2]발명한 사람은 미국의 기술자인 휘트콤 저드슨입니다. 뚱뚱했던 그는 아침마다 허리를 숙여서 [3]군화의 끈을 매는 것이 너무 불편하고 [4]번거로웠습니다. 그래서 그는 신발 끈을 대신할 수 있는 물건을 만들어야겠다고 결심하고 연구를 시작했습니다.

휘트콤 저드슨은 연구를 계속하여 1893년 마침내 신발용 지퍼 장치로 [5]특허를 받았습니다. 그해에 시카고 박람회가 열렸고 그는 이 지퍼를 박람회에 내놓았습니다. 그러나 지퍼를 처음 본 사람들은 그의 아이디어에 감탄하면서도 옷이나 신발 등에 쓰기에는 적절하지 않다고 생각했습니다. 무겁고 투박했을 뿐만 아니라 고장도 자주 났기 때문입니다.

그러던 어느 날, 휘트콤 저드슨의 지퍼를 본 워커라는 한 군인이 지퍼의 특허권을 사들였습니다. 그는 지퍼를 널리 쓰이게 하려면 지퍼를 [6]생산하는 기계가 필요할 것이라고 생각했습니다. [7]낙숫물이 댓돌을 뚫는다는 말처럼, 워커는 19년 동안이나 힘들게 노력하여 결국 지퍼를 생산하는 기계를 완성하였습니다. 하지만 직접 기계를 돌려 지퍼를 생산해 내기에는 여러 가지 어려움이 있었습니다. 그래서 워커는 눈물을 머금고 기계를 [8]헐값에 내놓았습니다.

1912년 양복점 주인인 쿤 모스가 지퍼를 이용해 옷을 만들어 보겠다는 생각으로 워커의 기계를 샀습니다. 그는 군복에 지퍼를 달아 군대에 팔기도 하고, 지퍼를 활용한 새로운 제품을 만들어 크게 성공을 거두었습니다. 하지만 여전히 지퍼를 사용하는 데 여러 가지 문제점이 있었습니다.

1913년 기데온 순드바크가 지금 우리가 사용하는 지퍼의 모양을 개발했습니다. 그 후 굿리치 사가 1920년대에 지퍼가 달린 신발을 만들어 판매했고, 사람들의 큰 관심을 얻었습니다. 이때 지퍼를 올리고 내릴 때 나는 '짚(zip)'이라는 소리를 본떠 신발에 '지퍼'란 이름을 붙였습니다. 이후 지퍼가 다양한 [9]용도로 사용되면서 신발 이름이었던 '지퍼'가 오늘날 우리가 사용하는 '지퍼'를 가리키는 말이 되었습니다.

[1] **시초**: 맨 처음.

[2] **발명**: 지금까지 없던 새로운 기술이나 물건을 처음으로 생각하여 만들어 냄.

[3] **군화**: 군인들이 신는 신발.

[4] **번거로웠습니다**: 귀찮고 짜증스러웠습니다.

[5] **특허**: 새로운 아이디어나 발명품에 대해 독점적으로 가지는 권리.

[6] **생산**: 인간이 생활하는 데 필요한 물건을 만듦.

[7] **낙숫물이 댓돌을 뚫는다**: 작은 힘이라도 꾸준히 계속하면 큰일을 이룰 수 있음을 빗대어 이르는 말.

[8] **헐값**: 그 물건의 원래 가격보다 훨씬 싼 값.

[9] **용도**: 쓰이는 곳이나 목적.

1 이 글을 읽고 휘트콤 저드슨이 지퍼를 만들게 된 까닭을 골라 보세요. ···················· (　　　　)

① 발명하는 것을 좋아해서

② 특허를 내 돈을 많이 벌고 싶어서

③ 신발 끈을 매는 것이 너무 힘들어서

2 이 글의 내용으로 알맞은 것에 ○표를 하세요.

(1) 쿤 모스는 지퍼를 생산하는 기계를 만들었다. ·· (　　　　)

(2) 휘트콤 저드슨이 만든 지퍼는 사람들에게 인기를 끌었다. ································· (　　　　)

(3) '지퍼'라는 이름은 지퍼를 올리고 내릴 때 나는 소리에서 온 것이다. ················ (　　　　)

3 다음 글을 읽고, 빈칸에 들어갈 알맞은 낱말을 【보기】에서 찾아 써 보세요.

보기	노력　　　생산　　　헐값　　　특허권

워커는 지퍼의 ☐☐☐을 사고 지퍼를 ☐☐하는 기계를 만들었다. 19년

동안이나 힘들게 ☐☐한 끝에 기계를 완성했지만, 기계로 지퍼를 생산하는 데 어려움

이 있어 ☐☐에 팔고 말았다.

4 이 글에 나타난 '워커의 노력'과 다음 낱말 뜻을 보고, "낙숫물이 댓돌을 뚫는다."의 뜻에 알맞도록 빈칸을 채워 보세요.

'낙숫물'의 뜻	처마 끝에서 떨어지는 물.
'댓돌'의 뜻	집채의 낙숫물이 떨어지는 곳 안쪽으로 돌려가며 놓은 돌.

➜ "낙숫물이 댓돌을 뚫는다."라는 속담은 '☐☐ 힘이라도 꾸준히 계속하면 ☐☐을 이

룰 수 있음.'을 이르는 말이다.

5 다음의 낱말과 뜻이 알맞도록 선으로 이어 보세요. 그리고 빈칸에 들어갈 알맞은 낱말을 써 보세요.

(1) 시초 •

• ① 인간이 생활하는 데 필요한 물건을 만듦.

(2) 생산 •

• ② 맨 처음.

(3) 장 발장이 빵 한 조각을 훔친 것이 비극의 ☐☐였다.

(4) 그 회사에서 ☐☐하는 물건은 모두 외국으로 수출된다.

6 다음의 낱말 뜻을 참고하여, 문장에 들어갈 알맞은 낱말을 골라 ○표를 해 보세요.

- **발명**: 지금까지 없던 새로운 기술이나 물건을 처음으로 생각하여 만들어 냄.
- **발견**: 아직 찾아내지 못했거나 세상에 알려지지 않은 것을 처음으로 찾아냄.

(1) 고구려의 옛 유물을 (발명 / 발견)하였다.

(2) 비행기의 (발명 / 발견)은 인류의 문화를 바꾸어 놓았다.

7 빈칸에 들어갈 알맞은 낱말을 보기 에서 찾아 써 보세요.

보기	감탄	관심	연구	활용

(1) 백신 개발을 위해 밤낮없이 ☐☐에 몰두하였다.

(2) 동생이 그린 그림을 보고 ☐☐하여 박수를 쳤다.

(3) 지수는 사람들에게 ☐☐을 받는 것이 부담스러웠다.

(4) 컴퓨터를 잘 ☐☐한다면 작업 속도를 올릴 수 있을 것이다.

8 속담 "낙숫물이 댓돌을 뚫는다."를 써서 상황에 어울리게 말한 친구에게 ○표를 해 보세요.

어릴 때부터 피아노를 하루에 한 시간씩 하루도 빠짐없이 열심히 연습했더니 대회에 나가서 최우수상을 받았어.

한결

시험을 볼 때는 다 아는 문제 같아도 풀고 나서 다시 한 번 신중하게 확인해야 해. 그렇지 않으면 실수할 수 있어.

세영

(   )   (   )

틀리기 쉬워요!

9 다음의 낱말 뜻을 참고하여, 문장에 들어갈 알맞은 낱말을 골라 ○표를 해 보세요.

(1)
- **매다**: 따로 떨어지거나 풀어지지 않도록 끈이나 줄의 두 끝을 서로 묶다.
- **메다**: 어깨에 걸치거나 올려놓다.

① 무거운 가방을 어깨에 (매고 / 메고) 집으로 향했다.
② 은빈이는 신발 끈을 고쳐 (매고 / 메고) 뛰기 시작했다.

(2)
- **때**: 알맞은 시기.
- **떼**: 사람이나 동물이 한데 많이 모여 있는 것.

① 의복은 (때 / 떼)와 장소에 맞게 갖추어 입어야 한다.
② 아름다운 바닷가에 갈매기 (때 / 떼)가 모여들었다.

틀리기 쉬워요!

10 다음 문장에서 올바르게 띄어 쓴 것에 ○표를 해 보세요.

(1) 수정이는 노래 실력이 (뛰어날뿐만 / 뛰어날 뿐만) 아니라 그림도 잘 그린다.
(2) 공원에는 (여러가지 / 여러 가지) 꽃들이 피어 있다.

귀를 의심하다

아는 어휘에 ✔ 표시를 해 보고, 어휘의 뜻을 생각하며 글을 읽어 보세요.

☐ 산기슭 ☐ 해치다 ☐ 목숨 ☐ 철없다 ☐ 고하다 ☐ 낭군 ☐ 명복 ☐ 보답

공부한 날

월 일

신라 원성왕 때 일입니다. 김현이라는 사람이 흥륜사에서 열심히 기도를 하고 있었습니다. 그러다 한 여인을 만났고 둘은 사랑하게 되었습니다. 김현은 여인의 뒤를 따라 ❶산기슭에 있는 여인의 집까지 갔습니다. 집에 도착하자 그 여인은 김현에게 숨어 있으라고 하였습니다. 잠시 후, 세 마리의 호랑이가 으르렁거리면서 집으로 들어와서 말했습니다.

"이게 무슨 냄새지? 집 안에서 아주 맛있는 냄새가 나는구나."

호랑이들은 숨어 있던 김현을 찾아내어 잡아먹으려고 하였습니다. 이 호랑이들은 바로 여인의 오빠들이었습니다. 그때 갑자기 하늘에서 큰 소리가 들렸습니다.

"이놈들! 너희들이 인간을 자꾸 ❷해치니 한 놈의 ❸목숨을 가져가야겠다."

이 말을 들은 호랑이들은 겁이 났습니다. 이때 여인이 오빠들 대신 벌을 받겠다고 말하자 ❹철없는 오빠들이 기뻐하였습니다. 여인은 김현에게 사실대로 ❺고하였습니다.

"사실 저는 호랑이입니다. 임금님께서 내일 호랑이를 잡는 사람에게 높은 ❻벼슬을 내린다고 하실 것입니다. 제가 장터에 가서 사람들을 해치고 성의 북쪽 숲에 숨어 기다리고 있을 테니 ❼낭군께서는 저를 잡아 벼슬을 얻으십시오."

이를 들은 김현은 ❽귀를 의심하였습니다.

"어찌 당신의 죽음을 팔아 벼슬을 얻겠소? 그럴 수 없소."

"아닙니다. 제가 죽는 것은 하늘의 뜻입니다. 낭군께서는 벼슬에 오르거든 저를 위하여 절을 지어 주십시오."

다음 날, 호랑이가 사람들을 해치자 임금은 호랑이를 잡는 자에게 벼슬을 주겠다고 하였습니다. 김현은 여인이 말한 곳으로 가서 호랑이를 만났습니다.

"오늘 제 발톱에 상처 입은 사람들은 흥륜사의 간장을 바르면 나을 것입니다."

여인은 이렇게 말하고는 김현의 칼을 뽑아 스스로 목숨을 끊었습니다. 김현은 벼슬에 오른 뒤, '호원사'라는 절을 지어 호랑이 여인의 ❾명복을 빌고, 은혜에 ❿보답하였습니다.

— 김현감호 설화

❶ **산기슭**: 산의 비탈이 끝나는 아랫부분.
❷ **해치니**: 다치게 하거나 죽이니.
❸ **목숨**: 사람이나 동물이 숨을 쉬며 살아 있는 힘.
❹ **철없는**: 옳고 그름을 분별할 정도의 능력이 없는.
❺ **고하였습니다**: 어떤 사실을 알리거나 말하였습니다.
❻ **벼슬**: 관아에 나가서 나랏일을 맡아 다스리는 자리.
❼ **낭군**: 예전에, 젊은 여자가 자기 남편이나 연인을 부르던 말.
❽ **귀를 의심하였습니다**: 믿기 어려운 이야기를 들어 잘못 들은 것이 아닌가 생각하였습니다.
❾ **명복**: 죽은 뒤 저승에서 받는 복.
❿ **보답하였습니다**: 남의 호의나 은혜를 갚았습니다.

1 이 이야기의 내용으로 맞는 것에 ○표, 틀린 것에 ×표를 해 보세요.

(1) 김현은 여인 덕분에 벼슬에 오를 수 있었다. ──────────────────── (   )

(2) 김현이 만난 여인은 사람의 모습을 한 호랑이였다. ──────────────── (   )

(3) 김현은 여인이 말한 성의 북쪽 숲으로 가서 여인의 오빠들을 만났다. ─── (   )

2 다음은 김현이 벼슬에 오르게 된 과정을 정리한 것입니다. 빈칸에 들어갈 알맞은 낱말을 써 보세요.

> 호랑이 여인이 김현에게 내일 일어날 일을 미리 말해 주며 자신을 잡아 벼슬을 얻으라고 함.

↓

> 호랑이 여인의 말대로 다음 날 임금이 호랑이를 잡는 자에게 □□을 내리겠다고 함.

↓

> 호랑이 여인은 약속한 대로 장터에 가서 사람들을 해치고, 김현의 칼을 뽑아 스스로 □
>
> □을 끊음.

↓

> 김현은 벼슬에 오른 뒤, 호원사라는 절을 지어 여인의 □□을 빌어 줌.

3 친구들의 대화를 보고, '귀를 의심하다'의 뜻으로 알맞은 것에 ○표를 해 보세요.

여인의 말을 들은 김현이 '귀를 의심했다'고 했어. 귀를 의심한다는 게 무슨 뜻일까?

'의심하다'는 '확실히 알 수 없어서 믿지 못하다.'라는 뜻이야. 그런데 여인의 말을 듣고 자신의 귀를 의심했다고 했으니까……

여인이 한 말을 믿기가 어려워 제대로 들은 게 맞는지 생각했다는 것 같아.

(1) 상대방의 말을 한번에 제대로 이해하지 못하다. ──────────────── (   )

(2) 믿기 어려운 이야기를 들어 잘못 들은 것이 아닌가 생각하다. ────── (   )

4 다음의 낱말과 뜻이 알맞도록 선으로 이어 보세요.

(1) 목숨 •

(2) 명복 •

(3) 산기슭 •

• ① 죽은 뒤 저승에서 받는 복.

• ② 산의 비탈이 끝나는 아랫부분.

• ③ 사람이나 동물이 숨을 쉬며 살아 있는 힘.

5 밑줄 친 부분과 바꾸어 쓸 수 있는 말을 골라 번호를 써 보세요.

(1) 김현은 호원사를 지어 호랑이 여인의 명복을 빌고 은혜에 **보답하였다**. ─────── ( )

　　　　　　　　　　　　　① 보은하였다

　　　　　　　　　　　　　② 보완하였다

(2) 여인은 김현에게 사실을 **고하였다**. ─────────────────────── ( )

　　　　　① 알리었다

　　　　　② 숨기었다

6 다음 중 '귀를 의심하다'를 사용하기에 알맞은 상황을 골라 ○표를 해 보세요.

(1)

( )

(2)

( )

7 다음은 국어사전에 나온 '입다'의 뜻입니다. 각 문장의 밑줄 친 말에 해당하는 뜻을 골라 번호를 써 보세요.

> **입다**
>
> 1. 옷을 몸에 꿰거나 두르다.
> 2. (도움, 손해 따위와 같은 것을) 받거나 당하다.

(1) 직원의 실수로 가게는 큰 손해를 <u>입었다</u>.··(   )

(2) 날씨가 추워져 두꺼운 티셔츠를 꺼내 <u>입었다</u>.···(   )

(3) 은혜를 <u>입은</u> 호랑이가 그 은혜에 보답하려고 나타났다.·······················(   )

8 다음 문장에서 올바른 표현에 ○표를 해 보세요.

(1) 무리한 운동은 오히려 건강을 (해치니 / 헤치니) 조심해야 한다.

(2) 형과 싸운 일을 (사실데로 / 사실대로) 어머니께 말씀드렸다.

틀리기 쉬워요!

9 **보기** 를 보고, 다음 낱말을 소리 나는 대로 알맞게 쓴 것을 골라 ○표를 해 보세요.

> **보기** 'ㄴ' 받침 뒤에 'ㄹ'이 오면 'ㄴ'이 [ㄹ]로 바뀌어 소리 나요. 예 신라 → [실라]

(1) 난로 ➡ ①   [난노]   (   )   ②   [날로]   (   )

(2) 한라산 ➡ ①   [한나산]   (   )   ②   [할라산]   (   )

한자 성어

와신상담 (臥 누울 와 薪 땔나무 신 嘗 맛볼 상 膽 쓸개 담)

아는 어휘에 ✓ 표시를 해 보고, 어휘의 뜻을 생각하며 글을 읽어 보세요.

☐ 패배 ☐ 원수 ☐ 유언 ☐ 대패 ☐ 경솔 ☐ 조언 ☐ 도모 ☐ 행세

🕐 공부한 날

　　월　　일

❶ **패배한**: 싸움이나 경쟁 등에서 진.

❷ **원수**: 원한이 맺힐 정도로 자기에게 해를 끼친 사람이나 집단.

❸ **유언**: 죽기 전에 남긴 말.

❹ **복수**: 원수를 갚음.

❺ **코웃음**: 코끝으로 가볍게 웃는 비웃음.

❻ **대패하고**: 싸움이나 경기에서 크게 지고.

❼ **경솔했구나**: 말이나 행동이 조심성 없이 가벼웠구나.

❽ **조언**: 도움이 되도록 말로 거들거나 깨우쳐 줌. 또는 그런 말.

❾ **항복하고**: 적이나 상대편의 힘에 눌려 자신의 뜻을 굽히어 복종하고.

❿ **도모하십시오**: 어떤 일을 이루기 위해 대책이나 방법을 세우십시오.

⓫ **행세**: 사실은 그렇지 않은 사람이 사람이 어떤 당사자인 것처럼 꾸미어 행동함.

옛날 중국의 춘추 시대에 있었던 일입니다. 월나라와의 싸움에서 크게 ❶패배한 오나라의 왕 합려는 이 싸움으로 목숨을 잃을 처지가 되자 매우 억울했습니다. 그래서 죽기 직전에 아들인 부차에게 자신의 ❷원수를 갚아 달라는 ❸유언을 남겼습니다.

아버지의 원수를 갚기로 마음먹은 부차는 오나라의 왕이 된 뒤, 아버지의 유언을 잊지 않기 위해 딱딱한 장작더미 위에서 불편하게 잠을 잤습니다. 그리고 신하들에게 "월나라 왕이 아버지를 죽였다는 것을 잊지 마라."라는 아버지의 유언을 외치게 했습니다. 그리고 ❹복수를 위해 군사를 훈련했습니다.

이 사실을 눈치챈 월나라 왕 구천은 ❺코웃음을 치며 먼저 오나라를 향해 싸움을 걸었습니다. 하지만 만만하게 보았던 오나라 군사에게 ❻대패하고 말았습니다.

"아무 준비 없이 전쟁을 시작하다니 참으로 ❼경솔했구나!"

구천은 자신의 경솔함을 후회했습니다. 하지만 이미 어쩔 도리가 없었습니다. 이때 한 신하가 구천에게 ❽조언을 하였습니다.

"아직 희망을 버릴 때가 아닙니다. 일단 오나라 왕에게 ❾항복하고 훗날을 ❿도모하십시오."

이 말을 들은 구천은 살아남기 위해서 부차에게 오나라의 신하가 되겠다고 하였습니다. 그러자 부차는 그를 놓아주었습니다.

월나라로 돌아온 구천은 농사꾼 ⓫행세를 하며 조용히 지냈습니다. 복수를 다짐한 마음이 느슨해지지 않기 위해 그는 머리맡에 짐승 쓸개를 매달아 두고 쓰디쓴 쓸개를 핥으며 복수를 다짐하였습니다. 이렇게 기회를 노리던 구천은 마침내 오나라를 쳐들어가 부차와 싸워 이겼습니다.

부차는 아버지의 유언을 잊지 않기 위해 장작더미에 몸을 눕혔고, 구천은 복수의 마음을 다지기 위해 쓰디쓴 쓸개를 맛보았습니다. 부차와 구천의 이야기에서, 마음먹은 일을 이루기 위하여 온갖 어려움과 괴로움을 참고 견디는 것을 비유적으로 이르는 '와신상담(臥薪嘗膽)'이라는 말이 만들어졌습니다.

1 **이 글의 내용으로 맞는 것에 ○표, 틀린 것에 ×표를 해 보세요.**

(1) 합려가 죽은 뒤 부차가 오나라의 왕이 되었다. ⸻⸻⸻⸻⸻⸻⸻⸻⸻⸻⸻⸻ (○ / ×)

(2) 아버지의 죽음을 슬퍼한 부차는 신하들도 장작더미 위에서 잠자게 했다. ⸻⸻⸻⸻ (○ / ×)

(3) 오나라의 부차에게 항복한 구천은 월나라로 돌아와 농사꾼 행세를 하였다. ⸻⸻⸻ (○ / ×)

2 **빈칸에 들어갈 알맞은 낱말을 보기 에서 찾아 써 보세요.**

> 보기 　　　유언　　　항복　　　경솔함

(1) 합려는 아들 부차에게 자신의 원수를 갚아 달라는 ⬚⬚ 을 남겼다.

(2) 구천은 섣불리 전쟁을 시작한 자신의 ⬚⬚⬚ 을 후회하였다.

(3) 구천은 살아남기 위해 오나라의 신하가 되겠다며 ⬚⬚ 하였다.

3 **이 글을 읽고 부차와 구천의 행동과 그 이유를 정리한 것입니다. 내용에 맞도록 선으로 이어 보세요.**

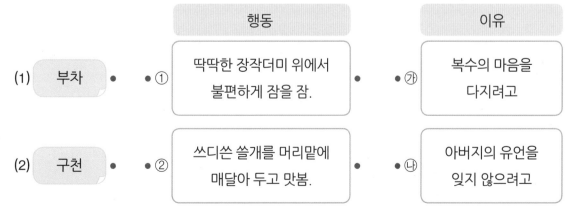

	행동	이유
(1) 부차 •	• ① 딱딱한 장작더미 위에서 불편하게 잠을 잠. •	• ㉮ 복수의 마음을 다지려고
(2) 구천 •	• ② 쓰디쓴 쓸개를 머리맡에 매달아 두고 맛봄. •	• ㉯ 아버지의 유언을 잊지 않으려고

4 다음 한자 풀이를 보고, '와신상담'의 뜻에 알맞도록 빈칸을 채워 보세요.

臥	薪	嘗	膽
누울 와	땔나무 신	맛볼 상	쓸개 담

→ '와신상담'은 '땔나무 위에 눕고 ☐☐를 맛보다.'라는 뜻으로, '마음먹은 일을 이루기 위해

온갖 어려움과 괴로움을 참고 ☐☐☐.'라는 말이다.

5 주어진 낱말의 뜻을 살펴보고 빈칸에 알맞은 말을 채워 보세요.

(1) **패배하다**: 싸움이나 경쟁 등에서 ☐ㅈ ☐ㄷ.

예 축구 시합에서 <u>패배하다</u>.

(2) **도모하다**: 어떤 일을 이루기 위해 대책이나 방법을 ☐ㅅ ☐ㅇ ☐ㄷ.

예 고속 국도에 휴게소를 만들어서 여행객들의 편의를 <u>도모하다</u>.

6 다음의 낱말 뜻을 참고하여 빈칸에 들어갈 알맞은 낱말을 써 보세요.

(1) 어머니의 ☐☐대로 동생들을 잘 보살폈다.

↳ 죽기 전에 남긴 말.

(2) 부모님의 ☐☐을 진작에 귀담아들을 걸 그랬어.

↳ 도움이 되도록 말로 거들거나 깨우쳐 주는 말.

(3) 그는 양반이 아닌데 양반 ☐☐를 하였다.

↳ 사실은 그렇지 않은 사람이 어떤 당사자인 것처럼 꾸미어 행동함.

7 빈칸에 '와신상담'이 들어가가기에 알맞은 문장을 골라 보세요. ────── ( )

① 지우는 자기가 먼저 [ ] 하여 도움이 필요한 친구를 도와주었다.

② 매일 열심히 운동한 채원이는 일 년 새 몰라볼 정도로 [ ] 하였다.

③ 진수는 지난 대회에서 놓친 우승 트로피를 되찾기 위해 [ ] 하며 노력했다.

틀리기 쉬워요!

8 **보기** 를 보고, 밑줄 친 부분의 띄어쓰기가 맞는 것에 ○표, 틀린 것에 ×표를 해 보세요.

> **보기** • '만큼', '대로', '뿐'은 앞에 오는 다른 낱말과 함께 쓰는 낱말이에요. 사람이나 사물의 이름을 나타내는 낱말이나 수를 나타내는 낱말 뒤에서는 붙여 써야 해요.
> 예 아버지의 <u>유언대로</u> 원수를 갚다.
> • '－는/－을/－던'과 같이 '－ㄴ/－ㄹ'로 끝나는 말 뒤에서는 띄어 써야 해요.
> 예 방 안은 숨소리가 <u>들릴 만큼</u> 조용했다.

(1) 부모님의 마음이 <u>바다 만큼</u> 넓다. ────────────── ( )
(2) 숙제를 해 간 사람은 우리 <u>셋 뿐</u>이다. ────────────── ( )
(3) 동물들을 <u>볼 만큼</u> 보았으니 이제 가자. ────────────── ( )

9 다음 표의 빈칸을 채워 낱말의 기본형을 만들어 보세요.

낱말의 모양	바뀌지 않는 부분	기본형
참아, 참으니, 참아서	(1) ( )	(2) ( )
맛보니, 맛보아, 맛보지	(3) ( )	(4) ( )

Day 09

도시와 촌락의 교류

아는 어휘에 ✓ 표시를 해 보고, 어휘의 뜻을 생각하며 글을 읽어 보세요.

☐ 현상　☐ 해안선　☐ 관람　☐ 촌락　☐ 특산물　☐ 도시　☐ 공동체　☐ 여가

🐰

⏰ 공부한 날

　월　　일

　　매년 봄에 열리는 전라남도 진도의 '신비의 바닷길 축제'에 대해 들어본 적이 있나요? 진도 바닷가에서는 일 년에 단 며칠 동안 바닷물이 빠지면서 바닷속 땅이 나타나는 '바다 갈라짐'❶현상이 일어납니다. 바다 한가운데로 사람들이 걸을 수 있는 길이 생겨나는 것입니다. '신비의 바닷길 축제'의 기간이 되면 이 신비한 모습을 보기 위해서 수많은 관광객이 진도를 찾아옵니다.

　　이와 같은 지역 축제는 계절에 따라 달라지는데, 여름에 열리는 대표적인 지역 축제로는 충청남도 보령의 ❷'머드 축제'가 있습니다. 보령에는 130킬로미터가 넘는 ❸해안선을 따라 고운 진흙이 펼쳐져 있습니다. 이 진흙은 ❹품질이 좋고 피부에도 좋다고 알려져 있습니다. 보령은 이 진흙을 이용하여 지역의 축제를 만든 것입니다. 보령의 '머드 축제'에서는 머드 바디페인팅, 대형 머드탕, 머드 미끄럼틀 등 다양한 체험을 할 수 있습니다.

　　가을이 되면 충청북도 단양군의 온달산성에서 '온달 문화 축제'가 열립니다. 고구려의 장군이었던 온달을 기억하기 위한 축제입니다. 고구려 시대의 전통 의상도 입어 보고 전통 음식도 맛볼 수 있을 뿐 아니라, 고구려의 ❺무예도 ❻관람하고 전통 놀이도 체험할 수 있습니다.

　　겨울에는 강원도 태백에서 '눈꽃 축제'가 열립니다. 태백산에 오르며 눈 쌓인 경치를 볼 수도 있고 눈 조각, 얼음 조각 만들기 체험을 할 수도 있습니다. 특히 대형 눈 조각이 전시되어 있어 이를 보기 위해 매년 많은 사람들이 찾아옵니다.

　　이런 지역 축제를 통해서 ❼촌락은 지역의 ❽특산물, 자랑거리, 지역의 자연환경을 알릴 수 있습니다. 축제에 참여하기 위해 지역을 방문한 사람들이 지역의 특산물을 구입하거나 식당이나 상점, 숙소 등을 이용하면 촌락에 경제적으로 도움이 됩니다. 또한 지역 사람들은 함께 축제 준비를 하면서 ❾공동체 의식도 키울 수 있습니다. 그리고 도시 사람들은 새로운 자연환경에서 ❿여가 시간을 의미 있게 보낼 수 있고, 다양한 문화 체험을 할 수 있습니다. 이렇게 지역 축제는 촌락과 도시에 사는 사람들에게 서로 부족한 것을 채워 주며 ⓫교류할 수 있는 ⓬장이 되고 있습니다.

❶ **현상**: 나타나 보이는 현재의 상태.

❷ **머드(mud)**: 진흙.

❸ **해안선**: 바다와 육지가 맞닿은 선.

❹ **품질**: 물건의 성질과 바탕.

❺ **무예**: 무도에 관한 재주.

❻ **관람**: 연극, 영화, 운동 경기, 미술품 따위를 구경함.

❼ **촌락**: 농촌, 어촌, 산지촌처럼 자연환경을 주로 이용하여 살아가는 지역.

❽ **특산물**: 어떤 지역에서 특별히 생산되는 물건.

❾ **공동체**: 뜻을 같이하거나 같은 목적을 가지고 있는 집단.

❿ **여가**: 일이 없어 남는 시간.

⓫ **교류**: 문화나 사상 따위가 서로 통함.

⓬ **장**: 어떤 일이 행하여지는 곳.

1 이 글을 읽고, 빈칸에 들어갈 알맞은 낱말을 써 보세요.

☐☐은 농촌, 어촌, 산지촌처럼 자연환경을 주로 이용하여 살아가는 지역을 말한다.
자연환경의 영향을 많이 받기 때문에, 계절이나 날씨에 따라 생활 모습이 달라진다.

정답과 해설 23쪽

2 이 글을 읽고, 축제가 열리는 계절과 지역, 축제 이름을 알맞게 선으로 이어 보세요.

계절	지역	축제 이름
(1) 봄	① 강원도 태백	㉮ 눈꽃 축제
(2) 여름	② 충청북도 단양	㉯ 머드 축제
(3) 가을	③ 충청남도 보령	㉰ 온달 문화 축제
(4) 겨울	④ 전라남도 진도	㉱ 신비의 바닷길 축제

3 이 글로 보아, '신비의 바닷길 축제'에서 볼 수 있는 것을 골라 보세요. ·················· ( )

① 얼음 조각을 만드는 사람들 ② 머드 미끄럼틀을 타는 사람들
③ 고구려의 무예와 전통 의상 ④ 바다 한가운데로 생겨난 길

4 지역 축제를 통해 도시 사람들이 얻을 수 있는 것을 <u>두 가지</u> 골라 보세요. ·····( )

① 다양한 문화 체험을 할 수 있다.
② 지역의 특산물을 소개할 수 있다.
③ 의미 있는 여가 시간을 보낼 수 있다.
④ 지역의 훌륭한 자연환경을 홍보할 수 있다.

43

5 다음의 낱말과 뜻이 알맞도록 선으로 이어 보세요.

(1) 촌락 •

(2) 특산물 •

(3) 해안선 •

• ① 바다와 육지가 맞닿은 선.

• ② 어떤 지역에서 특별히 생산되는 물건.

• ③ 자연환경을 주로 이용하여 살아가는 지역.

6 밑줄 친 낱말과 바꾸어 쓸 수 있는 말을 골라 번호를 써 보세요.

(1) 아이들은 연극을 통해 경찰관이라는 직업을 **체험할** 수 있었다. ┈┈┈┈┈┈┈┈┈┈ (   )

① 경험할

② 상상할

(2) 뮤지컬 공연 전에 미리 관람권을 **구입하는** 것이 편리하다. ┈┈┈┈┈┈┈┈┈ (   )

① 사는

② 파는

7 다음의 낱말 뜻을 참고하여 빈칸에 들어갈 알맞은 낱말을 써 보세요.

(1) 호선이네 가족은 일요일에 갯벌 ☐☐ 을 하러 갔다.

↳ 직접 경험함.

(2) 아이들은 체육대회를 하면서 ☐☐☐ 의식이 생겼다.

↳ 뜻을 같이하거나 같은 목적을 가지고 있는 집단.

(3) ☐☐ 시간에 테니스를 치며 보냈다.

↳ 일이 없어 남는 시간.

8 다음은 국어사전에 나온 낱말의 뜻입니다. 각 문장의 밑줄 친 말에 해당하는 뜻을 골라 번호를 써 보세요.

(1) **곱다**

> 1. 모양, 생김새가 아름답다.
> 2. 소리가 맑고 부드럽다.
> 3. 가루나 알갱이가 아주 잘다.

① 요리할 때 쓸 고운 소금을 샀다. ························· (   )

② 수지는 고운 목소리로 노래를 불렀다. ··················· (   )

③ 어머니는 나이가 드셨지만 고운 미소는 여전하시다. ····· (   )

(2) **일어나다**

> 1. 누웠다가 앉거나 앉았다가 서다. 예 자리에서 일어나다.
> 2. 어떤 일이 생기다. 예 싸움이 일어나다.

① 희수는 자리를 털고 일어났다. ··························· (   )

② 그 사건이 일어난 것은 며칠 전 일이다. ················· (   )

틀리기 쉬워요!

9 보기 의 뜻을 가진 말로, 빈칸에 공통으로 들어갈 알맞은 말을 써 보세요.

> 보기   (일부 낱말 뒤에 붙거나 '–을' 뒤에 쓰여) 내용이 될 만한 대상이나 재료.

• 자랑 ☐ ☐ : 자기와 관계있는 일이나 물건으로 남에게 드러내어 뽐낼 만한 거리.

• 걱정 ☐ ☐ : 걱정이 되는 조건이나 일.

• 반찬 ☐ ☐ : 반찬을 만드는 데에 쓰는 여러 가지 재료.

'신(新)'과 '문(聞)'이 들어간 말

공부한 날　　월　　일

아는 어휘에 ✔ 표시를 해 보고, 아래 활동을 하며 뜻을 익혀 보세요.

☐ 신문　☐ 신입생　☐ 경신　☐ 신선하다　☐ 문일지십　☐ 견문　☐ 소문

순서대로 써 봐요

新
새로울 **신**

新
새로울 **신**

이 한자는 나무를 잘라 '땔감'을 만든다는 뜻을 나타내었지만 후에 나무를 자르고 다듬어 '새로운 물건을 만든다.'라는 뜻으로 확대되면서 '새로운'이라는 뜻을 갖게 되었습니다.

● '신(新)'이 들어간 말은 '새로운', '새롭게'라는 뜻을 가지고 있어요.

신 입 생	뜻 새로 입학한 학생.
새로울 新　들 入　날 生	예 초등학교에 갓 입학한 신입생이던 때가 엊그제 같은데 벌써 4학년이라니.

경 신	뜻 이미 있던 것을 고쳐 새롭게 함. 주로 운동 경기에서, 더 좋은 기록을 냄.
고칠 更　새로울 新	예 마라톤 세계 기록을 경신하였다.

신 선 하 다	뜻 새롭고 산뜻하다.
새로울 新 고울 鮮	예 그는 이른 아침에 신선한 공기를 마시며 산책하였다.

이 그림은 미술계에 신선한 바람을 몰고 왔어.

우리나라 최초의 근대 신문은?

우리나라에서 처음으로 펴낸 근대 신문은 1883년에 나온 『한성순보』입니다. 그런데 『한성순보』는 국가에서 열흘에 한 번 찍어 낸 것으로, 순 한문으로 되어 있었어요. 순 한글로 된 최초의 신문은 1896년에 나온 『독립신문』으로, 한글판뿐만 아니라 영문판도 함께 냈다고 합니다.

『독립 신문』▶

신문을 보면 세상의 다양한 일들을 알 수 있어.

聞
들을 문

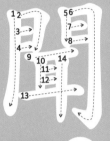

이 한자는 門(문 문)자와 耳(귀 이)자가 결합한 모습으로, 聞자는 문밖에서 나는 소리를 듣는다는 의미에서 '듣다'나 '소식'이라는 뜻으로 쓰이고 있습니다.

聞
들을 (문)

'신문'은 '정기적으로 세상에서 일어나는 새로운 일들을 알려 주는 간행물.'을 말해요.

● '문(聞)'이 들어간 말은 '듣다', '들리다'라는 뜻을 가지고 있어요.

문	**일**	**지**	**십**
들을 聞	하나 一	알 知	열 十

🔵 하나를 듣고 열 가지를 미루어 안다는 뜻으로, 매우 총명함을 이르는 말.
🟢 문일지십(聞一知十)이라더니 너 정말 똑똑하구나.

견	**문**
볼 見	들을 聞

🔵 보고 들은 경험이나 이를 통해 얻은 지식.
🟢 여행을 하며 견문을 넓히고 있다.

소	**문**
바 所	들을 聞

🔵 사람들 입에 오르내려 전하여 들리는 말.
🟢 그 아이가 똑똑하다는 소문이 자자하다.

1 다음의 낱말과 뜻이 알맞도록 선으로 이어 보세요.

(1) 신입생(新入生) •

(2) 신선(新鮮)하다 •

(3) 경신(更新) •

• ① 새롭고 산뜻하다.

• ② 새로 입학한 학생.

• ③ 이미 있던 것을 고쳐 새롭게 함.

2 다음 빈칸에 공통으로 들어갈 알맞은 낱말을 써 보세요.

• 헛 ☐ ☐ : 근거 없이 떠도는 소문.

• 괴 ☐ ☐ : 기괴한 내용의 소문.

• 수 ☐ ☐ : 원하는 것을 찾기 위해 떠도는 소문을 두루 따라다님.

3 다음 문장에서 알맞은 낱말을 골라 ○표를 해 보세요.

여행이나 견학 등을 할 때 '보고 들은 경험이나 이를 통해 얻은 지식'을 (견문 / 감상)이
라고 한다.

4 다음 중 '뛰어남'이라는 뜻을 가진 한자 성어가 <u>아닌</u> 것을 골라 ×표를 해 보세요.

(1) 문일지십 (聞一知十)	(2) 군계일학 (群鷄一鶴)	(3) 백미 (白眉)	(4) 장삼이사 (張三李四)
하나를 들으면 열을 미루어 안다는 뜻으로, 매우 총명하다는 말.	닭의 무리 가운데에서 한 마리의 학이라는 뜻으로, 평범한 여럿 가운데에 있는 뛰어난 한 사람을 이르는 말.	'하얀 눈썹'이라는 뜻으로, 여러 사람이나 작품 가운데 가장 뛰어난 것을 이르는 말.	장씨의 셋째 아들과 이씨의 넷째 아들. 이름이나 신분이 특별하지 아니한, 평범한 사람을 이르는 말.
( )	( )	( )	( )

48

5 제시된 한자의 알맞은 뜻과 음을 찾아서 삐삐와 함께 길 찾기 놀이를 해 보세요.

구름의 종류를 나타내는 말

- **새털구름**: 높고 맑은 하늘에 새털처럼 가볍게 떠다니는 구름.
- **비늘구름**: 작은 구름 조각이 물결 또는 비늘 모양으로 얇게 펼쳐진 구름으로, 새털구름과 비슷하지만 그보다 촘촘한 구름.
- **햇무리구름**: 하늘을 뒤덮은 흰 면사포 모양의 구름으로 햇무리, 달무리가 나타남.
- **양떼구름**: 높은 하늘에 크고 둥글둥글하게 덩어리진 구름으로, 양떼 모양을 하고 있어 양떼구름이라고 함.
- **비층구름**: 오랜 시간 계속 비나 눈을 내리는 검은 회색의 두꺼운 구름.
- **안개구름**: 안개처럼 땅 위에 가장 가까이 층을 이루는데, 비가 올 때의 산간 지대나 맑은 날 이른 아침의 평야 지대에서 많이 볼 수 있는 구름.
- **뭉게구름**: 꼭대기는 둥글고 밑은 편평한 모양으로 뭉게뭉게 떠 있는 구름. 맑은 날 여름철 오후에 잘 나타나는 구름.

▲ 새털구름

▲ 뭉게구름

▲ 비층구름

3주 어휘 미리보기

뜻을 알고 있는 낱말에 V표 해 보세요.

알고 있는 낱말은 글에서 어떻게 쓰였는지 확인하고,
모르는 낱말은 글을 읽으며 재미있게 익혀 보아요.

	배울 내용	배울 낱말		공부한 날
Day 11	속담 **밑져야 본전**	☐ 차별 ☐ 위로 ☐ 비참하다 ☐ 한계	☐ 포기 ☐ 허망하다 ☐ 연장 ☐ 벅차다	월 일
Day 12	관용어 **입을 모으다**	☐ 건국 ☐ 촌장 ☐ 도읍 ☐ 경이롭다	☐ 이주 ☐ 법도 ☐ 예사롭다 ☐ 광채	월 일
Day 13	한자 성어 **우공이산(愚公移山)**	☐ 여생 ☐ 의문 ☐ 무모 ☐ 천제	☐ 소통 ☐ 제기 ☐ 고루하다 ☐ 가상히	월 일
Day 14	교과 어휘 – 과학 **파팽의 새로운 요리 기구**	☐ 압력 ☐ 기체 ☐ 일리 ☐ 획기적	☐ 액체 ☐ 수증기 ☐ 몰두 ☐ 상세하다	월 일
Day 15	한자 어휘 **'반(反)'과 '성(省)'이 들어간 말**	☐ 반성 ☐ 반사 ☐ 성묘 ☐ 인사불성	☐ 반대 ☐ 반복 ☐ 성찰	월 일

Day 11

속담

밑져야 본전

아는 어휘에 ✔ 표시를 해 보고, 어휘의 뜻을 생각하며 글을 읽어 보세요.

☐ 차별 ☐ 포기 ☐ 위로 ☐ 허망하다 ☐ 비참하다 ☐ 연장 ☐ 한계 ☐ 벅차다

🕐 **공부한 날**

월   일

❶ **차별**: 둘 이상을 차등을 두어 구별함.

❷ **포기**: 하려던 일이나 생각을 중간에 그만둠.

❸ **위로해**: 따뜻한 말이나 행동 등으로 괴로움을 덜어 주거나 슬픔을 달래.

❹ **허망한**: 어이없고 아무 보람이 없는.

❺ **비참하지**: 견딜 수 없을 정도로 슬프고 끔찍하지.

❻ **밑져야 본전**: 밑졌다고 해도 이득을 보지 못했을 뿐 본전은 남아 있다는 뜻으로, 일이 잘못되어도 손해 볼 것은 없다는 말.

❼ **연장**: 길이나 시간, 거리 등을 본래보다 길게 늘림.

❽ **한계**: 어떤 것이 실제로 일어나거나 영향을 미칠 수 있는 범위나 경계.

❾ **벅찬**: 기쁘거나 희망에 차서 가슴이 뿌듯한.

수필가인 장영희는 태어난 지 1년 만에 소아마비에 걸려 두 다리와 오른손을 쓰지 못하는 장애인이 되었습니다. 장영희가 초등학교 1학년 때쯤의 일입니다. 골목을 지나던 엿 장수가 목발을 옆에 두고 대문 앞에 앉아 있는 장영희를 보았습니다. 엿장수 아저씨는 장영희에게 깨엿 두 개를 주고는 미소를 지으며 말했습니다.

"괜찮아."

장영희는 그 말이 "깨엿을 공짜로 받아도 괜찮다는 것인지, 아니면 목발을 짚고 살아도 괜찮다는 것인지" 몰랐습니다. 하지만 그 일로 장영희는 "이 세상이 살 만한 곳이라고, 좋은 사람들이 있고, 선의와 사랑이 있고, '괜찮아'라는 말처럼 용서와 너그러움이 있는 곳"이라고 믿기 시작했습니다.

장영희가 학교를 다닌 1960~1970년대는 장애인에 대한 ❶차별이 지금보다 훨씬 심했습니다. 그러나 장영희는 ❷포기하지 않고 열심히 공부하여 대학교수가 되었습니다. 암이라는 몹쓸 병과 힘들게 싸울 때도 희망을 주는 글들을 써서 사람들을 ❸위로해 주었습니다. 그런 장영희에게 어느 날 한 학생이 한 눈먼 소녀가 만약 자신이 죽게 될 처지임을 모르고 희망의 노래만 부른다면 그것은 ❹허망한 희망이 아니냐고, 너무 ❺비참하지 않느냐고 물었습니다.

그때 장영희는 이렇게 대답했습니다.

"아니, 비참하지 않다고. ❻밑져야 본전이라고. 희망의 노래를 부르든 안 부르든 어차피 물은 차오를 것이고, 그럴 바에는 노래를 부르는 게 낫다고. 갑자기 물때가 바뀌어 물이 빠질 수도 있고, 소녀 머리 위로 지나가던 헬리콥터가 소녀를 구해 줄 수도 있다고. 그리고 희망의 힘이 생명을 ❼연장할 수 있듯이 분명 희망은 운명도 뒤바꿀 수 있을 만큼 위대한 힘이라고."

장영희는 이처럼 평생 목발을 짚었으나 신체적인 ❽한계에 굽히지 않고 아름다운 문학 작품과 가슴 ❾벅찬 희망의 메시지를 우리에게 남겼습니다.

52

1 이 글의 내용으로 맞는 것에 ○표, 틀린 것에 ×표를 해 보세요.

(1) 장영희는 장애를 가지고 태어났다. ·· (○ / ×)

(2) 장영희는 장애로 인해 어려움을 겪어야 했다. ································· (○ / ×)

(3) 장영희는 희망이 운명을 뒤바꿀 수도 있다고 믿었다. ··················· (○ / ×)

2 이 글을 읽고, 장영희가 세상에 대한 믿음을 갖게 된 경험을 골라 보세요. ·········· (   )

① 태어난 지 1년 만에 소아마비에 걸려 장애가 생긴 일

② 엿장수 아저씨가 깨엿을 주시며 "괜찮아."라고 말해 준 일

③ 한 학생이 눈먼 소녀의 허망한 희망이 비참하지 않느냐고 질문한 일

3 다음은 속담 "밑져야 본전."의 뜻을 알아 가는 과정입니다. 빈칸을 알맞게 채워 보세요.

낱말 뜻	• 밑지다: 들인 돈이나 노력에 비해 얻는 것이 적다. 또는 손해를 보다. • 본전: 장사나 사업을 할 때 밑천으로 들인 돈.
"밑져야 본전."이 쓰인 상황	한 눈먼 소녀가 자신이 죽게 될 처지임을 모르고 희망의 노래만 부르는 것은 허망한 희망이 아니냐고 묻는 학생에게 장영희가 "밑져야 본전."이라고 말함.
"밑져야 본전."이 라고 말한 까닭	① 소녀가 희망의 노래를 부르든 안 부르든 어차피 물은 차오름. ② 갑자기 물이 빠지거나 헬리콥터가 구해 줄 수도 있음. ③ 희망은 운명을 뒤바꿀 수 있을 만큼 위대한 힘임. ➜ 소녀가 노래를 불러서 손해를 볼 것은 없으므로 노래를 부르는 것이 나음.

➜ 속담 "밑져야 본전."은 밑졌다고 해도 이득을 보지 못했을 뿐 ☐☐ 은 남아 있다는 뜻으

로, 일이 잘못되어도 ☐☐ 볼 것은 없으니 한번 해 보아야 한다는 말이다.

4 다음의 낱말과 뜻이 알맞도록 선으로 이어 보세요.

(1) 허망하다 •

(2) 너그럽다 •

(3) 벅차다 •

• ① 남의 사정을 잘 이해하고 마음 씀씀이가 넓다.

• ② 어이없고 아무 보람이 없다.

• ③ 기쁘거나 희망에 차서 가슴이 뿌듯하다.

5 주어진 뜻을 참고하여 빈칸에 들어갈 알맞은 낱말을 써 보세요.

(1) 라이트 형제는 인류 최초의 비행기를 만들겠다는 꿈을 ☐☐하지 않았다.

↳ 하려던 일이나 생각을 중간에 그만둠.

(2) 경기에서 이긴 선수는 상대 선수에게 ☐☐의 말을 건넸다.

↳ 따뜻한 말이나 행동 등으로 괴로움을 덜어 주거나 슬픔을 달래 줌.

(3) 평균 수명의 ☐☐에 따라 노년층의 인구가 늘어났다.

↳ 길이나 시간, 거리 등을 본래보다 길게 늘림.

6 보기 를 보고, 밑줄 친 낱말의 뜻으로 알맞은 것의 기호를 써 보세요.

> 보기 ① 시간이 들다. 예 학교까지 가는 데 10분이 걸리다.
> ② 막히거나 잡히다. 예 물고기가 그물에 가득 걸리다.
> ③ 병이 들다. 예 날씨가 추워져서 감기에 걸리다.

(1) 쥐 한 마리가 덫에 걸리다. ·· ( )

(2) 지하철을 타니 시간이 적게 걸리다. ······································ ( )

(3) 상한 음식을 먹고 식중독에 걸리다. ····································· ( )

54

7 밑줄 친 낱말과 뜻이 서로 반대되는 낱말을 보기 에서 찾아 빈칸에 써 보세요.

> 보기   단계   단축   평등   평안

(1) { 예전에는 피부색에 따른 **차별**이 심했다.
{ 피부색이 달라도 ☐☐ 하게 살 수 있어야 한다.

(2) { 그 공연은 인기가 높아 공연 기간을 **연장**하기로 했다.
{ 불볕더위가 계속되어 ☐☐ 수업을 하기로 했다.

8 "밑져야 본전."이라는 속담을 사용하기에 알맞은 상황을 말한 친구의 이름을 써 보세요.

형을 이겨 보려고 달리기 시합을 했다가 형에게 지고 놀림도 받게 되었어.

성욱

떨어져도 손해 볼 것 없다는 생각으로 밤을 새워 쓴 원고를 독서 감상문 대회에 냈어.

효윤

(   )

틀리기 쉬워요!

9 밑줄 친 낱말의 뜻을 보기 에서 골라 기호를 써 보세요.

> 보기 ① **낫다**¹: 병이나 상처 등이 없어져 본래대로 되다. 예 병이 씻은 듯이 낫다.
> ② **낫다**²: 어떤 것이 다른 것보다 더 좋거나 앞서 있다. 예 그림물감보다 색연필이 더 낫다.

(1) 복잡한 곳에 가는 것보다 집에서 쉬는 것이 낫다. ──────────── (   )

(2) 몸이 허약한 상태에서 병에 걸려 잘 낫지 않는다. ──────────── (   )

😊 맞은 개수 _____ /9개

관용어

입을 모으다

아는 어휘에 ✔ 표시를 해 보고, 어휘의 뜻을 생각하며 글을 읽어 보세요.

☐ 건국 ☐ 이주 ☐ 촌장 ☐ 법도 ☐ 도읍 ☐ 예사롭다 ☐ 경이롭다 ☐ 광채

🕐 **공부한 날**

월   일

먼 옛날, 신라 ❶건국 이전에 경주 땅에는 북쪽에서 ❷이주해 온 사람들이 산골짜기에 여섯 마을을 이루어 살고 있었습니다. 각 마을에는 마을을 다스리는 어른이 한 분씩 있었는데 마을 사람들은 그 어른을 '❸촌장'이라고 불렀습니다.

어느 날, 여섯 마을의 촌장은 한자리에 모여 회의를 하였습니다.

"백성들이 ❹방자한 생각으로 제멋대로 행동을 하니 어찌하면 좋겠습니까?"

"마을마다 ❺법도가 서로 달라 그런 것 같습니다."

"그렇습니다. 지금 우리에겐 백성을 잘 다스릴 임금이 필요합니다."

"덕 있는 사람을 임금으로 삼아 나라를 세우고 ❻도읍을 정하는 것이 어떻겠소?"

"찬성입니다. 여섯 마을을 하나로 합쳐 나라를 세웁시다."

촌장들은 모두 같은 생각을 가지고 ❼입을 모았습니다.

여섯 촌장은 임금을 정하여 받들고자 높은 언덕 위로 올라가 멀리 남쪽을 바라보았습니다. 그때였습니다. 남쪽의 양산 ❽기슭에 있는 나정이라는 우물가에서 번갯불 같은 이상한 기운이 솟아오르면서 말의 울음소리가 크게 들렸습니다. 여섯 촌장은 그 소리에 이끌려 그곳으로 달려갔습니다.

촌장들이 웅성거리며 다가가자, 흰 말이 '히히힝' 긴 울음을 울며 하늘로 올라가 버렸습니다. 말이 있던 자리에는 큰 알이 하나 놓여 있었습니다. 촌장들이 조심스럽게 그 알의 껍질을 깨뜨리자 사내아이가 우렁차게 울기 시작했습니다.

"어떻게 이런 일이⋯⋯. 알에서 아기가 태어나다니 ❾예사로운 일이 아닙니다."

촌장들은 ❿경이롭게 여기며 그 아기를 동쪽의 냇가로 데리고 가서 씻겼습니다. 그러자 아기의 몸에서 ⓫광채와 향기가 났습니다. 이때 새와 짐승이 함께 춤추고 하늘과 땅이 흔들리고 해와 달이 밝게 떴습니다. 한 촌장이 말했습니다.

"하늘이 우리의 소원을 듣고 임금을 주신 것입니다. 이 아기를 임금으로 모십시다!"

촌장들은 아기가 나온 알이 둥근 박처럼 생겨서 아기의 성을 박씨로 삼고, 빛으로 밝게 세상을 다스리는 사람이라는 의미를 담아 아기의 이름을 '혁거세'라고 지었습니다.

– 박혁거세 신화

❶ **건국**: 나라가 세워짐. 또는 나라를 세움.

❷ **이주**: 개인이나 종족, 민족 등의 집단이 원래 살던 지역을 떠나 다른 지역으로 이동해서 삶.

❸ **촌장**: 한 마을을 대표하고 이끌어 나가는 사람.

❹ **방자한**: 어려워하거나 조심스러워하는 태도가 없이 건방진.

❺ **법도**: 생활에서 지켜야 할 예법과 제도.

❻ **도읍**: 한 나라의 중앙 정부가 있는 곳.

❼ **입을 모았습니다**: 여러 사람이 어떤 일에 대해 똑같이 말했습니다.

❽ **기슭**: 비탈진 산이나 언덕의 아랫부분.

❾ **예사로운**: 흔히 있을 만한.

❿ **경이롭게**: 놀랍고 신기하게.

⓫ **광채**: 밝고 아름다운 빛.

1 여섯 마을의 촌장이 한 일로 맞는 것에 ○표, 틀린 것에 ×표를 해 보세요.

(1) 신라가 세워지기 전에 북쪽 마을로 이주를 하였다. ⸺⸺⸺⸺⸺⸺⸺ (○ / ×)

(2) 나정에서 큰 알을 발견하고 그 알의 껍질을 깨뜨렸다. ⸺⸺⸺⸺⸺⸺ (○ / ×)

(3) 동쪽 냇가에서 아기를 씻기고 새와 짐승과 함께 춤을 추었다. ⸺⸺⸺⸺ (○ / ×)

2 다음은 여섯 마을의 촌장이 아기의 이름을 '박혁거세'라고 지은 까닭을 정리한 것입니다. 빈칸에 들어갈 알맞은 말을 써 보세요.

> 여섯 마을의 촌장은 아기가 나온 알이 둥근 박처럼 생겨서 아기의 성을 ☐ 씨로 삼고,
>
> 빛으로 밝게 세상을 다스리는 사람이라는 의미를 담아 아기의 이름을 '☐☐☐'라고
>
> 지었다.

3 이 이야기를 읽고, 여섯 마을의 촌장이 회의를 하여 내린 결정으로 알맞은 것을 골라 보세요. ⸺⸺⸺⸺⸺⸺⸺⸺⸺⸺⸺⸺⸺⸺⸺⸺⸺⸺ ( )

① 제멋대로 행동하는 백성에게 벌을 주자.

② 법도를 통일해 촌장들이 백성을 다스리자.

③ 덕 있는 사람을 임금으로 삼아 나라를 세우자.

4 다음 글을 읽고, 밑줄 친 관용 표현의 뜻으로 알맞은 것에 ○표를 해 보세요.

> 그 가수는 오랫동안 가정 형편이 어려운 아이들을 위해 써 달라며 남 몰래 기부를 해 왔다. 이번에 우연찮게 그 가수의 선행이 알려지자, 그를 좋아했던 사람들은 물론 그를 잘 모르던 사람들까지도 사람이 참 바르다며 입을 모아 칭찬하였다.

(1) 여러 사람이 어떤 일에 대해 같은 의견을 말하다. ⸺⸺⸺⸺⸺⸺⸺ ( )

(2) 여러 번 말하여도 받아들이지 아니하여 말한 보람이 없다. ⸺⸺⸺⸺⸺ ( )

5 다음의 낱말과 뜻이 알맞도록 선으로 이어 보세요.

(1) 건국 •

(2) 법도 •

(3) 도읍 •

• ① 한 나라의 중앙 정부가 있는 곳.

• ② 나라가 세워짐. 또는 나라를 세움.

• ③ 생활에서 지켜야 할 예법과 제도.

6 다음 낱말의 뜻을 보고, 빈칸에 들어갈 알맞은 말을 보기 에서 찾아 써 보세요.

> 보기
>
> 경이로운   예사롭지   방자한

(1) 그 아이는 바둑 실력이 ☐☐☐☐ 않았다.

↳ 흔히 있거나 일어날 만하지.

(2) 그는 이번 경기에서 ☐☐☐ 기록을 세웠다.

↳ 놀랍고 신기한.

(3) 나는 요즘 스스로가 최고인양 ☐☐☐ 생각을 품고 있다는 것을 깨달았다.

↳ 어려워하거나 조심스러워하는 태도가 없이 무례하고 건방진.

7 밑줄 친 낱말과 바꾸어 쓸 수 있는 말을 골라 번호를 써 보세요.

(1) 덕 있는 사람을 임금으로 삼아 나라를 세우고 **도읍**을 정하자. ⸱⸱⸱⸱⸱⸱⸱⸱⸱⸱⸱⸱⸱⸱⸱⸱⸱⸱⸱⸱⸱⸱⸱⸱ (   )

① 국호

② 수도

(2) 아기의 몸에서 광채와 **향기**가 났다. ⸱⸱ (   )

① 좋은 냄새

② 좋은 소리

8 관용어 '입을 모으다'를 사용하기에 알맞은 상황을 골라 ○표를 해 보세요.

(1) 선화를 본 사람들이 모두 선화가 부지런하다고 칭찬하는 상황 ·············· (　　　)

(2) 어머니께서 수진이에게 책을 많이 읽으라고 수백 번쯤 말씀하시는 상황 ·········· (　　　)

9 밑줄 친 낱말의 뜻이 보기 와 같은 뜻으로 쓰인 것을 골라 ○표를 해 보세요.

> 보기
>
> 여섯 마을을 하나로 합쳐 나라를 세웠다.

(1) 단군왕검은 고조선을 세웠다. ······························· (　　　)

(2) 영호는 머리를 꼿꼿이 세웠다. ······························· (　　　)

(3) 주민들은 마을 입구에 팻말을 세웠다. ····················· (　　　)

틀리기 쉬워요!

10 보기 를 참고하여, 다음 문장에서 올바른 표현을 골라 ○표를 해 보세요.

> 보기
> • '다르다'는 두 대상이 서로 같지 않다는 뜻으로, '차이'를 드러내는 말이에요.
>
>   예 그들은 쌍둥이라 겉모습은 비슷하지만 성격은 틀리다. (×)
>   그들은 쌍둥이라 겉모습은 비슷하지만 성격은 다르다. (○)
>
> • '틀리다'는 어떤 것이 실제 사실과 일치하지 않음을 나타내는 말이에요.
>
>   예 대사를 하나도 안 틀리고 모두 외웠다. (○)

(1) 소금과 설탕은 맛이 (다르다 / 틀리다).

(2) 내 생각은 너의 생각과 (다르다 / 틀리다).

(3) 날씨가 맑은 것을 보니 비가 온다는 일기 예보는 (다른 / 틀린) 것 같다.

한자 성어

우공이산(愚 어리석을 우 公 공평할 공 移 옮길 이 山 뫼 산)

아는 어휘에 ✔ 표시를 해 보고, 어휘의 뜻을 생각하며 글을 읽어 보세요.

☐ 여생 ☐ 소통 ☐ 의문 ☐ 제기 ☐ 무모 ☐ 고루하다 ☐ 천제 ☐ 가상히

🕐 공부한 날

월 　 일

옛날, 중국의 북산에 우공이라는 아흔 살 된 노인이 살고 있었습니다. 북산은 태행산과 왕옥산으로 둘러싸인 조그만 마을이었습니다. 마을 사람들은 높고 커다란 두 개의 산 때문에 오고 가는 데 큰 불편을 겪어야 했습니다.

어느 날, 우공은 가족들을 모아 놓고 말했습니다.

"나는 마을을 위해 ❶여생을 보내기로 마음먹었다. 높은 산들이 마을을 가로막고 있어 다른 고장과 ❷소통하기 어려우니 우리 가족이 힘을 합쳐 두 산을 평평하게 만들었으면 한다. 그러면 길이 생겨 다니기 편리할 것 같구나. 너희들의 생각은 어떠하냐?"

대부분 우공의 말에 찬성했지만, 우공의 아내가 ❸의문을 ❹제기했습니다.

"당신의 힘으로는 작은 동산도 허물 수 없을 터입니다. 그런데 태행산과 왕옥산을 어찌 깎을 수 있겠습니까? 그리고 파낸 흙과 돌은 어쩌시려고요."

"천천히 흙을 파서 나르다 보면 언젠가는 이룰 수 있을 겁니다. 파낸 흙은 발해의 끝에 버릴 것이오."

우공은 이렇게 말하며 뜻을 굽히지 않았습니다. 우공은 곧 아들, 손자와 함께 두 산의 돌을 깨고 흙을 파기 시작했고, 이를 발해까지 지고 날랐습니다.

그것을 본 이웃 사람이

"당신의 미련함은 이루 말할 수 없군요. 살날도 얼마 안 남았는데, 왜 이런 ❺무모한 짓을 하십니까?"

하고 비웃자 우공은

"그대의 생각은 참으로 ❻고루하군

요. 만일 내가 못 이루면 내 아들이 이을 것이고, 아들이 못 이루면 손자가 이을 것입니다. 산은 깎여 나가지만 더 높아지지 않을 테니 언젠가는 산을 모두 없애고 길을 이을 수 있을 것이오."

라며 의지를 불태웠습니다.

우공의 말을 듣고, 두 산을 지키던 산신은 ❼천제에게 가서 산을 구해 달라고 말했습니다. 그 말을 들은 천제는 우공의 노력과 정성을 ❽가상히 여겨 두 산을 각각 삭방의 동쪽과 옹주의 남쪽으로 옮기어 우공의 뜻을 이루어 주었습니다. '우공이산(愚公移山)'은 이렇게 어떤 일이든 끊임없이 쉬지 않고 노력하면 반드시 이루어짐을 이르는 말입니다.

❶ **여생**: 앞으로 남은 삶.

❷ **소통**: 막히지 않고 잘 통함.

❸ **의문**: 의심스럽게 생각함.

❹ **제기했습니다**: 의견이나 문제를 내놓았습니다.

❺ **무모한**: 일의 앞뒤를 생각하는 신중함이 없는.

❻ **고루하군요**: 오래된 생각이나 방식에 익숙하여 새로운 것이나 변화를 받아들이지 않는군요.

❼ **천제**: 우주를 창조하고 우주의 일을 중심이 되어 맡아 처리한다고 믿어지는 신과 같은 존재.

❽ **가상히**: 착하고 기특하게.

1 이 글의 내용으로 맞는 것에 ○표, 틀린 것에 ×표를 해 보세요.

(1) 우공은 큰 산으로 둘러싸인 마을에 살았다. ──────────────────── (○ / ×)

(2) 우공의 이웃은 우공이 하는 일을 열심히 도와주었다. ───────────── (○ / ×)

(3) 우공은 혼자 힘으로 우직하게 노력하여 그의 뜻을 이룰 수 있었다. ──── (○ / ×)

2 산을 옮기는 것에 대한 우공의 생각과 그 까닭을 정리한 것입니다. 빈칸에 들어갈 알맞은 말을 써 보세요.

우공의 생각	태행산과 왕옥산을 평평하게 만들면 길이 생겨 다니기 ☐☐ 할 것이다.
산을 옮기는 까닭	태행산과 왕옥산이 마을을 가로막고 있어서 다른 고장과 ☐☐ 하기 어렵다.

3 우공의 아내가 산을 깎으려는 우공의 생각에 의문을 제기한 까닭입니다. 빈칸에 들어갈 알맞은 말을 써 보세요.

➡ 우공은 ☐ 이 약해 커다란 두 개의 산을 깎을 수 없으며, 산에서 파낸 흙과 돌을 둘 곳이 없

기 때문이다.

4 다음의 '우공이산'의 한자의 뜻을 보고, 뜻풀이를 완성해 보세요.

愚	公	移	山
어리석을 우	공평할 공	옮길 이	뫼 산

➡ '우공이산'은 우공이 ☐ 을 옮긴다는 뜻으로, '어떤 일이든 끊임없이 ☐☐ 하면 반드시 이

루어짐.'을 이르는 말이다.

5 다음의 낱말과 뜻이 알맞도록 선으로 이어 보고, 빈칸에 알맞은 낱말을 찾아 써 보세요.

(1) 소통 •　　　　　　　•① 의견이나 문제를 내놓음.

(2) 제기 •　　　　　　　•② 막히지 않고 서로 잘 통함.

(3) 무모 •　　　　　　　•③ 일의 앞뒤를 생각하는 신중함이 없음.

(4) 그 강을 헤엄쳐 건너는 것은 ☐☐한 일이다.

(5) 시내 도로에서 자동차의 ☐☐이 좋은 편이다.

(6) 그 사건에 대한 새로운 의문이 ☐☐되고 있다.

6 낱말의 관계가 보기 와 다른 것을 골라 보세요.………………………(　)

보기	높다 – 낮다

① 오다 – 가다　　　　　② 여생 – 살날　　　　　③ 찬성 – 반대

7 보기 의 뜻을 가진 말로, 빈칸에 공통으로 들어갈 알맞은 말을 써 보세요.

보기	착하고 기특하게

• 아버지께서는 어린 동생을 챙긴 상민이의 노력을 ☐☐☐ 여기셨다.

• 선생님께서는 선행에 앞장선 반 아이들을 ☐☐☐ 생각하셨다.

8 보기 의 설명과 낱말의 뜻을 보고, '불'이 들어가는 낱말을 빈칸에 써 보세요.

> 보기 **불편(不便)**: 편리하지 아니함. 예 화장실 세면대가 고장 나서 이용하기에 불편하다.
> └ '아니하다'의 뜻

(1) 만족하지 아니함. ㅤㅤㅤㅤㅤㅤㅤㅤㅤㅤㅤㅤㅤㅤㅤㅤㅤㅤ ⊟ ⊟

(2) 믿지 아니함. ㅤㅤㅤㅤㅤㅤㅤㅤㅤㅤㅤㅤㅤㅤㅤㅤㅤㅤㅤㅤ ⊟ ⋏

3 주차
Day 13
정답과 해설 25쪽

9 한자 성어 '우공이산'을 알맞게 사용하여 말한 친구의 이름을 써 보세요.

상민: 그 화가는 꾸준히 노력하면 언젠가는 이룰 수 있는 날이 오겠지 하는 '우공이산'의 마음으로 예술가의 길을 걸었다고 하더라.

현승: 그 배우는 연기와 노래는 물론, 미술에도 재능이 있어. 최근엔 전시회를 열 정도의 뛰어난 실력으로 주목을 받았어. '우공이산'의 대표적 인물이야.

(ㅤㅤㅤㅤㅤㅤㅤㅤㅤ)

틀리기 쉬워요!

10 보기 의 내용을 참고하여 빈칸에 '-오' 또는 '-요'를 알맞게 써 보세요.

> 보기 문장을 마칠 때 쓰는 '-오'는 '요'로 소리가 나더라도 '오'로 적어요.
> 예 이것은 책이오. (○)ㅤㅤㅤ이것은 책이요. (×)
> 하지만 어떤 물건이나 사실을 늘어놓을 때는 '-요'를 써요.
> 예 이것은 책이요, 저것은 붓이다. (○)ㅤㅤㅤ이것은 책이오, 저것은 붓이다. (×)

"만일 내가 못 이루면 내 아들이 이을 것이고, 아들이 못 이루면 손자가 이을 것입니다."

➔ "만일 내가 못 이루면 내 아들이 이을 것이 ☐ , 아들이 못 이루면 손자가 이을 것이 ☐ ."

스스로 붙임딱지

파팽의 새로운 요리 기구

아는 어휘에 ✔ 표시를 해 보고, 어휘의 뜻을 생각하며 글을 읽어 보세요.

☐ 압력 ☐ 액체 ☐ 기체 ☐ 수증기 ☐ 일리 ☐ 몰두 ☐ 획기적 ☐ 상세하다

⏰ 공부한 날

월 　 일

❶ **증기**: 기체 상태로 되어 있는 물.

❷ **압력**: 누르는 힘.

❸ **개량한**: 나쁜 점을 보완하여 더 좋게 고친.

❹ **액체**: 물, 기름과 같이 부피가 있으나 일정한 형태가 없으며 흐르는 성질이 있는 물질.

❺ **기체**: 일정한 모양이나 부피가 없고 널리 퍼지려는 성질이 있어 자유롭게 떠서 돌아다니는 물질.

❻ **수증기**: 액체 상태인 물이 기체 상태로 된 것.

❼ **일리**: 어떤 면에서 그런대로 옳다고 생각되는 이치.

❽ **몰두했습니다**: 한 가지 일에만 온 정신을 다 기울여 집중했습니다.

❾ **획기적**: 어떤 과정이나 분야에서 전혀 새로운 시기를 열어 놓을 만큼 이전의 것과 뚜렷이 구분되는 것.

❿ **상세하게**: 아주 자세하고 꼼꼼하게.

오늘날 우리가 사용하는 압력솥은 프랑스의 드니 파팽이라는 사람이 발명한 ❶증기 ❷압력 찜통을 ❸개량한 것이에요.

청년 때 런던으로 건너간 파팽은 과학자인 보일과 함께 일했습니다. 이때부터 증기에 관심을 갖기 시작했어요.

'증기는 대단한 힘을 가지고 있어. 이 증기를 이용하여 음식물을 요리하면 어떨까?' 라고 생각한 파팽은 곧 보일을 찾아가 이렇게 말했습니다.

"증기가 새어 나가지 않도록 꼭 닫히는 뚜껑을 달고, 찜통 안에 압력을 주어 물이 끓기 시작하는 온도를 높이면 틀림없이 훌륭한 요리 도구가 되리라고 생각합니다."

증기 압력 찜통으로 음식을 찌는 것은 ❹액체 상태인 물이 ❺기체 상태인 ❻수증기로 상태가 변하는 현상을 이용한 것이에요. 뚜껑이 꽉 닫힌 찜통 안의 수증기가 빠져나오지 못해 찜통 내부의 압력이 높아지면 물의 끓는 온도가 높아지고, 일반 냄비로 끓여서 조리할 때보다 빠른 속도로, 음식물도 부드럽게 조리할 수 있게 되지요. 파팽은 이러한 점을 바탕으로 하여 자신의 생각을 조리 있게 설명했습니다.

"❼일리가 있는 설명일세. 열심히 해 보게나. 만약 성공한다면 훌륭한 발명이 될 걸세."

보일의 격려 덕분에 자신감을 얻은 파팽은 이때부터 연구에 ❽몰두했습니다. 그리고 1679년 마침내 뚜껑에 안전장치가 달린 증기 압력 찜통을 발명하는 데 성공했습니다.

파팽의 증기 압력 찜통 요리법은 ❾획기적이어서, 옛날부터 내려오던 요리법을 송두리째 바꿔 놓았어요. 아무리 질긴 쇠고기라도 이 찜통을 이용하면 부드럽고 맛 좋은 살코기가 되게 요리할 수 있었기 때문이에요.

파팽은 자신이 발명한 증기 압력 찜통의 원리와 그 사용법을 적어 책을 펴냈습니다. 그는 이 책에서 안전장치의 중요성과 구조를 상세하게 설명했을 뿐만 아니라, 수많은 육류·해산물·농산물에 대한 요리법도 실험 결과와 함께 ❿상세하게 설명해 놓았습니다.

이 책은 과학자들뿐만 아니라 주부들에게도 많은 관심을 불러일으켰고, 소문은 곧 전국적으로 퍼져 나갔습니다. 그 덕분에 파팽은 보일의 조수에서 벗어나 연구원에 오르는 영광도 얻게 되었습니다.

1 이 글을 통해 알 수 있는 드니 파팽에 대한 내용으로 알맞지 <u>않은</u> 것을 골라 보세요.

.... (　)

① 프랑스의 발명가이다.
② 안전장치가 달린 압력 찜통을 발명했다.
③ 증기를 이용해 만든 해산물 요리를 좋아했다.
④ 책을 펴낸 뒤에 보일의 조수에서 벗어나 연구원이 되었다.

3주차
Day
14

2 드니 파팽이 발명한 증기 압력 찜통에 대한 설명으로 맞는 것에 ○표, 틀린 것에 ×표를 해 보세요.

(1) 전통적인 요리 도구와 요리 방법이 비슷하다. .... (○ / ×)
(2) 질긴 고기라도 부드럽고 맛 좋게 요리할 수 있다. .... (○ / ×)
(3) 오늘날 우리가 사용하는 압력솥은 파팽의 증기 압력 찜통을 개량한 것이다. .... (○ / ×)

3 다음은 증기 압력 찜통의 원리를 정리한 것입니다. 이 글의 내용을 바탕으로 하여 알맞은 말에 ○표를 해 보세요.

• 증기 압력 찜통으로 음식을 찌는 것은 { 액체 / 기체 } 상태인 물이 { 액체 / 기체 } 상태인 수증기로 상태가 변하는 현상을 이용한 것이다.

• 찜통 내부의 압력이 높아지면 물의 끓는 온도가 { 높아지고 / 낮아지고 }, 일반 냄비로 끓여서 조리할 때보다 { 빠른 / 느린 } 속도로 음식을 부드럽게 조리할 수 있다.

4 다음의 낱말과 뜻이 알맞도록 선으로 이어 보세요.

(1) 액체 •

(2) 압력 •

(3) 기체 •

• ① 물, 기름과 같이 부피가 있으나 일정한 형태가 없으며 흐르는 성질이 있는 물질.

• ② 일정한 모양이나 부피가 없고 널리 퍼지려는 성질이 있어 자유롭게 떠서 돌아다니는 물질.

• ③ 누르는 힘.

5 다음 낱말과 바꾸어 쓸 수 있는 말을 찾아 선으로 이어 보세요.

(1) 몰두하다 •

(2) 상세하다 •

• ① 한 가지 일에만 온 정신을 기울여 집중하다.

• ② 아주 자세하고 꼼꼼하다.

6 보기 를 보고, 밑줄 친 낱말의 뜻으로 알맞은 것의 기호를 써 보세요.

> 보기 • 조리: ① 재료를 이용하여 요리를 만듦. 또는 그 방법이나 과정.
> ② 말이나 글 또는 일이나 행동 등이 앞뒤가 맞고 논리적인 것.

(1) 수민이의 말에는 조리가 없어서 설득력이 떨어진다. ·········· (   )

(2) 박 선생님은 쉬운 조리 방법으로 맛있는 음식을 만든다. ·········· (   )

7 낱말의 관계가 보기 와 같은 것을 골라 보세요. ················ (   )

보기	질기다 – 연하다

① 부엌 – 주방   ② 이용 – 사용   ③ 최대한 – 최소한

8 보기 의 뜻을 가진 말로, 빈칸에 공통으로 들어갈 말을 각각 써 보세요.

(1)
보기	'물건' 또는 '물질'의 뜻을 더하는 말.

• 해산 ☐ : 바다에서 나는 동물과 식물.

• 농산 ☐ : 쌀, 채소, 과일 등 농사를 지어서 얻은 물건.

(2)
보기	'방법' 또는 '규칙'의 뜻을 더하는 말.

• 사용 ☐ : 쓰는 방법.

• 요리 ☐ : 음식을 일정한 방법으로 만드는 방법.

틀리기 쉬워요!

9 다음 문장에서 올바른 표현을 골라 ○표를 해 보세요.

(1) 어머니는 정육점에서 (살고기 / 살코기)를 사셨다.

(2) 병뚜껑이 너무 꼭 (닫혀서 / 다쳐서) 열 수가 없다.

한자 어휘

'반(反)'과 '성(省)'이 들어간 말

아는 어휘에 ✔ 표시를 해 보고, 아래 활동을 하며 뜻을 익혀 보세요.

☐ 반성 ☐ 반대 ☐ 반사 ☐ 반복 ☐ 성묘 ☐ 성찰 ☐ 인사불성

순서대로
써 봐요

反
돌이킬 **반**

反
돌이킬 **반**

 이 한자는 어떤 물건(厂)을 손(又)으로 뒤집는 모습을 나타낸 것으로, '돌이키다', '반대하다' 등의 뜻이 있어요.

● '반(反)'이 들어간 낱말은 '돌이키다', '반대하다'의 뜻을 지니는 경우가 많아요.

반 대	
돌이킬 反	대할 對

 뜻 두 사물이 모양, 위치, 방향 따위에서 등지거나 서로 맞섬. 또는 어떤 행동이나 견해 등에 따르지 않고 맞섬.

예 서연이네 집은 우리 집과 반대 방향이다.

그 건물은
길 건너 반대편에
있어.

반 사	
돌이킬 反	쏠 射

 뜻 빛이나 전파 등이 다른 물체의 표면에 부딪쳐서 나아가던 방향이 반대 방향으로 바뀌는 현상.

예 거울에 빛이 반사되어 눈이 부셨다.

반 복	
돌이킬 反	돌아올 復

 뜻 같은 일을 되풀이함.

예 그 춤은 동작이 어려워 반복해서 외웠다.

반성하는 삶에 대한 명언

반 성
돌이킬 反 | 살필 省

"가장 큰 잘못은 아무 잘못도 깨닫지 못하는 것이라고 본다."는 토마스 칼라일의 말입니다. 누구나 잘못을 할 수 있지만 정말 큰 잘못은 자신이 무슨 잘못을 했는지 인정하지 않는 것이라는 뜻입니다. 잘못에 대한 인정과 진정한 사과는 사람을 보다 성장하게 만듭니다.

게을렀던 지난날을 반성하겠습니다.

省
살필 성

이 한자는 작물이 자라는지 살펴보는 모습을 나타낸 것으로, '살피다', '깨닫다'의 뜻이 있어요.

살필 성

'반성'은 '자신의 말과 행동을 되돌아보며 잘못을 살피거나 깨우침.'이라는 뜻이에요.

● '성(省)'이 들어간 낱말은 '살피다', '깨닫다'의 뜻을 지니는 경우가 많아요.

성 묘
살필 省 | 무덤 墓

뜻 조상의 산소에 가서 인사를 드리고 산소를 돌보는 일.
예 추석에 성묘를 다녀왔다.

매일 밤 나는 나 자신을 성찰하지.

성 찰
살필 省 | 살필 察

뜻 자기의 마음을 반성하고 살핌.
예 민지는 일기를 쓰면서 자신을 성찰한다.

인 사 불 성
사람 人 | 일 事 | 아닐 不 | 살필 省

뜻 자기 몸에 벌어지는 일을 모를 만큼 정신을 잃은 상태.
예 얼마나 깊이 잠들었는지 깨워도 모르고 인사불성이 되었다.

1 다음의 낱말과 뜻이 알맞도록 선으로 이어 보세요.

(1) 성묘(省墓) •

(2) 성찰(省察) •

(3) 인사불성(人事不省) •

• ① 자기의 마음을 반성하고 살핌.

• ② 조상의 산소에 가서 인사를 드리고 산소를 돌보는 일.

• ③ 자기 몸에 벌어지는 일을 모를 만큼 정신을 잃은 상태.

2 밑줄 친 낱말과 의미가 반대인 말 또는 비슷한 말을 골라 번호를 써 보세요.

(1) 부모님이 **반대**하셨지만, 나의 꿈을 위해 운동을 열심히 했다.────────( )

　　　반 ① 찬성

　　　　② 포기

(2) 자기 스스로를 돌아보며 **반성**을 할 줄 아는 사람이 훌륭한 사람이다.────────( )

　　　비 ① 성찰

　　　　② 반대

3 다음 중 '반성'과 관련이 없는 것을 골라 보세요.────────────────( )

① 자아 성찰 (自我省察)	② 삼성오신 (三省吾身)	③ 자화자찬 (自畵自讚)
자기의 마음을 반성하고 살핌.	매일 세 번 자신을 반성함.	자기가 그린 그림을 스스로 칭찬한다는 뜻으로, 자기가 한 일을 스스로 자랑함을 이르는 말.

4 한자의 올바른 뜻과 음을 따라가며 빨간 모자가 할머니 댁으로 가는 길을 찾아보세요.

'시치미를 떼다'의 유래

옛날 사람들은 길들인 매를 이용하여 사냥을 했다고 해요.

그런데 사냥매가 많아지고 다른 사람의 매와 뒤바뀌는 일이 생기자,

각자 자기 매에 이름표를 달기 시작했지요.

이름표에는 매의 이름, 종류, 나이, 빛깔, 주인 이름들을 기록했고

이를 매의 꽁지 위 털 속에 매달아서 주인이 누구인지 알 수 있게 했어요.

이것이 바로 시치미예요.

시치미를 보면 누구의 매인지 금방 알 수가 있지만, 어쩌다 매가 바뀌거나 욕심이 나서

이 시치미를 떼고는 모르는 척하며 자기 매라고 우기는 경우도 있었다고 해요.

그래서 '시치미를 떼다'라는 말은 자기가 하고도 안한 체하거나,

알면서도 모르는 체할 때 쓰게 되었답니다.

➡ 자기가 하고도 하지 아니한 체하거나 알고 있으면서도 모르는 체할 때 '◻◻◻를 떼다'라고 합니다.

4주 어휘 미리보기

뜻을 알고 있는 낱말에 V표 해 보세요.
알고 있는 낱말은 글에서 어떻게 쓰였는지 확인하고,
모르는 낱말은 글을 읽으며 재미있게 익혀 보아요.

	배울 내용	배울 낱말		공부한 날
Day 16	속담 **평안 감사도 저 싫으면 그만이다**	☐ 풍속 ☐ 행렬 ☐ 관직 ☐ 권한	☐ 부임 ☐ 위세 ☐ 관문 ☐ 대명사	월 일
Day 17	관용어 **하늘 높은 줄 모르다**	☐ 조언 ☐ 섬세하다 ☐ 변장 ☐ 수치스럽다	☐ 용맹 ☐ 자만 ☐ 숙련되다 ☐ 건방지다	월 일
Day 18	한자 성어 **삼고초려(三顧草廬)**	☐ 명장 ☐ 와룡 ☐ 천하 ☐ 성심	☐ 지략가 ☐ 초막 ☐ 인재 ☐ 병법	월 일
Day 19	교과 어휘 – 사회 **녹두 장군 전봉준**	☐ 경작 ☐ 수탈 ☐ 탐관오리 ☐ 간섭	☐ 생계 ☐ 횡포 ☐ 관군 ☐ 무장	월 일
Day 20	한자 어휘 **'의(意)'와 '도(圖)'가 들어간 말**	☐ 의도 ☐ 의지 ☐ 도서 ☐ 도형	☐ 의미 ☐ 의욕 ☐ 도감	월 일

속담

평안 감사도 저 싫으면 그만이다

아는 어휘에 ✔ 표시를 해 보고, 어휘의 뜻을 생각하며 글을 읽어 보세요.

☐ 풍속 ☐ 부임 ☐ 행렬 ☐ 위세 ☐ 관직 ☐ 관문 ☐ 권한 ☐ 대명사

🕐 공부한 날

월   일

조선 시대의 ❶풍속 화가 김홍도가 그린 「평안감사향연도」를 아시나요?

이 그림은 평안 감사의 ❷부임을 환영하기 위해 벌였던 화려한 잔치 장면을 그린 것이에요. 부벽루와 연광정, 대동강변을 배경으로 펼쳐진 잔치와 뱃놀이 ❸행렬을 보여 주고 있지요. 평안 감사의 부임을 환영하기 위해 수많은 사람이 모여 있는 것으로 보아, 그 시기의 평안 감사의 ❹위세가 얼마나 대단하였는지를 짐작할 수 있습니다.

그렇다면 '평안 감사'는 어떤 ❺관직이었을까요? '감사'는 조선 시대의 관직으로, 각 도의 으뜸 벼슬이었습니다. 그러니 '평안 감사'는 평안도를 다스리는 으뜸 벼슬이지요. 당시의 평안도는 먹을 것이 풍족했고 중국과 연결된 ❻관문이라 귀한 물건들이 많았다고 해요. 그런 데다가 군사적으로도 중요한 곳이어서 항상 군대에서 필요로 하는 물품들을 미리 모아 둘 필요성이 있었다고 해요. 그래서 평안도에서 거둔 세금은 중앙으로 보내지 않고 평안도 내에서 쓸 수 있었다고 합니다. 이처럼 평안도의 세금을 걷고 사용하는 ❼권한이 평안 감사에게 있어서 평안 감사 자리는 인기가 아주 많았으며 평안 감사는 '좋은 일'을 나타내는 ❽대명사였다고 합니다.

여기에서 "평안 감사도 저 싫으면 그만이다."라는 속담이 생겨났답니다. 서로 하고 싶어 하는 근사한 평안 감사 자리일지라도 자기 마음에 들지 않으면 하지 않는다는 말입니다. 즉, '아무리 좋은 일이라도 자기 마음이 내키지 않으면 억지로 시킬 수 없다.'라는 뜻이랍니다.

❶ **풍속**: 당시의 유행과 습관.

❷ **부임**: 어떤 지위나 임무를 받아 근무할 곳으로 감.

❸ **행렬**: 여럿이 줄을 지어 감. 또는 그런 줄.

❹ **위세**: 지위와 권세.

❺ **관직**: 관리나 공무원이 직업상 책임지고 맡아서 하는 일이나 그 일에 따른 행정적 위치.

❻ **관문**: 어떤 곳에 가려면 반드시 지나야만 하는 부분이나 장소.

❼ **권한**: 사람이 자신의 역할이나 직책으로부터 받은 권리.

❽ **대명사**: 어떤 종류의 특성을 대표적으로 나타내는 것.

▼ 김홍도, 「평안감사향연도」 중 연광정 연회도.

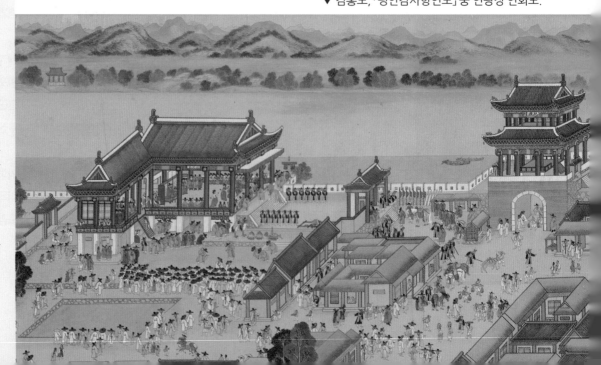

1 이 글을 통해 알 수 있는 '김홍도'에 대한 설명으로 맞는 것에 ○표, 틀린 것에 ×표를 해보세요.

(1) 김홍도는 조선 시대의 풍속 화가이다. ·· (○ / ×)

(2) 김홍도는 평안 감사의 부임을 환영하는 잔치 장면을 그렸다. ·············· (○ / ×)

(3) 김홍도는 평안 감사의 부임을 축하하기 위해 잔치에 참석하였다. ··········· (○ / ×)

2 다음은 「평안감사향연도」를 감상한 친구들이 주고받은 대화입니다. 그림 내용을 잘못 이해한 친구의 이름을 써 보세요.

당시 평안도에서는 새로운 감사가 부임하면 성대한 잔치를 열었구나.

지훈

평안 감사가 굶주린 백성들에게 덕을 베푸는 훌륭한 관리였음을 보여 주고 있어.

수빈

(   )

3 다음은 속담 "평안 감사도 저 싫으면 그만이다."의 뜻을 알아보기 위해 조사한 내용입니다. 빈칸에 들어갈 알맞은 말을 써 보세요.

평안도	평안 감사
• 평안도는 중국과 연결된 관문이고 군사적으로 중요한 곳이어서 항상 군대에서 필요로 하는 물품들을 미리 모아 둘 필요성이 있었음. • 평안도에서 거둔 세금은 중앙으로 보내지 않고 평안도 내에서 쓸 수 있었음.	• 다른 도와 달리 평안도의 세금을 걷고 사용하는 권한이 평안 감사에게 있었음. • 조선 시대에 평안 감사는 인기가 많은 자리였음. • 평안 감사는 '좋은 일'을 나타내는 대명사가 되었음.

➡ 속담 "평안 감사도 저 싫으면 그만이다."는 '아무리 [ ][ ][ ]이라도 자기 마음이 내키지 않으면 억지로 시킬 수 없다.'라는 뜻이다.

4 다음의 낱말과 뜻이 알맞도록 선으로 이어 보세요.

(1) 대단하다 •

(2) 근사하다 •

(3) 풍족하다 •

• ① 몹시 크거나 많다.

• ② 매우 넉넉해서 부족함이 없다.

• ③ 그럴듯하게 괜찮다.

5 빈칸에 들어갈 알맞은 낱말을 보기 에서 찾아 써 보세요.

보기	관직	권한	부임

(1) 학교에 새로운 교장 선생님이 [ ][ ]하셨다.

(2) 임금은 전쟁을 승리로 이끈 장군에게 높은 [ ][ ]을 내렸다.

(3) 조선 시대의 고을 원님은 많은 [ ][ ]을 가지고 있었다.

6 밑줄 친 낱말과 뜻이 반대인 낱말을 보기 에서 찾아 써 보세요.

보기	풍부하다	화려하다	환영하다

(1) 전학 가는 친구를 환송하다. ↔ [ ][ ][ ][ ]

(2) 근수의 옷차림은 무척 소박하다. ↔ [ ][ ][ ][ ]

(3) 우리나라는 지하 자원이 부족하다. ↔ [ ][ ][ ][ ]

7 보기**의 뜻을 가진 말로, 빈칸에 공통으로 들어갈 알맞은 낱말을 써 보세요.**

> **보기**   어떤 종류의 특성을 대표적으로 나타내는 것.

- 김치는 한국 음식의 ☐☐☐이다.
- 그 자동차는 부유함의 ☐☐☐처럼 여겨진다.

8 **빈칸에 알맞은 말을 넣어서 밑줄 친 낱말의 뜻풀이를 완성해 보세요.**

(1) 그는 평안 감사로서의 **위세**와 부귀영화도 마다하고 고향으로 향했다.

　*위세: 사회적 신분에 따르는 지위와 ☐☐.

(2) 평안도는 중국과 연결된 **관문**이다.

　*관문: 어떤 곳에 가려면 ☐☐☐ 지나야만 하는 부분이나 장소.

9 **속담 "평안 감사도 저 싫으면 그만이다."를 사용하기에 알맞은 상황에 ○표를 해 보세요.**

(1)
> **윤정**: 내가 요리할 테니 넌 수저 놓을래?
> **주호**: 싫어. 내가 요리할래.
> **윤정**: 더 쉬운 일을 시켜도 싫다고 하니 어쩔 수 없지. 네 맘대로 해.

　　　　(　　)

(2)
> **예성**: 배고프지 않니? 우리 저 분식집에서 떡볶이 먹고 가자.
> **서연**: 그래, 네가 제일 좋아하는 분식집을 그냥 지나치지 못할 줄 알았어.

　　　　(　　)

틀리기 쉬워요!

10 **다음 문장에서 올바른 표현에 ○표를 해 보세요.**

(1) 조선 시대 양반들은 (배놀이 / 뱃놀이)를 즐겼다.

(2) 우리는 생일잔치를 (벌여 / 벌려) 동생을 축하해 주었다.

하늘 높은 줄 모르다

아는 어휘에 ✔ 표시를 해 보고, 어휘의 뜻을 생각하며 글을 읽어 보세요.

☐ 조언 ☐ 용맹 ☐ 섬세하다 ☐ 자만 ☐ 변장 ☐ 숙련되다 ☐ 수치스럽다 ☐ 건방지다

🕐 공부한 날

월   일

   지혜의 여신이라 불리는 아테나는 제우스의 머리에서 태어났습니다. 제우스는 아테나가 무척 지혜롭다는 것을 잘 알았으므로 아테나를 항상 곁에 두고 인간 세상의 문제를 해결할 때 **❶조언**을 구했습니다. 아테나는 지혜로울 뿐만 아니라 무척 **❷용맹**했고, 아름다운 베를 짜는 일도 잘했습니다. 아테나가 짠 베는 **❸섬세**하고 아름다웠습니다.

   그런데 지상에는 아라크네라는 처녀가 살고 있었습니다. 아라크네는 자신의 옷감 짜는 솜씨를 지나치게 믿으며 자신이 최고라고 자랑했습니다. 점점 더 **❹자만**에 빠지게 된 아라크네는 자기가 짠 베를 아테나 여신의 것과 견주기도 하였습니다. 아라크네가 자랑하며 다니는 것을 알면서도 눈감아 주던 아테나는 인간인 아라크네가 자기 자신을 신과 견주는 것을 알고는 아라크네를 혼내 주기로 하였습니다.

   아라크네는 노인으로 **❺변장**하고 나타난 아테나에게 자신의 솜씨를 자랑하며 언젠가 아테나와 겨루고 싶다고 말했습니다. 아테나는 아라크네에게 조금 겸손해지는 것이 어떠냐고 조언했습니다. 하지만 아라크네는 겸손할 줄 모르고 아테나가 자신의 도전을 받아 주길 원한다고 말했습니다.

   화가 난 아테나는 변장을 벗어 던졌습니다. 그러고 나서 아라크네와 대결을 시작했습니다. 둘은 몇 시간 동안 수를 놓으며 **❻숙련**된 솜씨로 베를 짰습니다. 마침내 **❼융단**을 완성한 아라크네는 그제야 걱정스러운 눈빛으로 아테나의 베틀을 쳐

다보았습니다. 아테나의 융단은 이제껏 본 적 없을 정도로 너무나 아름다웠습니다. 아라크네는 눈이 번쩍 뜨이며 아테나의 승리를 알아차렸습니다. 아테나에게 졌다는 사실이 **❽수치스러운** 데다가 사람들이 비웃을 것에 자존심 상한 아라크네는 죽으려고 했습니다. 하지만 **❾하늘 높은 줄 모르고** 감히 신에게 도전한 인간이 어떻게 되는지 알려 주려던 아테나는 아라크네를 거미로 만들어 끊임없이 실을 뽑도록 했습니다. 사람들은 아라크네를 보러 그녀의 집을 찾았지만 그곳에는 조심성 없고 **❿건방진** 인간의 마지막 모습에 대한 본보기로 거미줄에 매달린 거미 한 마리만 있을 뿐이었습니다.

– 그리스·로마 신화

---

❶ **조언**: 도움이 되도록 말로 거들거나 깨우쳐 줌. 또는 그런 말.

❷ **용맹했고**: 용감하고 사나움.

❸ **섬세하고**: 곱고 가늘고.

❹ **자만**: 자기에 관한 것을 스스로 자랑하며 잘난 체함.

❺ **변장**: 원래의 모습을 알아볼 수 없게 하려고 얼굴, 머리 모양, 옷차림 등을 다르게 바꿈.

❻ **숙련된**: 어떤 기술이나 일이 능숙하게 익혀지는.

❼ **융단**: 양털 등의 털을 겉에 보풀이 일게 짠 두꺼운 천.

❽ **수치스러운**: 매우 창피하고 부끄러움.

❾ **하늘 높은 줄 모르다**: ① 자기의 분수를 모르다. ② 물가가 매우 높게 뛰다.

❿ **건방진**: 자신의 분수를 모르고 지나치게 잘난 척하는.

1 이 글을 읽고, 아테나와 관련된 말을 <u>모두</u> 골라 보세요. ·················(   )

① 지혜롭다   ② 용맹하다

③ 자만하다   ④ 겸손하다

2 아테나가 아라크네를 거미로 만든 까닭을 골라 번호를 써 보세요. ·············(   )

① 아라크네가 아테네의 조언을 받아들이지 않아서

② 아라크네가 자신이 옷감을 제일 잘 짠다며 자랑하고 다녀서

③ 감히 신에게 도전한 인간이 어떻게 되는지 알려 주기 위해서

3 다음은 이 글을 읽고 얻은 교훈을 정리한 것입니다. 알맞은 말에 ○표를 해 보세요.

> 사람은 잘하는 것이 있을수록 { 자신 / 자만 } 하지 않고 { 겸손 / 오만 } 해야 한다.

4 아테나가 아라크네에게 겸손해지라고 조언한 까닭을 알맞게 말한 친구의 이름을 쓰고,
빈칸을 알맞게 채워 '하늘 높은 줄 모르다'의 뜻을 완성해 보세요.

(1)

아라크네의 옷감 짜는 솜씨가 인간 중에는 최고이나 신의 솜씨에는 미치지 못하였기 때문이야.

민규

자신의 솜씨를 자만한 아라크네가 자기 분수도 모르고 자신을 신과 견주며 도전했기 때문이야.

태진

(   )

(2) '하늘 높은 줄 모르다'는 '자기의 [   ][   ]를 모르고 잘난 체하고 뽐내다.'라는 뜻이다.

79

5 다음의 낱말과 바꾸어 쓸 수 있는 말을 찾아 선으로 이어 보세요.

(1) 용맹하다 •

(2) 섬세하다 •

(3) 수치스럽다 •

• ① 곱고 가늘다.

• ② 부끄럽고 창피하다.

• ③ 용감하고 기운차다.

6 주어진 뜻을 참고하여 빈칸에 들어갈 알맞은 낱말을 보기 에서 찾아 써 보세요.

보기	겸손	도전	조언

(1) 고민거리가 생겨서 선생님의 ☐☐을 구하러 갔다.
↳ 도움이 되도록 말로 거들거나 깨우쳐 줌. 또는 그런 말.

(2) 그는 작년 우승자에게 ☐☐하기로 마음먹었다.
↳ 정면으로 맞서서 싸움을 걺.

(3) 높은 자리에 올라갈수록 ☐☐을 잃지 않아야 한다.
↳ 남을 존중하고 자기를 낮추는 마음이나 태도.

7 밑줄 친 '하늘 높은 줄 모르다'가 알맞게 쓰이지 <u>않은</u> 문장을 골라 보세요. ┈┈┈ (   )

① 어머니의 깊은 사랑이 <u>하늘 높은 줄 모른다</u>.
② 물건값이 <u>하늘 높은 줄 모르고</u> 치솟아 걱정이 많다.
③ <u>하늘 높은 줄 모르고</u> 날뛰다가 언젠가는 큰코다칠 날이 있을 것이다.

8 밑줄 친 부분과 바꾸어 쓸 수 있는 말을 골라 번호를 써 보세요.

(1) 그는 동생의 실수를 **눈감아** 주었다. ─────────────── (   )

         ① 용서해

         ② 모른 체해

(2) 감독님은 선수들의 실력을 좀 더 **견주어** 보기로 했다. ──────── (   )

         ① 비교하여

         ② 비유하여

(3) 두 선수는 이번 대회에서 정정당당히 **겨루고** 싶다고 말했다. ────── (   )

         ① 승부를 다투고

         ② 기세를 누르고

9 '짜다'는 여러 가지 뜻을 가진 낱말입니다. 밑줄 친 부분의 뜻으로 알맞은 것을 보기 에서 찾아 번호를 써 보세요.

> **보기** 짜다
> ① 가구나 상자 등의 틀이나 구조물을 만들다.
> ② 실이나 끈 등을 엮어서 옷감 등을 만들다.
> ③ 계획이나 일정을 세우다.

(1) 누나가 털실로 **짠** 목도리를 선물로 주었다. ──────────── (   )

(2) 느티나무로 거실에 놓을 가구를 새로 **짰다**. ──────────── (   )

(3) 갑자기 비가 와서 여행 계획을 다시 **짰다**. ──────────── (   )

틀리기 쉬워요!

10 다음 중 바르게 띄어 쓴 것에 ○표를 해 보세요.

(1) 지구를 지배했던 공룡은 (어느날 / 어느 날) 갑자기 사라졌다.

(2) 약속 시간이 가까워질수록 우리는 (점점더 / 점점 더) 불안해졌다.

(3) 눈이 아침부터 저녁까지 (끊임없이 / 끊임 없이) 내려 온 세상을 뒤덮었다.

😊 맞은 개수 _____ /10개

스스로 붙임딱지

한자 성어

삼고초려(三 석 삼 顧 돌아볼 고 草 풀 초 廬 농막 려)

아는 어휘에 ✔ 표시를 해 보고, 어휘의 뜻을 생각하며 글을 읽어 보세요.
☐ 명장 ☐ 지략가 ☐ 와룡 ☐ 초막 ☐ 천하 ☐ 인재 ☐ 성심 ☐ 병법

🕐 공부한 날

월   일

❶ **명장**: 무예가 훌륭하여 이름
난 장수.

❷ **지략가**: 어떤 일이나 문제를
날카롭게 분석하여 해결책을
세우는 뛰어난 능력을 가진
사람.

❸ **와룡**: 앞으로 큰일을 할, 시골
에 묻혀 있는 큰 인물을 비유
적으로 이르는 말.

❹ **초막**: 풀이나 짚으로 지붕 위
를 덮어 조그마하게 지은 집.

❺ **천하**: 하늘 아래 온 세상. 또는
한 나라 전체.

❻ **인재**: 학식과 능력을 갖추어
사회적으로 크게 쓸모가 있는
사람.

❼ **초당**: 억새나 짚 따위로 지붕
을 인 조그마한 집채. 흔히 집
의 몸채에서 따로 떨어진 곳
에 지음.

❽ **사립문**: 나뭇가지를 엮어서
만든 문.

❾ **성심**: 정성스러운 마음.

❿ **병법**: 군사를 지휘하여 전투
를 이끌어 나가는 방법.

옛날 중국의 유비는 관우, 장비라는 ❶명장을 곁에 두고 있었지만 늘 조조의 군사들에게 패배했습니다. 유비에게는 군대를 이끌 ❷지략가가 없었기 때문입니다. 그러던 중 한 신하가 '제갈량'이라는 사람을 소개하였습니다.

"❸와룡 선생이라고도 불리는 제갈량을 얻으십시오. 지금은 ❹초막에 묻혀 살고 있지만 ❺천하에 둘도 없는 훌륭한 ❻인재입니다."

이 말을 들은 유비는 관우와 장비를 데리고 제갈량의 초막으로 찾아갔습니다.

"선생님은 안 계십니다. 아침 일찍 나가셨습니다."

하인이 나와서 이렇게 말하자, 유비는 할 수 없이 발길을 돌려야만 했습니다.

계절이 지나 흰 눈이 쏟아지는 어느 날, 제갈량이 집으로 돌아왔다는 소식을 들은 유비는 관우, 장비와 함께 눈보라를 뚫고 제갈량의 집으로 갔습니다. 하지만 이번에도 제갈량은 집에 없었습니다.

겨울이 지난 어느 날, 유비는 투덜대며 불평하는 관우, 장비와 함께 세 번째로 제갈량의 집을 찾아갔습니다. 이때 유비는 제갈량에 대한 존중을 표현하기 위해 그의 초막에서 반 리나 떨어진 곳에서부터 말에서 내려 걸어갔습니다.

"선생님께서는 지금 ❼초당에서 낮잠을 주무시고 계십니다."

성질 급한 장비는 당장 그를 깨우라고 소란을 피웠습니다. 하지만 유비는

"귀한 것을 얻으려면 기다릴 줄도 알아야 하는 법이다."

라고 말한 뒤 관우와 장비를 ❽사립문 밖에서 기다리게 하고 혼자 집으로 들어가 제갈량이 깨어날 때까지 조용히 서 있었습니다.

한참 후 제갈량이 초당에서 나와 공손히 두 손을 모으고 말했습니다.

"어리고 부족한 저를 귀하다고 생각하시고 세 번씩이나 찾아와 주셔서 감사합니다."

유비의 ❾성심에 감동한 제갈량은 자신을 도와 달라고 부탁하는 유비의 제안을 흔쾌히 받아들이고, 천하를 다스릴 방법을 이야기해 주며 온 힘을 다해 유비를 도왔습니다. 제갈량의 뛰어난 지략과 ❿병법 덕분에 유비는 조조의 백만 대군을 크게 물리치고 황제의 자리까지 올랐습니다.

'삼고초려(三顧草廬)'는 유비가 제갈량을 세 번이나 찾아간 일에서 비롯되었습니다.

1 유비가 제갈량의 집에 찾아갈 때 일어난 일로 맞는 것에 ○표, 틀린 것에 ×표 하세요.

(1) 유비가 첫 번째로 제갈량의 집에 찾아간 날은 눈이 많이 내렸다. ──────── (○ / ×)

(2) 유비가 두 번째로 제갈량의 집에 찾아간 날 제갈량은 집에 없었다. ──────── (○ / ×)

(3) 유비는 세 번째로 제갈량의 집에 찾아갈 때 말에서 내려 걸어갔다. ──────── (○ / ×)

2 다음은 이 글을 읽고 '제갈량'에 대하여 정리한 인물 카드입니다. 알맞지 <u>않은</u> 것을 골라 보세요 ── (　　　)

	이름	제갈량	
	별명	와룡 선생	①
	직업	중국의 대표적인 명장	②
특징과 성격	• 겸손하고 예의가 바름.		③
	• 뛰어난 지략과 병법을 터득함.		④
	• 유비를 도와 조조의 백만 대군을 물리치는 데 공을 세움.		⑤

3 유비가 제갈량을 세 번이나 찾아간 까닭을 참고하여, 빈칸에 알맞은 말을 넣어 '삼고초려'의 뜻을 완성해 보세요.

유비가 제갈량을 세 번이나 찾아간 까닭	유비는 뛰어난 인재를 얻기 위해서는 참을성 있게 노력해야 한다고 생각했기 때문에 제갈량의 초막을 세 번씩이나 찾아간 것이다.

三	顧	草	廬
석 삼	돌아볼 고	풀 초	농막 려

➜ '삼고초려'는 '뛰어난 [　][　]를 맞아들이기 위해 참을성 있게 [　][　]함.'을 뜻하는

말로, 유비가 제갈량의 초막을 [　] 번이나 찾아갔다는 데서 비롯되었다.

4 다음 뜻에 알맞은 낱말을 보기 에서 찾아 쓰고, 문장의 빈칸을 알맞게 채워 보세요.

> 보기   명장   병법   대군

(1) 병사의 수가 많은 군대. ·· (   )

(2) 무예가 훌륭하여 이름난 장수. ··· (   )

(3) 군사를 지휘하여 전투를 이끌어 나가는 방법. ············· (   )

↓

(4) 관우와 장비라는 ☐☐을 곁에 두고 있던 유비는 ☐☐에 뛰어난 제갈량을 자기편

으로 만든 뒤, 적은 수의 군사로 조조의 백만 ☐☐을 크게 무찔렀다.

5 다음의 낱말과 뜻이 알맞도록 선으로 이어 보세요.

(1) 조용히 •   • ① 기쁘고 유쾌하게.

(2) 공손히 •   • ② 아무 소리도 들리지 않게.

(3) 흔쾌히 •   • ③ 말이나 행동이 예의가 바르고 겸손하게.

6 밑줄 친 낱말과 바꾸어 쓸 수 있는 말을 골라 번호를 써 보세요.

(1) 조선 시대에는 농업이 **천하**의 근본이라고 생각했다. ································· (   )

　　　　① 하늘과 땅 사이

　　　　② 하늘 아래 온 세상

(2) 아들은 **성심**을 다하여 어머니를 보살폈다. ································· (   )

　　　　① 정성스러운 마음

　　　　② 믿음직스러운 마음

7 빈칸에 들어갈 알맞은 말을 골라 번호를 써 보세요.

(1) 식당이 문을 닫아서 집으로 가기 위해 발길을 ⬜⬜⬜. ·············· ( )

    ① 멈췄다   ② 돌렸다   ③ 끊었다

(2) 옆집 사람들이 이른 새벽부터 떠들면서 소란을 ⬜⬜⬜. ·············· ( )

    ① 버렸다   ② 꺾었다   ③ 피웠다

8 '삼고초려'를 알맞게 사용하여 말한 친구의 이름을 쓰세요.

올해 우승을 목표로 하고 있는 대한 야구팀은 최고의 타자인 김 선수를 자기 팀으로 데려오기 위해 삼고초려하고 있어.

오빠는 방학만 되면 도서관에도 안 가고 친구도 안 만나고 산책도 안 하는 등 전혀 외출을 하지 않은 채 삼고초려하고 있어.

의찬

인희

( )

틀리기 쉬워요!

9 다음 중 바르게 띄어 쓴 것에 ○표를 해 보세요.

(1) 오랜만에 만난 어머니와 아들은 { 두손 / 두 손 }을 맞잡고 놓지 못했다.

(2) 국민들 모두 경제 위기를 극복하는 데 { 온힘 / 온 힘 }을 모았다.

녹두 장군 전봉준

아는 어휘에 ✔ 표시를 해 보고, 어휘의 뜻을 생각하며 글을 읽어 보세요.

☐ 경작 ☐ 생계 ☐ 수탈 ☐ 횡포 ☐ 탐관오리 ☐ 관군 ☐ 간섭 ☐ 무장

⏰ **공부한 날**

　월　　일

전봉준은 어릴 때부터 몸집이 작아서 '녹두'라고 불렸습니다. 전봉준이 살던 농촌 마을은 매우 가난했습니다. 열심히 농사를 지어도 세금으로 바치고 나면 먹을 것이 없었어요. 어른이 되어 결혼한 후에, 땅을 ❶경작하고 아이들을 가르치며 ❷생계를 꾸리던 전봉준은 "힘없는 백성들도 잘살 수 있는 세상을 만들어야 한다."라는 뜻을 내세운 ❸동학에 들어가게 됩니다.

　그러던 어느 날, 전봉준이 살던 전라도 고부에 조병갑이라는 새 군수가 부임해 왔습니다. 조병갑은 백성들의 재물을 ❹수탈하고 여러 가지 구실로 마구 세금을 거두어들였어요. 조병갑의 이러한 ❺횡포를 보다 못한 전봉준은 농민들과 함께 관아로 갔습니다. 그리고 ❻탐관오리인 조병갑을 내쫓고 창고 가득 쌓여 있던 곡식을 굶주린 백성들에게 나누어 주었어요. 그런데 이 상황을 조사하러 온 관리가 모든 책임을 동학교도들에게 돌리는 것이었습니다. 이에 전봉준은 각 고을의 동학교도와 농민들을 모아 싸우기로 합니다.

　이후, 동학 농민군은 ❼관군들과 싸워 이기고 전주성까지 점령하였습니다. 그러자 정부는 청나라에 도움을 요청하였어요. 그런데 청나라와 일본이 모두 군대를 보내는 상황이 벌어지게 되었습니다. 이에 동학 농민군은 잘못된 정치를 바로잡겠다는 정부의 약속을 받아내고 싸움을 중지합니다.

　그런데 일본이 돌아가지 않고 계속 나라 일에 ❽간섭하자 전봉준은 일본을 몰아내기 위해 다시 동학 농민군을 일으킵니다. 공주의 우금치에서 치열한 전투를 벌였지만 신식 무기로 ❾무장한 일본군에게 패하였어요. 그 후, 전봉준은 체포되어 죽게 됩니다.

　새야 새야 파랑새야 녹두밭에 앉지 마라.
　녹두꽃이 떨어지면 ❿청포 장수 울고 간다.

　녹두꽃은 전봉준, 청포 장수는 백성들을 의미하는 이 노래는 전봉준의 죽음을 슬퍼하며 백성들이 지은 것입니다. 비록 실패로 끝났지만, 나라를 바로 세우고 외국 세력을 몰아내려 했던 전봉준과 동학 농민군의 정신은 지금까지도 이어지고 있습니다.

❶ **경작**: 논밭을 갈아 농사를 지음.

❷ **생계**: 살림을 꾸리고 살아가는 방법이나 형편.

❸ **동학**: 19세기 중엽에 탐관오리의 수탈과 외세의 침입에 저항하여 최제우가 세상과 백성을 구제하려는 뜻으로 창시한 민족 종교.

❹ **수탈하고**: 약한 상대의 것을 강제로 빼앗고.

❺ **횡포**: 제멋대로 굴며 매우 난폭함.

❻ **탐관오리**: 백성의 재물을 탐내어 빼앗으며 행실이 깨끗하지 못한 관리.

❼ **관군**: (옛날에) 나라의 군대 또는 군사.

❽ **간섭**: 직접 관계가 없는 남의 일에 부당하게 참견함.

❾ **무장**: 전쟁이나 전투를 하기 위한 장비 등을 갖춤.

❿ **청포**: 녹두로 쑨 묵을 통틀어 이르는 말.

1 이 글의 내용으로 맞는 것에 ○표, 틀린 것에 ×표를 하세요.

(1) 전봉준이 살던 농촌 마을은 매우 풍족했다. ──────────────── (○ / ×)

(2) 전봉준의 어린 시절 별명은 녹두 장군이었다. ──────────────── (○ / ×)

(3) 전봉준은 새로 부임한 고부 군수 조병갑과 힘을 합쳐 외국 세력에 맞섰다. ──────── (○ / ×)

2 전봉준이 농민들과 함께 고부 관아로 쳐들어간 까닭을 골라 보세요. ──────── (   )

① 많은 사람에게 동학을 알려 믿게 하려고

② 고부 군수의 수탈과 횡포에 맞서 싸우려고

③ 탐관오리를 벌주고 일본군을 몰아내어 공을 세우려고

3 다음은 이 글에 나오는 노랫말의 의미를 정리한 것입니다. '파랑새', '녹두꽃', '청포 장수'
의 뜻에 알맞도록 빈칸에 들어갈 알맞은 말을 보기 에서 찾아 써 보세요.

보기   백성   일본   전봉준

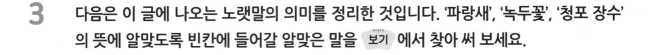

새야 새야 파랑새야 녹두밭에 앉지 마라.
녹두꽃이 떨어지면 청포 장수 울고 간다.

| 녹두꽃을 떨어뜨리려는 파랑새는 ☐☐군 을 뜻함. | 파랑새에 의해 떨어져 청포 장수를 울게 만드는 녹두꽃은 ☐☐☐ 을 뜻함. | 녹두꽃이 떨어지면 울고 갈 청포 장수는 조선의 ☐☐들을 뜻함. |

4 다음의 낱말과 뜻이 알맞도록 선으로 이어 보세요.

(1) 탐관오리 •

(2) 횡포 •

(3) 수탈 •

• ① 제멋대로 굴며 매우 난폭함.

• ② 약한 상대의 것을 강제로 빼앗음.

• ③ 백성의 재물을 탐내어 빼앗으며 행실이 깨끗하지 못한 관리.

5 다음 문장과 같은 뜻이 되도록 빈칸에 들어갈 알맞은 낱말을 보기 에서 찾아 써 보세요.

보기   짓다   선고하다   징수하다

(1) 땅을 경작하다. ÷ 농사를 ☐☐.

(2) 세금을 거두어들이다. ÷ 세금을 ☐☐☐☐.

6 밑줄 친 낱말의 뜻을 보기 에서 찾아 번호를 써 보세요.

보기 ① 일을 계획하여 시작하거나 펼쳐 놓다. 예 사업을 벌이다.

② 여러 가지 물건을 늘어놓다. 예 책상 위에 책을 벌여 두다.

③ 전투나 말싸움 따위를 하다. 예 전투를 벌이다.

(1) 친구와 말다툼을 벌이다. .... (   )

(2) 일회용품 줄이기 운동을 벌이다. .... (   )

(3) 과일 장수가 시장 입구에 수박을 벌이다. .... (   )

7 밑줄 친 '일으키다'의 뜻이 보기 와 같은 것을 찾아 ○표를 해 보세요.

> 보기   전봉준은 일본군을 몰아내기 위해 다시 동학 농민군을 <u>일으켰다</u>.

(1) 비눗물을 막대기로 휘저어 거품을 <u>일으켰다</u>. ———————————————— (   )

(2) 아주머니가 다가와서 넘어진 아이를 <u>일으켰다</u>. ———————————————— (   )

(3) 일본은 1592년에 조선에 침략하여 임진왜란을 <u>일으켰다</u>. —————————— (   )

정답과 해설 28쪽

4주차
Day
19

8 낱말의 관계가 보기 와 <u>다른</u> 것을 골라 보세요. ———————————————— (   )

> 보기   이전 – 이후

① 이것 – 그것   ② 연초 – 연말   ③ 직전 – 직후

틀리기 쉬워요!

9 다음 문장의 밑줄 친 부분을 바르게 고쳐 써 보세요.

(1) 어린 왕을 임금의 자리에서 <u>내쫓다</u>. ➡ [   ]

(2) 그는 아이들에게 피아노를 <u>가리키는</u> 일을 했다. ➡ [   ]

(3) 그 친구의 책상 위에는 먼지가 잔뜩 <u>싸여</u> 있었다. ➡ [   ]

맞은 개수 _____ /9개

스스로
붙임딱지

'의(意)'와 '도(圖)'가 들어간 말

아는 어휘에 ✔ 표시를 해 보고, 아래 활동을 하며 뜻을 익혀 보세요.

☐ 의도 ☐ 의미 ☐ 의지 ☐ 의욕 ☐ 도서 ☐ 도감 ☐ 도형

意
뜻 **의**

이 한자는 소리 음(音)과 마음 심(心)이 합쳐진 글자예요. 마음에서 우러나오는 소리를 나타낸 것으로, '뜻', '생각', '의미' 등의 뜻이 있어요.

순서대로
써 봐요

意
뜻 **의**

● '의(意)'가 들어간 낱말은 '뜻', '생각', '의미'의 뜻을 지니는 경우가 많아요.

'의도' 는 '무엇을 하고자 하는 생각이나 계획.'이라는 뜻이에요.

의 미
뜻意 맛味

뜻 말이나 글의 뜻. 사물이나 현상의 가치.
예 소리가 같아도 의미가 전혀 다른 낱말이 많이 있다.

의 지
뜻意 뜻志

뜻 어떤 일을 이루고자 하는 마음.
예 선수들은 기필코 승리하고 말겠다는 의지를 보였다.

의 욕
뜻意 하고자 할欲

뜻 무엇을 하고자 하는 적극적인 마음이나 욕망.
예 상수는 항상 의욕이 넘친다.

의욕이
너무 넘쳤나?

하루
한 시간
뛰기

'의도'를 알면 무엇이 좋을까요?

의
뜻 意

도
그림 圖

'의도'란 무엇을 하고자 하는 생각이나 계획을 말합니다. 드라마나 만화 등을 볼 때에도 본래의 의도를 알면 그 드라마나 만화가 말하고자 하는 것을 쉽게 알아차릴 수 있어요. 이처럼 모든 일의 의도를 아는 것은 매우 중요하답니다.

내 의도대로 일이 이루어지고 있어.

그림 도

이 한자는 족자에 지도를 그린 모양을 나타낸 것으로, '그림'의 뜻이 있어요.

圖
그림 도

4주차
Day
20

정답과 해설 28쪽

● '도(圖)'가 들어간 낱말은 '그림'의 뜻을 지니는 경우가 많아요.

도 서 그림 圖　글 書 	뜻 일정한 주제나 형식에 맞추어 어떤 생각이나 감정, 이야기 등을 글이나 그림으로 표현해 인쇄하여 묶은 것. 예 이번 방학에는 청소년 추천 도서를 좀 읽어 볼까?
도 감 그림 圖　거울 鑑	뜻 그림이나 사진을 모아 실물 대신 볼 수 있도록 엮은 책. 예 조류 도감에서 본 새가 놀이터 근처에 있다.
도 형 그림 圖　형상 形	뜻 그림의 모양이나 형태. 예 여러 가지 도형을 그려 보자.

91

1 다음의 낱말과 뜻이 알맞도록 선으로 이어 보세요.

(1) 의미(意味) •

(2) 의욕(意欲) •

(3) 의지(意志) •

• ① 어떤 일을 이루고자 하는 마음.

• ② 무엇을 하고자 하는 적극적인 마음이나 욕망.

• ③ 말이나 글의 뜻. 사물이나 현상의 가치.

2 빈칸에 공통으로 들어갈 알맞은 말을 써 보세요.

• ☐ 서 : 일정한 주제나 형식에 맞추어 어떤 생각이나 감정, 이야기 등을 글이나 그림으로 표현해 인쇄하여 묶은 것.

• ☐ 감 : 그림이나 사진을 모아 실물 대신 볼 수 있도록 엮은 책.

• ☐ 형 : 그림의 모양이나 형태.

→ ☐

3 다음은 소리와 모양은 같으나 뜻이 다른 낱말입니다. 낱말의 뜻을 보고, 빈칸에 들어갈 알맞은 말을 써 보세요.

① 엄마는 항상 내게 ☐☐ 가 되는 사람이다.
↳ 다른 것에 마음을 기대어 도움을 받음.

② 강식이는 피아노 대회에서 우승하겠다는 ☐☐ 를 보였다.
↳ 어떤 일을 이루고자 하는 마음.

→ ☐☐

4 주어진 내용을 바탕으로 하여 빈칸에 알맞은 말을 써 보세요.

속담	하늘 천 하면 검을 현 한다
상황	'천자문'을 익히게 할 생각으로 선생님께서 '하늘 천' 하니 학생들이 '검을 현' 하며 천자문을 외웠다.
뜻	상대나 윗사람의 ☐☐를 미리 알아 그에 맞게 일을 처리해 나감을 비유적으로 이르는 말.

5 가로, 세로 열쇠에 해당하는 낱말을 찾아 십자말풀이를 해 보세요.

🔑 **가로 열쇠**

1. 어떤 일을 이루고자 하는 마음.

3. 그림의 모양이나 형태.

4. 무엇을 하고자 하는 생각이나 계획.

🔑 **세로 열쇠**

2. 지구 표면의 상태를 일정한 비율로 줄여, 이를 약속된 기호로 평면에 나타낸 그림.

5. 일정한 주제나 형식에 맞추어 어떤 생각이나 감정, 이야기 등을 글이나 그림으로 표현해 인쇄하여 묶은 것.

사람의 태도나 행동을 나타내는 우리말

- **가납사니**: 쓸데없는 말을 지껄이기 좋아하는 수다스러운 사람.
- **감때사납다**: 사람이 억세고 사납다.
- **반거들충이**: 무엇을 배우다가 중도에 그만두어 다 이루지 못한 사람.
- **벽창호**: 고집이 세며 완고하고 우둔하여 말이 도무지 통하지 않는 무뚝뚝한 사람.
- **쇠고집**: 몹시 센 고집. 또는 그런 고집이 있는 사람.
- **트레바리**: 이유 없이 남의 말에 반대하기를 좋아함. 또는 그런 성격을 가진 사람.
- **객쩍다**: 행동이나 말, 생각이 쓸데없이 싱겁다.
- **나부대다**: 얌전히 있지 못하고 철없이 촐랑거리다.
- **너볏하다**: 몸가짐이나 행동이 번듯하고 의젓하다.
- **냉갈령**: 몹시 매정하고 쌀쌀한 태도.
- **데면데면하다**: 사람을 대하는 태도가 친밀감이 없이 예사롭다.
- **데퉁스럽다**: 말과 행동이 거칠고 미련한 데가 있다.
- **사부작사부작**: 별로 힘들이지 않고 계속 가볍게 행동하는 모양.
- **서슴없다**: 말이나 행동에 망설임이나 거침이 없다.
- **생뚱맞다**: 하는 행동이나 말이 상황에 맞지 않고 매우 엉뚱하다.

5주 어휘 미리보기

뜻을 알고 있는 낱말에 V표 해 보세요.

알고 있는 낱말은 글에서 어떻게 쓰였는지 확인하고,
모르는 낱말은 글을 읽으며 재미있게 익혀 보아요.

배울 내용	배울 낱말		공부한 날
Day 21 속담 **소 뒷걸음질 치다 쥐 잡기**	☐ 발견 ☐ 마음먹다 ☐ 신뢰 ☐ 증명	☐ 감염 ☐ 작용 ☐ 효과 ☐ 수상	월 일
Day 22 관용어 **날개 돋치다**	☐ 하소연 ☐ 선뜻 ☐ 망건 ☐ 자취	☐ 대범함 ☐ 말총 ☐ 치욕	월 일
Day 23 한자 성어 **임기응변(臨機應變)**	☐ 혼란 ☐ 흠모하다 ☐ 고사 ☐ 무궁하다	☐ 속세 ☐ 실언 ☐ 만회	월 일
Day 24 교과 어휘 – 과학 **화산의 두 얼굴**	☐ 폭발 ☐ 용암 ☐ 지진 ☐ 토양	☐ 분출 ☐ 화산재 ☐ 비옥하다 ☐ 터전	월 일
Day 25 한자 어휘 **'사(社)'와 '회(會)'가 들어간 말**	☐ 사회 ☐ 회사 ☐ 회담 ☐ 회의	☐ 사장 ☐ 출판사 ☐ 회원	월 일

소 뒷걸음질 치다 쥐 잡기

아는 어휘에 ✔ 표시를 해 보고, 어휘의 뜻을 생각하며 글을 읽어 보세요.

☐ 발견 ☐ 감염 ☐ 마음먹다 ☐ 작용 ☐ 신뢰 ☐ 효과 ☐ 증명 ☐ 수상

🕐 **공부한 날**

월　　　일

❶ **발견**: 아직 찾아내지 못했거나 세상에 알려지지 않은 것을 처음으로 찾아냄.

❷ **감염**: 세균이나 바이러스 같은 작은 생물이 동물이나 식물의 몸 안에 들어가 그 수를 늘려 가는 것.

❸ **배양 접시**: 둥글고 납작하며 뚜껑이 있는 유리 접시. 세균을 기르는 등의 실험에 주로 쓰임.

❹ **마음먹었습니다**: 마음속으로 어떤 일을 하겠다고 결심하거나 생각하였습니다.

❺ **작용**: 어떠한 현상이나 행동을 일으키거나 영향을 줌.

❻ **신뢰**: 굳게 믿고 의지함.

❼ **효과**: 어떠한 것을 하여 얻어지는 좋은 결과.

❽ **증명**: 어떤 사항이나 판단이 진실인지 아닌지 증거를 들어서 밝힘.

❾ **수상**: 상을 받음.

❿ **소 뒷걸음질 치다 쥐를 잡은 격**: 의도되지 않게 좋은 결과를 얻은 상황, 즉 우연히 공을 세운 셈임을 이르는 말.

　질병으로부터 수많은 인류를 구한 페니실린은 의도하지 않은 아주 우연한 기회에 ❶발견되었습니다. 1928년 여름, 세균을 연구하던 영국의 과학자 플레밍은 상처를 ❷감염시키는 포도상 구균을 연구하고 있었습니다. 그러던 중 포도상 구균을 기르던 ❸배양 접시를 실수로 배양기 밖에 놓아 둔 채 휴가를 떠났습니다. 그런데 휴가를 다녀와서 보니 배양 접시 위에는 푸른곰팡이가 잔뜩 자라 있었고, 곰팡이 주변의 포도상 구균은 죽어 있는 것이었어요. 푸른곰팡이가 포도상 구균을 죽게 한 것이 아닐까 하는 생각이 든 플레밍은 푸른곰팡이를 더 연구해 보기로 ❹마음먹었습니다.

　이후 연구를 통해 플레밍은 푸른곰팡이가 만들어 내는 어떤 물질이 세균을 죽이는 ❺작용을 한다는 점을 확인하였습니다. 플레밍은 푸른곰팡이에서 그 물질을 뽑아내어 '페니실린'이라고 이름 붙였습니다. 그러나 사람들은 페니실린이 곰팡이에서 얻은 물질이라는 점 때문에 플레밍의 연구 결과를 ❻신뢰하지 않았습니다. 그래서 페니실린은 치료제로 널리 사용되기까지 꽤 오랜 시간이 걸렸습니다.

　1939년에는 플로리와 체인이 페니실린 연구를 시작하였고, 이후 동물 실험을 통해 페니실린이 치료제로 얼마나 ❼효과가 있는지 ❽증명했습니다. 제2차 세계 대전 중에는 페니실린이 세균 감염으로 죽어 가는 병사들의 치료에 사용되었고, 이후 일반 사람들에게도 사용되어 수많은 전염병 환자의 생명을 구하게 되었습니다. 그리고 마침내 1945년, 페니실린의 개발자인 플레밍은 플로리, 체인과 함께 노벨상을 ❾수상하였습니다.

　때로는 실수가 위대한 발견을 낳기도 합니다. 페니실린의 발견은 우연과 행운이 겹쳐서 좋은 결과를 가져온 것으로, ❿소 뒷걸음질 치다가 쥐를 잡은 격이라고 할 수 있습니다. 물론 과학사에 한 획을 그은 이런 행운은 과학자들의 끈질긴 연구가 있었기에 가능했답니다.

1 이 글을 읽고 빈칸에 들어갈 알맞은 말을 보기 에서 찾아 써 보세요.

> 보기   증명   신뢰   연구

(1) 플레밍은 푸른곰팡이를 ☐☐하기로 마음먹었다.

(2) 사람들이 플레밍의 연구 결과를 ☐☐하지 않았다.

(3) 플로리와 체인은 페니실린의 치료 효과를 ☐☐하기 위해 동물 실험을 하였다.

2 다음은 이 글을 읽고 '페니실린의 발견 과정'을 정리한 것입니다. 내용에 알맞도록 빈칸을 채워 보세요.

플레밍의 실수	• 플레밍은 포도상 구균에 대해 연구하다가 ☐☐로 배양 접시를 배양기 밖에 두고 휴가를 떠남.
페니실린의 발견	• 배양 접시 위에 푸른곰팡이가 자라 있고 포도상 구균이 깨끗이 없어진 것을 본 플레밍은 ☐☐☐☐☐가 포도상 구균을 죽게 한 것이라 생각함. • 연구를 통해 푸른곰팡이에서 세균을 죽이는 물질 ☐☐☐☐을 발견함.

3 이 글의 내용을 바탕으로 하여 "소 뒷걸음질 치다 쥐 잡기"의 뜻을 짐작하는 과정입니다. 알맞은 말을 골라 ○표를 해 보세요.

> 소가 뒷걸음질 치다가
> 우연히 쥐를 잡음.

> 세균을 연구하다가
> 의도치 않게 페니실린을 발견함.

↓

"소 뒷걸음질 치다 쥐 잡기"는 (의도하여 / 의도하지 않게) 우연히 (좋은 / 나쁜) 결과를 얻은 상황, 즉 우연히 공을 세운 경우를 이르는 말이다.

4 다음의 낱말과 뜻이 알맞도록 선으로 이어 보세요.

(1) 발견 •

(2) 효과 •

(3) 결과 •

• ① 어떠한 것을 하여 얻어지는 좋은 결과.

• ② 아직 찾아내지 못했거나 알려지지 않은 것을 처음으로 찾아냄.

• ③ 어떤 일이나 과정이 끝난 후의 상태나 현상.

5 밑줄 친 말과 바꾸어 쓸 수 있는 말을 골라 번호를 써 보세요.

(1) 플레밍은 푸른곰팡이를 더 연구해 보기로 **마음먹었다**. ·········· ( )

　　① 고심했다

　　② 결심했다

(2) 사람들은 플레밍의 연구 결과를 **신뢰하지** 않았다. ·········· ( )

　　① 믿지

　　② 의심하지

6 다음은 밑줄 친 말의 뜻을 사전에서 찾은 것입니다. 내용에 알맞도록 빈칸을 채워 보세요.

(1) **증명하다**: 어떤 사항이나 판단이 진실인지 아닌지 ㅈ ㄱ 를 들어서 밝히다.

　　예 그들은 증거를 통해 자신들에게 죄가 없음을 증명했다.

(2) **수상하다**: ㅅ 을 받다.

　　예 그 선수는 대회에서 금상을 수상했다.

7 다음 중 "소 뒷걸음질 치다 쥐 잡기"를 사용하여 말할 수 있는 친구의 이름을 써 보세요.

어제 축구를 하다가 우리 편에 패스하려고 찬 공이 우연히 골대로 들어가서 우리 팀이 이겼어.

성욱

우리 반 친구 재윤이는 축구를 할 때, 모든 패스를 다 계획적으로 해서 골이 들어갈 수밖에 없어.

효윤

(   )

틀리기 쉬워요!

8 다음 문장에서 올바른 표현에 ○표를 해 보세요.

(1) 학교까지는 (꽤 / 꾀) 먼 거리이다.

(2) 알뜰 장터에서 번 돈이 어려운 친구를 돕는 데 (사용되 / 사용돼) 뿌듯했다.

틀리기 쉬워요!

9 보기 를 읽고, 밑줄 친 낱말을 바르게 읽어 보세요.

> 보기   받침 'ㅎ, ㄶ' 뒤에 'ㅇ'이 오는 경우에는 'ㅎ'을 발음하지 않아요.
> 예 놓아[노아], 많은[마는]

(1) 눈이 소복이 쌓인 길을 걸으니 기분이 좋았다.

[   ]

(2) 어미 개가 새끼를 낳아 강아지가 모두 여섯 마리가 되었다.

[   ]

(3) 점심을 먹지 않아 저녁이 되기도 전에 배가 무척 고팠다.

[   ]

스스로 붙임딱지

날개 돋치다

아는 어휘에 ✔ 표시를 해 보고, 어휘의 뜻을 생각하며 글을 읽어 보세요.

☐ 하소연 ☐ 대범함 ☐ 선뜻 ☐ 말총 ☐ 망건 ☐ 치욕 ☐ 자취

남산 아래 묵적골에 허생이라는 선비가 살았습니다. 허생은 글 읽기만 좋아해서 과거도 보지 않고 책만 읽었습니다. 그의 아내는 ❶허리띠를 졸라매고 바느질을 해서 생계를 꾸렸습니다. 하루는 그의 아내가 몹시 배가 고파서 허생에게 ❷하소연했습니다.

아내의 성화에 못 이겨 집을 나온 허생은 그길로 한양에서 제일 부자인 변씨를 찾아가 당당하게 만 냥을 빌려 달라고 하였습니다. 허생의 ❸대범함을 알아본 변씨는 그가 보통 사람이 아니라고 생각하고 ❹선뜻 돈을 빌려주었습니다.

허생은 곧장 안성으로 내려가 그 돈으로 조선의 과일을 모두 사들였습니다. 얼마 후 사람들이 과일을 사려고 했지만 과일이 하나도 남아 있지 않았습니다. 사람들은 할 수 없이 허생에게 비싼 값을 주고 과일을 샀습니다. 허생이 내놓은 과일은 ❺날개 돋친 듯 팔렸습니다.

허생은 이번엔 제주도로 내려가 ❻말총을 모두 사들였습니다. 얼마 안 가 말총이 부족해지면서 말총으로 만드는 ❼망건의 값도 열 배로 뛰었습니다. 그래서 허생은 비싼 값으로 말총을 팔아 또 많은 돈을 벌었습니다.

이즈음, 전라북도 변산에 도적 떼가 많았습니다. 허생은 그들을 달래 무인도로 데려가 새 삶을 살게 했습니다. 허생은 그 섬에서 농사를 짓고, 거둔 양식의 일부를 흉년이 든 섬 사람들에게 팔아 은 백만 냥을 얻었습니다. 허생은 백만 냥 중 오십만 냥은 바다에 버리고, 나머지 오십만 냥은 섬에서 들고 나왔습니다. 허생은 그 돈으로 가난한 사람들을 도와준 후, 남은 돈 십만 냥을 들고 변씨를 찾아가 빌린 돈을 열 배로 갚았습니다.

그러던 어느 날, 이완 대장이라는 사람이 허생을 찾아왔습니다. 이완은 ❽병자호란 때 청나라에게 항복했던 ❾치욕스러운 역사를 씻고자 나라를 위해 일할 사람을 찾는다고 하였습니다. 이에 허생은 복수를 하기 위해 힘 있는 나라를 만들려면 먼저 청나라에서 그 방법을 배워 와야 한다고 말했습니다. 이완이 그럴 수 없다고 하자 허생은 불같이 화를 냈고, 이완은 놀라서 달아났습니다. 이튿날 이완이 허생의 집에 다시 찾아갔지만, 집이 텅 비어 있었고 허생은 이미 ❿자취를 감춘 후였습니다.

– 「허생전」

❶ **허리띠를 졸라매고**: 검소한 생활을 하며 배고픔을 참고.

❷ **하소연했습니다**: 억울한 일이나 잘못된 일, 딱한 사정 등을 말했습니다.

❸ **대범함**: 작은 일에 신경을 쓰지 않고 너그럽고 여유가 있음.

❹ **선뜻**: 아무 망설임이나 어려움 없이 쉽게.

❺ **날개 돋치다**: 상품이 빠른 속도로 팔려 나가다. 또는 소문 등이 먼 곳까지 빨리 퍼져 가다.

❻ **말총**: 말의 갈기나 꼬리의 털.

❼ **망건**: 상투를 틀 때 머리카락을 걷어 올려 머리카락이 흘러내리지 않도록 머리에 두르는 그물처럼 생긴 물건.

❽ **병자호란**: 조선 인조 14년에 청나라가 침입한 난리.

❾ **치욕**: 욕되고 창피스러움.

❿ **자취**: 어떤 것이 남긴 표시나 흔적.

1 이 이야기에서 사건이 일어난 순서대로 빈칸에 번호를 써 보세요.

(1) 허생은 과거를 보지 않고 책만 읽었다. ·· (　　　)

(2) 변씨는 허생에게 큰돈을 선뜻 빌려주었다. ···································· (　　　)

(3) 허생은 번 돈을 가난한 사람들에게 나누어 주었다. ······················ (　　　)

(4) 허생은 조선의 과일을 모두 사들였다가 비싸게 팔았다. ·················· (　　　)

2 이 이야기를 읽고, 허생이 한 일이 <u>아닌</u> 것을 골라 보세요. ·············· (　　　)

> ㉠ 제주도에 가서 말총을 모두 사들였다.
>
> ㉡ 가족의 생계를 위해 농사를 열심히 지었다.
>
> ㉢ 이완에게 나랏일에 대한 자신의 의견을 말했다.
>
> ㉣ 도둑들을 무인도로 데려가 그곳에서 새 삶을 살게 했다.

3 다음 친구들의 대화를 보고, 대화에 사용된 '날개 돋치다'의 뜻으로 알맞은 것에 ○표를 해 보세요.

(1) 상품이 빠른 속도로 팔려 나가다. ·· (　　　)

(2) 소문 같은 것이 먼 데까지 빨리 퍼져 가다. ·································· (　　　)

4 다음은 밑줄 친 말의 뜻입니다. 내용에 알맞도록 빈칸을 채워 보세요.

(1) **하소연하다**: 억울하고 딱한 사정 등을 다른 사람에게 [간] [ㅈ] [ㅎ] [ㄱ] 말하다.

㉫ 현석이는 억울한 심정을 나에게 <u>하소연했다</u>.

(2) **치욕스럽다**: 욕되고 [ㅊ] [ㅍ] 스러운 데가 있다.

㉫ 그의 앞에 무릎을 꿇는 것이 매우 <u>치욕스러웠다</u>.

5 밑줄 친 부분과 바꾸어 쓸 수 있는 말을 골라 번호를 써 보세요.

(1) 상수는 **당당하게** 자신의 권리를 주장했다. ⋯⋯⋯⋯⋯⋯⋯⋯⋯⋯ (　　　)

① 떳떳하게

② 지나치게

(2) 가게 문이 **이미** 닫혀 있었다. ⋯⋯⋯⋯⋯⋯⋯⋯⋯⋯⋯⋯⋯⋯⋯⋯⋯ (　　　)

① 아직

② 벌써

(3) 화산 폭발로 폐허가 된 그 도시에서는 문명의 **자취**를 찾을 수 없었다. ⋯⋯⋯ (　　　)

① 흔적

② 기억

6 낱말의 관계가 보기 와 같은 것을 골라 보세요. ⋯⋯⋯⋯⋯⋯⋯⋯⋯⋯⋯ (　　　)

보기	흉년 – 풍년

① 결심 – 결정　　　　　② 의사 – 직업　　　　　③ 사다 – 팔다

7 다음 낱말 뜻을 보고, 빈칸에 들어갈 알맞은 낱말을 써 보세요.

(1) 할머니는 ☐☐를 위해 시장에서 과일을 파셨다.
　　　↳ 살림을 꾸리고 살아 나갈 방법이나 형편.

(2) 준비물을 안 가지고 온 친구에게 내 것을 ☐☐ 나누어 주었다.
　　　　　　　　　　　　　↳ 아무 망설임이나 어려움 없이 쉽게.

8 다음 낱말은 형태는 같지만 뜻이 다른 말입니다. 빈칸에 공통으로 들어갈 알맞은 낱말을 써 보세요.

• 흉년이 들어 겨울을 지낼 ☐☐이 부족했다.
　　　　　　　　　　↳ 살기 위해 필요한 사람의 먹을거리.

• 보고서 ☐☐에 맞추어 작성해 주세요.
　　↳ 일정한 형식이나 방식.

ㅇ　ㅅ

틀리기 쉬워요!

9 밑줄 친 부분을 바르게 띄어 써 보세요.

단위를 나타내는 말은 앞말과 띄어 써요.

(1) 허생은 변씨에게 <u>만냥</u>을 빌렸다.

→ | 허 | 생 | 은 | | 변 | 씨 | 에 | 게 | | | | | 을 | | 빌 | 렸 | 다 | . |

(2) 망건의 값이 <u>열배로</u> 뛰었다.

→ | 망 | 건 | 의 | | 값 | 이 | | | | | 로 | | 뛰 | 었 | 다 | . |

(3) 선재는 <u>할수없이</u> 도망쳤다.

→ | 선 | 재 | 는 | | | | | | | | 도 | 망 | 쳤 | 다 | . |

한자 성어

임기응변(臨 임할 임 機 틀 기 應 응할 응 變 변할 변)

아는 어휘에 ✓ 표시를 해 보고, 어휘의 뜻을 생각하며 글을 읽어 보세요.

☐ 혼란 ☐ 속세 ☐ 흠모하다 ☐ 실언 ☐ 고사 ☐ 만회 ☐ 무궁하다

공부한 날

월 일

중국 진나라가 한창 ❶혼란에 빠져 있었을 때, 지식인들 사이에서는 ❷속세를 떠나 산속에 숨어서 지내는 일이 유행했습니다. 그중 ❸죽림칠현은 어지러운 정치 현실을 떠나 대나무 숲에서 거문고를 즐기고 맑은 이야기를 주고받으며 우정을 나누었던 선비들입니다.

손초라는 젊은이는 죽림칠현을 무척 ❹흠모했습니다. 어느 날 손초는 자신도 죽림칠현처럼 세상일을 피해 숨어 살기로 마음먹고 친구에게 자기의 생각을 털어놓았습니다.

"돌로 양치질을 하고, 흐르는 물을 베개로 삼겠네."

손초의 말을 들은 친구는 웃으며

"돌로 베개를 삼고 흐르는 물에 양치질을 하겠다는 말이지?"

라면서 손초의 ❺실언을 지적했습니다. 손초는 아차 했지만 한번 내뱉은 말을 다시 주워 담을 수는 없었습니다. 자존심이 강한 손초는 자신의 실수를 인정하고 고쳐 말하는 대신 이렇게 말했습니다.

"흐르는 물을 베개로 삼겠다고 한 것은 허유처럼 더러운 말을 들으면 귀를 씻기 위함이고, 돌로 양치질을 하겠다고 한 것은 이를 튼튼하게 하기 위함일세."

손초의 대답을 들은 친구는 억지스럽기는 해도 그럴싸하다면서 허허 웃었습니다. 손초는 허유의 ❻고사를 들어 둘러댐으로써 자신의 실수를 ❼만회할 수 있었습니다.

손초의 말에 등장한 허유는 중국 전설에 나오는 인물입니다. 허유는 요임금에게 나라의 우두머리가 되어 달라는 말을 듣자 귀가 더러워졌다면서 기산에 있는 강에서 귀를 씻어 깨끗한 성품을 지키고자 했답니다.

손초의 대처는 자신의 실수를 인정하지 않기 위해서였지만, 그의 ❽임기응변을 엿볼 수 있는 대목이기도 합니다. 이에 진나라의 역사서에는 손초에 대해 "나라와 백성을 다스리는 해결책이 뛰어났고, 임기응변이 ❾무궁하였다."라고 기록하였습니다.

❶ **혼란**: 뒤죽박죽이 되어 어지럽고 질서가 없음.

❷ **속세**: 불교에서 갖은 고민과 괴로움으로 가득한 현실의 세상을 이르는 말.

❸ **죽림칠현**: 대나무 숲의 어진 일곱 명의 선비.

❹ **흠모했습니다**: 기쁜 마음으로 존경하고 마음속 깊이 따랐습니다.

❺ **실언**: 실수로 잘못 말함. 또는 그 말.

❻ **고사**: 옛날에 있었던 일. 또는 그런 일을 표현한 어구.

❼ **만회**: 잃은 것, 잘못된 것, 뒤떨어진 것 등을 원래의 상태로 되돌리거나 그에 맞먹는 다른 것으로 대신함.

❽ **임기응변**: 그때그때 처한 사태에 맞추어 즉각 그 자리에서 결정하거나 처리함.

❾ **무궁하였다**: 끝이 없었다.

1 이 글의 내용으로 맞는 것에 ○표, 틀린 것에 ×표를 하세요.

(1) 손초는 죽림칠현 중 한 사람이다. ···(○ / ×)

(2) 손초는 세상을 피해 숨어 지내려고 마음먹었다. ··(○ / ×)

2 이 글에 등장하는 인물에 대한 설명으로 알맞은 것을 모두 찾아 선으로 이어 보세요.

① 중국 전설에 나오는 인물이다.

(1) 허유

② 중국 진나라 시대의 인물이다.

③ 세상일을 피해 대숲에 들어가 자연을 벗 삼아 살았다.

(2) 죽림칠현

④ 높은 자리를 맡으라는 말을 듣고 귀가 더러워졌다며 강물로 귀를 씻었다.

3 이 글에 나타난 '손초의 실수'를 바탕으로 하여 손초의 성격을 정리한 것입니다. 빈칸을 알맞게 채워 보세요.

• 친구가 손초의 실언을 지적했지만 손초는 자신의 실수를 ☐☐하지 않음.

• 손초는 자신이 실수한 상황을 모면하기 위해 ☐☐를 들어 둘러댐.

→

• ☐☐☐이 무척 강함.

• 그때그때의 상황에 맞게 바로 결정하거나 처리하는 등 ☐☐☐☐에 강함.

4 다음 뜻을 가진 낱말을 보기 에서 찾아 써 보고, 문장에 알맞은 낱말을 써 보세요.

보기	실언	만회	대목

(1) 실수로 잘못 말함. ·· (   )

(2) 어떤 말이나 일에서 특별하게 관심을 가질 만한 부분. ············· (   )

(3) 잃은 것, 잘못된 것 등을 원래의 상태로 되돌리는 것. ················ (   )

(4) 민희는 자신의 ☐☐으로 친구들의 마음을 상하게 한 것이 무척 속상했다. 그래서 친구

들에게 이를 ☐☐할 기회를 달라고 부탁하였다.

(5) 이 부분이 이 영화의 가장 재미있는 ☐☐이다.

5 다음의 낱말과 바꾸어 쓸 수 있는 말을 찾아 선으로 이어 보세요.

(1) 혼란하다 •   • ① 받아들이다.

(2) 흠모하다 •   • ② 존경하고 따르다.

(3) 인정하다 •   • ③ 어지럽다.

6 다음 중 '임기응변'과 어울리는 상황을 골라 보세요. ·································· (   )

① 한마디로 딱 잘라서 말할 때

② 사방을 둘러보아도 아무 대책이 없을 때

③ 그때그때 상황에 따라 변화하면서 대응할 때

④ 에둘러 표현하는 대신 직접 문제점을 지적할 때

7 보기 의 상황에 어울리는 속담을 골라 번호를 써 보세요. ································ ( )

보기 손초는 아차 했지만 한번 내뱉은 말을 다시 주워 담을 수는 없었습니다.

① 가랑잎이 솔잎더러 바스락거린다고 한다.	② 살은 쏘고 주워도 말은 하고 못 줍는다.	③ 발 없는 말이 천 리 간다.
자기 허물은 생각하지 않고 남의 허물만 나무란다는 뜻.	화살은 쏘아도 찾을 수 있으나 말은 다시 수습할 수 없다는 뜻.	말은 비록 발이 없지만 천 리 밖까지도 순식간에 퍼진다는 뜻.

틀리기 쉬워요!

8 밑줄 친 낱말을 바르게 고쳐 써 보세요.

(1) 손을 <u>씼고</u> 밥을 먹었다. ➡ ☐ ☐

(2) 미도는 그림을 통해 당시의 생활상을 <u>엳보았다</u>. ➡ ☐ ☐ ☐ ☐

틀리기 쉬워요!

9 보기 를 읽고, 문장에서 올바른 표현에 ○표를 해 보세요.

보기 어떤 일의 방법이나 도구, 수단, 방법을 나타낼 때에는 '-(으)로써'를 쓰고, 신분이나 계급, 자격을 나타낼 때에는 '-(으)로서'를 써요.
예 그 배우는 영화제에서 상을 <u>받음으로써</u> 연기력을 인정받았다.
아버지는 <u>농민으로서</u> 자부심을 느끼신다.

(1) 그는 운동을 꾸준히 함(으로서 / 으로써) 건강을 지킨다.

(2) 제가 형(으로서 / 으로써) 더 잘하겠습니다.

😊 맞은 개수 _____ /9개

Day 24 화산의 두 얼굴

아는 어휘에 ✔ 표시를 해 보고, 어휘의 뜻을 생각하며 글을 읽어 보세요.

☐ 폭발 ☐ 분출 ☐ 용암 ☐ 화산재 ☐ 지진 ☐ 비옥하다 ☐ 토양 ☐ 터전

공부한 날

월   일

울릉도와 독도, 제주도의 공통점은 무엇일까요? 바로 바다 밑에서 화산이 ❶폭발하여 만들어진 섬이라는 점입니다. 화산이란 땅속 깊은 곳에서 암석이 녹은 마그마가 지표면으로 분출하여 만들어진 지형을 말하고, 이렇게 화산 활동으로 만들어진 섬을 화산섬이라고 합니다. 울릉도, 독도, 제주도는 지금은 화산 활동을 하고 있지 않지만, 세계 곳곳에는 지금도 활동하고 있는 화산이 많습니다.

므라피산은 인도네시아의 120개가 넘는 활화산 중 가장 활발하게 활동하는 화산으로, 과거에 화산이 ❷분출하여 여러 사람이 목숨을 잃었습니다. 최근에도 화산에서 분출된 뜨거운 ❸용암이 마을로 흘러내렸고, ❹화산재와 가스를 내뿜었을 뿐만 아니라 산사태와 ❺지진도 발생하였습니다. 또 수마트라섬 북쪽의 시나붕산은 400여 년간 잠들어 있다가 2010년에 다시 분화하여 현재에도 활동을 지속하고 있습니다. 2020년에도 이 화산에서 나온 뜨거운 화산재가 마을을 뒤덮어 농작물에 피해가 발생하였습니다.

반면, 화산 활동은 사람들에게 이로움을 주기도 합니다. 화산 활동이 활발한 지역에는 땅속에 뜨거운 열이 있습니다. 사람들은 이 열로 전기 에너지를 만들거나, 온실에서 식물을 기르고 난방에 이용합니다. 또한 이 열 때문에 지하수가 뜨거워져 만들어지는 온천은 여러 질환을 치료하는 데 도움을 주어 사람들이 많이 찾는 관광지가 됩니다. 일본이 온천으로 유명한 까닭도 화산이 많은 지역이기 때문입니다.

이뿐만 아니라 화산 활동을 할 때 분출된 화산재에는 식물이 자라는 데 필요한 성분이 많이 포함되어 있습니다. 그래서 화산재가 쌓인 지역은 오랜 시간이 지나면 ❻비옥한 ❼토양이 됩니다. 이탈리아의 폼페이와 시실리는 과거에 화산재로 뒤덮였던 지역입니다. 화산재는 식물 재배가 어려운 시실리섬에서 포도 재배가 가능하도록 만들었고, 폼페이의 토양도 화산재 덕분에 비옥해졌습니다.

이처럼 화산 활동은 사람들의 목숨과 삶의 ❽터전을 빼앗아 가는 무서운 자연재해이면서 여러 가지 이로움을 주는 두 얼굴을 가지고 있습니다.

❶ **폭발**: 불이 일어나며 갑작스럽게 터짐.

❷ **분출**: 액체나 기체 상태의 물질이 솟구쳐서 뿜어져 나옴.

❸ **용암**: 화산이 폭발할 때 솟구쳐 나온 마그마에서 가스 성분이 빠져나가고 남은 것.

❹ **화산재**: 화산에서 뿜어져 나온 용암의 알갱이 중 지름이 2mm 이하인 것.

❺ **지진**: 지구 내부에서 작용하는 힘을 오랫동안 받아 땅이 흔들리는 현상.

❻ **비옥한**: 땅이 영양분이 많고 기름진.

❼ **토양**: 흙.

❽ **터전**: 생활의 근거지가 되는 곳. 일의 토대.

✱ **지열 발전**: 땅속에서 나오는 증기나 더운물을 이용하는 발전.

✱지열 발전   온천   비옥한 토양

1 다음 뜻을 지닌 낱말을 이 글에서 찾아 써 보세요.

> 땅속 깊은 곳에서 암석이 녹은 마그마가 지표면으로 분출하여 만들어진 지형.

( )

2 다음은 이 글을 읽고, '울릉도, 독도, 제주도의 공통점'을 정리한 것입니다. 빈칸에 들어 갈 알맞은 말을 보기 에서 찾아 써 보세요.

> 보기   폭발   화산   화산섬

→ 울릉도, 독도, 제주도는 바다 밑에서 ☐☐이 ☐☐하여 만들어진 섬이다. 이렇게

화산 활동으로 만들어진 섬을 ☐☐☐이라고 한다.

3 이 글을 읽고, 화산이 주는 이로운 점이 <u>아닌</u> 것을 골라 보세요. ·············· ( )

① 온천이 생겨 관광지로 이용된다.

② 지하수를 깨끗하게 만들어 준다.

③ 화산재가 땅에 영양분을 공급해 준다.

④ 땅속 열을 이용해 전기 에너지를 만들 수 있다.

4 다음 중 화산이 폭발하면서 발생하는 물질이 <u>아닌</u> 것을 골라 보세요. ·············· ( )

① 용암   ② 화산재   ③ 가스   ④ 산사태

5 다음의 낱말과 뜻이 알맞도록 선으로 이어 보세요.

(1) 화산 •

(2) 지진 •

(3) 용암 •

• ① 지구 내부에서 작용하는 힘을 오랫동안 받아 땅이 끊어지면서 흔들리는 현상.

• ② 땅속 깊은 곳에서 암석이 녹은 마그마가 지표면으로 분출하여 만들어진 지형.

• ③ 화산이 터질 때 솟구쳐 나온 마그마에서 가스 성분이 빠져나가고 남은 것.

6 밑줄 친 낱말의 알맞은 뜻을 찾아 번호를 써 보세요.

(1) 그 섬에서는 포도 재배가 **가능하다**. ⋯⋯⋯⋯⋯⋯⋯⋯⋯⋯⋯⋯⋯ (　　　)
　　　　　① 할 수 있다
　　　　　② 할 수 없다

(2) 화산재가 쌓인 토양은 **비옥하여** 식물이 잘 자란다. ⋯⋯⋯⋯⋯⋯⋯⋯ (　　　)
　　　　　① 거칠고 메말라서
　　　　　② 기름지고 양분이 많아서

7 다음의 낱말 뜻을 보고, 빈칸에 들어갈 알맞은 낱말을 써 보세요.

(1) 할아버지께서는 ☐☐에서 딸기를 재배하셨다.
　　　↳ 온도, 습도 따위를 조절하여 각종 식물의 재배를 자유롭게 하는 시설.

(2) 가족들과 주말에 ☐☐이 있는 곳으로 여행을 가기로 하였다.
　　　↳ 땅속 열에 의하여 지하수가 데워져 솟아 나오는 샘.

8 **보기** 의 뜻을 가진 말로, 빈칸에 공통으로 들어갈 알맞은 말을 써 보세요.

> **보기** 생활의 근거지가 되는 곳. 일의 토대.

• 어촌 사람들 대부분에게 바다는 삶의 ☐☐이다.

• 이번 일의 성공으로 해외 진출의 ☐☐이 마련되었다.

(   )

틀리기 쉬워요!

9 **다음 문장에서 올바른 표현에 ○표를 해 보세요.**

(1) 동생이 읽고 있던 책을 갑자기 (빼앗아 / 빼았아) 갔다.

(2) 어젯밤 내린 눈으로 온 세상이 하얗게 (뒤덮었다 / 뒤덮였다).

(3) 불꽃놀이는 화약을 (폭발 / 폭팔)시켜 나오는 빛을 이용한 것이다.

틀리기 쉬워요!

10 **보기** 를 읽고, 아래의 낱말을 소리 나는 대로 써 보세요.

> **보기** 앞말의 받침 'ㄱ, ㄲ, ㅋ'과 뒷말의 첫소리 'ㄴ, ㅁ'이 만나면 앞말의 받침이 [ㅇ]으로 소리 납니다.
>
> 식물 ➡ ㄱ + ㅁ ➡ ㅇ + ㅁ ➡ [싱물]

(1) 국물 ➡ [   ]   (2) 막내 ➡ [   ]

한자 어휘
'사(社)'와 '회(會)'가 들어간 말

아는 어휘에 ✔ 표시를 해 보고, 아래 활동을 하며 뜻을 익혀 보세요.

☐ 사회 ☐ 사장 ☐ 회사 ☐ 출판사 ☐ 회담 ☐ 회원 ☐ 회의

순서대로 써 봐요

社
모일 **사**

社
모일 **사**

이 한자는 示(보일 시)와 土(흙 토)가 결합한 글자로, 토지의 신이라는 뜻이었다가, 신에게 제사를 지낼 때는 여러 사람이 모이니 '모이다'라는 뜻을 가지게 되었어요.

'사회'는 '계층, 직업 등이 비슷한 사람들이 모여 이루는 집단' 또는 '가족, 회사, 국가 등과 같이 공동생활을 하는 사람들의 모든 집단'을 말해요.

● '사(社)'가 들어간 낱말은 '모이다'의 뜻을 지니는 경우가 많아요.

사 **장** 모일 社 길 長	뜻 회사를 대표하고 회사 일을 책임지는 사람. 예 그는 한 회사의 사장이다.
회 사 모일 會 모일 社	뜻 사업을 통해 이익을 얻기 위해 여러 사람이 모여 만든 단체. 예 아버지께서는 회사에 출근하셨다.
출 판 사 날 出 널조각 版 모일 社	뜻 글, 그림, 악보 등을 책으로 만들어 세상에 내놓는 일을 하는 회사. 예 그 출판사는 어린이를 위한 책을 만든다.

인간은 사회적 동물이다?

사	회	적
모일 社	모일 會	과녁 的

"인간은 사회적 동물이다."라는 말을 들어 보셨나요? 고대 그리스의 아리스토텔레스 가 한 말로, 인간은 사회 속에서 살아가면 서 서로 어울리며 자신의 존재를 확인하려 는 성질을 가지고 있다는 말이랍니다.

물고기가 물을 떠나 살 수 없듯 인간은 사회를 떠나 살 수 없어.

모일 **회**

이 한자는 뚜껑과 받침이 결합하는 모습을 나타낸 것으로, '모이다'라는 뜻이 있어요.

會
모일 **회**

● '회(會)'가 들어간 낱말은 '모이다'의 뜻을 지니는 경우가 많아요.

회 담
모일 會 　 말씀 談

- 뜻 어떤 문제를 가지고 거기에 관련된 사람들 이 한자리에 모여서 토의함.
- 예 환경 문제 관련 회담이 갑자기 연기되었다.

회 원
모일 會 　 관원 員

- 뜻 어떤 모임을 이루는 사람들.
- 예 그 동아리는 회원을 모집 중이다.

이번 가족회의의 안건은 용돈 인상 입니다.

회 의
모일 會 　 의논할 議

- 뜻 여럿이 모여 의견을 주고받음.
- 예 여행 계획을 가족회의로 결정하였다.

113

1 다음이 낱말과 뜻이 알맞도록 선으로 이어 보세요.

(1) 사회(社會) •

(2) 회사(會社) •

(3) 출판사(出版社) •

• ① 사업을 통해 이익을 얻기 위해 여러 사람이 모여 만든 단체.

• ② 계층, 직업 등이 비슷한 사람들이 모여 이루는 집단.

• ③ 글, 그림, 악보 등을 책으로 만들어 세상에 내놓는 일을 하는 회사.

2 빈칸에 들어갈 알맞은 말을 보기 에서 찾아 써 보세요.

| 보기 | 회의 | 회담 | 회원 |

(1) 동아리 ☐☐을 모집하려고 홍보문을 만들었다.
↳ 어떤 모임을 이루는 사람들.

(2) 오늘은 교실 청소에 대한 학급 ☐☐가 있는 날이다.
↳ 여럿이 모여 의견을 주고받음.

(3) 이날 ☐☐에서 각 나라의 지도자들은 기후 변화 대책을 세웠다.
↳ 어떤 문제를 가지고 거기에 관련된 사람들이 한자리에 모여서 토의함.

3 다음 빈칸에 공통으로 들어갈 알맞은 낱말을 보기 에서 찾아 써 보세요.

| 보기 | 사회 | 회사 |

• 열심히 노력하는 사람은 어느 ☐☐에서나 인정받는다.

• 이번에 발굴된 유물은 고대 ☐☐의 문화를 잘 보여 주고 있다.

(   )

4   가로, 세로 열쇠를 보고 십자말풀이를 완성해 보세요.

🔑 가로 열쇠

1. 해가 떠오름.

3. 회사를 대표하고 회사의 일을 책임지는 사람.

4. 같은 학교를 졸업한 사람들의 모임.

6. 사회 제도의 모순이나 결함 때문에 일어나는 모든 문제.

8. 어떤 모임을 이루는 사람.

🔑 세로 열쇠

2. 글, 그림, 악보 등을 책으로 만들어 세상에 내놓는 일을 하는 회사.

5. 회사에 속하여 일하는 사람.

7. 글이나 영화, 공연 등에서, 중심이 되는 내용을 나타내기 위해 붙이는 이름.

8. 어떤 문제를 가지고 거기에 관련된 사람들이 한자리에 모여서 토의함.

맞은 개수 _____ /4개

115

머리 모양을 나타내는 우리말

- **가랑머리**: 두 가랑이로 갈라땋아 늘인 머리.

- **고수머리**: 고불고불하게 말려 있는 머리털. 곱슬머리.

- **귀밑머리**: 이마 한가운데를 중심으로 좌우로 갈라 귀 뒤로 넘겨 땋은 머리.

- **까까머리**: 빡빡 깎은 머리. 또는 그런 머리 모양을 한 사람.

- **단발머리**: 귀밑이나 목덜미 언저리에서 머리털을 가지런히 자른 머리.

- **떠꺼머리**: 장가나 시집 갈 나이가 된 총각이나 처녀가 땋아 늘인 머리.

- **덩덕새머리**: 빗질을 하지 아니하여 더부룩한 머리.

- **말총머리**: 조금 긴 머리를 말 꼬리처럼 하나로 묶은 머리 모양새.

- **어여머리**: 조선 시대에 부인이 예의를 갖추어 차려 입을 때 하던 머리 모양.

▲ 가랑머리

▲ 까까머리

▲ 단발머리

6주 어휘 미리보기

뜻을 알고 있는 낱말에 V표 해 보세요.
알고 있는 낱말은 글에서 어떻게 쓰였는지 확인하고,
모르는 낱말은 글을 읽으며 재미있게 익혀 보아요.

		배울 내용	배울 낱말		공부한 날
Day 26	속담	남의 잔치에 감 놓아라 배 놓아라 한다	☐ 고민 ☐ 대꾸 ☐ 사사건건 ☐ 당황	☐ 참견 ☐ 유치하다 ☐ 불만	월/일
Day 27	관용어	쥐도 새도 모르게	☐ 능력 ☐ 괘씸히 ☐ 맹세 ☐ 부당	☐ 당부 ☐ 복종 ☐ 굴하다 ☐ 의지력	월/일
Day 28	한자 성어	괄목상대(刮目相對)	☐ 민첩하다 ☐ 공 ☐ 충고 ☐ 역적	☐ 용맹 ☐ 학식 ☐ 유익 ☐ 이치	월/일
Day 29	교과 어휘 – 사회	지도로 여행 계획을 세워요	☐ 지도 ☐ 검색 ☐ 기호	☐ 간략하다 ☐ 등고선 ☐ 범례	월/일
Day 30	한자 어휘	'구(區)'와 '분(分)'이 들어간 말	☐ 구분 ☐ 지구 ☐ 분수 ☐ 분석	☐ 구획 ☐ 구간 ☐ 분류	월/일

남의 잔치에 감 놓아라 배 놓아라 한다

아는 어휘에 ✔ 표시를 해 보고, 어휘의 뜻을 생각하며 글을 읽어 보세요.

☐ 고민 ☐ 참견 ☐ 대꾸 ☐ 유치하다 ☐ 사사건건 ☐ 불만 ☐ 당황

⏰ 공부한 날

　　　　월　　　　일

① **고민**: 마음속으로 괴로워하고 애를 태움.

② **참견**: 자기와 별로 관계없는 일이나 말 등에 끼어들어 쓸데없이 아는 체하거나 이래라저래라 하는 것.

③ **대꾸**: 남의 말을 듣고 그대로 받아들이지 않고 그 자리에서 제 의사를 나타냄.

④ **유치하게**: 수준이 낮거나 미숙하게.

⑤ **사사건건**: 해당되는 모든 일마다.

⑥ **남의 잔치에 감 놓아라 배 놓아라 한다**: 남의 일에 괜히 참견하고 나섬을 비유적으로 이르는 말.

⑦ **이러쿵저러쿵**: 이러하다는 둥 저러하다는 둥 말을 늘어놓는 모양.

⑧ **불만**: 마음에 흡족하지 않음.

⑨ **당황**: 몹시 놀라거나 다급하여 어찌할 바를 모름.

⑩ **생사람 잡지**: 아무 잘못이나 관계가 없는 사람을 헐뜯거나 죄인으로 몰지.

　　요즈음 수민이는 ①고민이 있습니다. 같은 반에 얼굴을 마주치기 불편한 친구가 생겼기 때문입니다. 그 친구는 바로 채호입니다. 채호는 친구들이 모두 '②참견왕'이라고 부를 정도로 다른 사람 일에 참견하기를 좋아하는 친구입니다.

　　며칠 전 미술 시간, 열심히 그림을 그리는 수민이를 보고 채호가 말했습니다.

　　"자세히 보니 배경색이 그림이랑 안 어울려. 다른 색으로 칠하는 게 나았을 것 같아."

　　수민이는 채호의 말이 귀에 거슬렸지만, ③대꾸하지 않았습니다.

　　오늘은 지수와 공기놀이를 하고 있는 수민이에게

　　"④유치하게 공기놀이라니. 요즘 누가 공기놀이를 하니? 차라리 보드게임이 낫지."

라며 채호가 참견을 했습니다. 채호는 청소 시간에도

　　"여기부터 좀 닦아. 엄청 지저분하다. 여기는 닦은 거 맞니?"

라며 ⑤사사건건 끼어들었습니다. 화가 난 수민이가 채호에게 말했습니다.

　　"그만 좀 참견해. 솔직히 말해서 너 때문에 다들 불편해하잖아. 왜 이렇게 ㉠⑥<u>남의 잔치에 감 놓아라 배 놓아라</u> 하니?"

　　"수민이 말이 맞아. 다른 사람 일에 ⑦이러쿵저러쿵 그만 좀 이야기해."

　　옆에 있던 성욱이도 거들었습니다. 친구들이 저마다 한마디씩 ⑧불만을 얘기하는 바람에 채호는 ⑨당황해서 버럭 화를 냈습니다.

　　"내가 언제 그랬어? 괜히 ⑩생사람 잡지 마!"

　　집에 돌아와서 곰곰이 생각해 보니 채호는 친구들에게 미안한 마음이 들었습니다.

　　'내가 자꾸 이래라저래라 하니 친구들이 불만이 많았구나. 앞으로 조심해야겠다.'

　　그 후로 채호는 참견하고 싶어도 친구들의 입장을 한 번 더 생각해 보고 말을 하기로 마음먹었습니다. 또 친구들의 반응은 아랑곳없이 자기가 하고 싶은 말만 하던 것도 고치기로 노력했습니다. 며칠 뒤 달라진 채호를 본 수민이는 채호에게 쏘아붙이듯이 말한 게 왠지 미안해졌습니다. 수민이는 채호에게 쪽지를 썼습니다.

　　'채호야, 가만히 생각해 보니 내 잘못도 있는 것 같아. 미안해.'

　　수민이의 쪽지를 받은 채호는 기분이 좋아 씨익 웃었습니다.

1 이 글에 나타난 수민이의 고민으로 알맞은 것에 ○표를 해 보세요.

(1) 채호에게 쓸 쪽지의 내용을 고민했다. ───────────────── (   )

(2) 채호의 버릇을 어떻게 하면 고칠 수 있을지 고민했다. ────────── (   )

(3) 같은 반 친구인 채호가 자꾸만 참견하는 것이 불편해서 고민했다. ──── (   )

2 친구들의 불만을 들은 후 채호가 어떻게 변했는지 골라 보세요. ─────── (   )

① 아무 때나 참견한 것을 친구들에게 사과했다.

② 친구들에게 어떠한 말도 건네지 않기로 마음먹었다.

③ 친구들 입장을 한 번 더 생각해 보고 말을 하기로 마음먹었다.

3 수민이가 채호에게 ㉠과 같이 말한 상황을 바탕으로 "남의 잔치에 감 놓아라 배 놓아라 한다."의 뜻을 완성해 보세요.

채호에게 ㉠과 같이 말한 상황	채호가 다른 친구들의 일에 괜히 참견하고 나서는 상황.

➔ "남의 잔치에 감 놓아라 배 놓아라 한다."는 '다른 사람 일에 괜히 ▢▢하고 나선다.'

라는 뜻이다.

4 다음 중 "남의 잔치에 감 놓아라 배 놓아라 한다."가 어울리는 상황에 ○표를 하세요.

(1)
> 수빈이와 유현이가 바둑을 두고 있는데 옆에서 보고 있던 지원이가 끼어들어 "아니지, 여기에 둬."라고 가르쳐 주는 상황.

(   )

(2)
> 자전거 타기를 두려워하는 동생에게 형이 뒤에서 방법을 알려 주며 "겁먹지 말고 앞을 보면서 천천히 발을 굴러."라고 말하는 상황.

(   )

5 빈칸에 들어갈 알맞은 말을 보기 에서 찾아 써 보세요.

> 보기　　　　　　　　　　참견　　　대꾸　　　불만

(1) 석현이는 쉬는 시간이 짧아지자 [　　　　]을 드러냈다.

(2) 나는 그의 질문에 퉁명스럽게 [　　　　]하였다.

(3) 동생이 공부를 안 할까 봐 잔소리를 했는데 이제 보니 쓸데없는 [　　　　]이었다.

6 다음 뜻을 가진 낱말을 보기 에서 찾아 써 보세요.

> 보기　　　　　　　　　당황　　　사사건건

(1) 민식이와 진식이는 [　　　　] 의견이 충돌했다.
　　　　　↳ 해당되는 모든 일마다.

(2) 너무 갑작스럽게 고백하자 그는 [　　　　]스러운 기색이 역력했다.
　　　　　↳ 놀라거나 다급하여 어찌할 바를 모름.

7 다음 문장의 밑줄 친 부분과 바꾸어 쓸 수 있는 말을 찾아 선으로 이어 보세요.

(1) 거울에 먼지가 끼어 매우 <u>지저분했다</u>.　　·　　·① 성을 냈다.

(2) 지우는 약속 시간에 늦은 나에게 <u>화를 냈다</u>.　　·　　·② 더러웠다.

8 밑줄 친 말의 알맞은 뜻을 골라 번호를 써 보세요.

(1) 친구들은 한겨울 추위에도 **아랑곳없이** 썰매를 타고 신나게 놀았다. ⸻⸻⸻⸻ (　　　)

① 어떤 상황을 계속 마음에 두고

② 관심을 두거나 신경 쓸 필요가 없이

(2) 수호는 화가 나서 동생에게 한바탕 **쏘아붙였다**. ⸻⸻⸻⸻⸻⸻⸻⸻ (　　　)

① 얄밉게 놀리듯이 말했다

② 공격하듯이 날카롭게 말했다

(3) 그 친구의 말이 귀에 **거슬렸다**. ⸻⸻⸻⸻⸻⸻⸻⸻⸻⸻⸻⸻ (　　　)

① 마음에 들지 않아 기분이 상했다

② 조금도 모자람이 없을 정도로 넉넉하여 만족했다

틀리기 쉬워요!

9 보기 를 읽고, 다음 문장에서 올바른 표현에 ○표를 해 보세요.

> 보기 끝말의 소리가 '이'로만 나는 경우는 '-이'로 적고, 끝말의 소리가 '히'로 나거나 '이'나 '히'로 모두 소리 나는 경우에는 '-히'로 적습니다.

'이'나 '히'로 둘 다 소리 나는 것은 '히'로 적어요.

(1) 그는 늘 (열심이 / 열심히) 달렸다.

(2) 상민이는 묻는 말에 (솔직이 / 솔직히) 대답해 주었다.

(3) 그때를 (가만이 / 가만히) 돌이켜 보니 웃음이 났다.

틀리기 쉬워요!

10 다음 문장에서 올바른 표현에 ○표를 해 보세요.

(1) 더러워진 책상 위를 깨끗이 (닥았다 / 닦았다).

(2) 그 이야기를 들으니 (왠지 / 웬지) 기분이 씁쓸했다.

(3) 작년에 같은 반이었던 친구 승현이를 (며칠 / 몇일) 전 우연히 만났다.

관용어

쥐도 새도 모르게

아는 어휘에 ✔ 표시를 해 보고, 어휘의 뜻을 생각하며 글을 읽어 보세요.

☐ 능력 ☐ 당부 ☐ 괘씸히 ☐ 복종 ☐ 맹세 ☐ 굴하다 ☐ 부당 ☐ 의지력

🕐 공부한 날

월   일

신들의 왕 제우스는 프로메테우스에게 인간과 동물을 만들게 하고, 에피메테우스에게는 인간과 동물에게 특별한 ❶능력을 한 가지씩 주라고 하였습니다. 프로메테우스는 여러 동물을 만들고 마지막으로 신의 모습을 닮은 인간을 만들었습니다. 그런데 이미 모든 능력을 나누어 준 에피메테우스에게는 인간에게 줄 것이 남아 있지 않았습니다.

"새에게 날개를, 사자에게 날카로운 발톱을, 거북에게 딱딱한 껍질을, 말에게 빨리 달릴 수 있는 다리를 주었어요. 인간에게는 줄 것이 남아 있지 않은데 어떡하죠?"

에피메테우스는 프로메테우스에게 하소연했고 프로메테우스는 깊은 고민에 빠졌습니다. 인간에게는 자신의 몸을 지킬 수 있는 능력이 하나도 없었기 때문입니다. 고민 끝에 프로메테우스는 ❷쥐도 새도 모르게 신들의 불을 훔쳤습니다. 그리고 인간에게 불씨를 전해 주며 ❸당부하였습니다.

"이 불씨를 이롭게 쓰도록 하여라. 절대 함부로 쓰면 안 돼."

프로메테우스가 선물한 불 덕분에 인간은 다른 어느 동물보다 강한 존재가 될 수 있었습니다. 추위를 피하고 음식물을 익혀 먹게 되었을 뿐만 아니라 무기를 만들어 사냥을 할 수 있었고, 농사 도구를 만들어 농사를 지을 수 있게 되었습니다.

제우스는 신들의 불을 훔쳐 인간에게 준 프로메테우스를 ❹괘씸히 여겼습니다.

"당장 프로메테우스를 잡아 오너라! 그리고 코카서스 산꼭대기의 바위에 절대 끊을 수 없는 쇠사슬로 꽁꽁 묶어라!"

그렇게 해도 화가 풀리지 않자 제우스는 독수리를 보내 프로메테우스의 간을 쪼아 먹게 했습니다. 그런데 프로메테우스의 간은 낮에 독수리가 쪼아 먹어도 밤이면 다시 회복되었습니다. 인간에게 불을 준 대가로 프로메테우스는 매일 반복되는 고통을 겪는 끔찍한 벌을 받게 된 것입니다. 제

우스에게 ❺복종을 ❻맹세하면 더는 벌을 받지 않을 수 있었지만, 프로메테우스는 ❼굴하지 않았습니다. 그래서 프로메테우스는 오늘날까지도 ❽부당한 고통에 대한 참을성, 폭력에 맞서는 ❾의지력의 상징이 되었답니다.

– 그리스·로마 신화

❶ **능력**: 어떤 일을 해낼 수 있는 힘.

❷ **쥐도 새도 모르게**: 감쪽같이 행동하거나 처리하여 아무도 그 행방을 모르게.

❸ **당부**: 말로 단단히 부탁함.

❹ **괘씸히**: 기대나 믿음에 어긋나는 못마땅한 행동을 하여 미움을 받을 만한 데가 있게.

❺ **복종**: 다른 사람의 명령이나 의견에 그대로 따름.

❻ **맹세**: 굳게 다짐하거나 약속함.

❼ **굴하지**: 어떤 힘이나 어려움 앞에서 자신의 의지를 굽히지.

❽ **부당**: 도리에 어긋나서 정당하지 않음.

❾ **의지력**: 어떤 일을 이루고자 하는 마음을 꿋꿋하게 지켜 나가는 힘.

1 다음은 이 글을 읽고, '제우스가 프로메테우스에게 벌을 내린 까닭'을 정리한 것입니다. 내용에 알맞도록 빈칸을 채워 보세요.

제우스는 신들의 ☐을 훔쳐 인간에게 준 프로메테우스를 괘씸히 여겼다. 그래서 제우스는 프로메테우스를 절대 끊을 수 없는 쇠사슬로 산꼭대기의 바위에 묶어 두고, 독수리를 보내 ☐을 쪼아 먹게 하였다.

2 다음은 프로메테우스에 대한 설명입니다. 빈칸에 들어갈 알맞은 말을 보기 에서 찾아 써 보세요.

보기	복종	상징	부당

→ 제우스에게 ☐☐을 맹세하면 고통스러운 벌에서 벗어날 수 있었지만, 프로메테우스는 끝내 굴하지 않았다. 그래서 프로메테우스는 ☐☐한 고통에 대한 참을성, 폭력에 맞서는 의지력의 ☐☐이 되었다.

3 다음 상황을 보고, '쥐도 새도 모르게'의 뜻으로 알맞은 것에 ○표를 해 보세요.

상은: 어? 이상하네. 방금 전까지 여기 있었는데……. 누가 내 연필을 쥐도 새도 모르게 가져갔어.

기혁: 쥐도 새도 모르게 누가 여기에 쓰레기를 버렸네!

(1) 당황하여 아무것도 할 수 없게. ⸺⸺⸺⸺⸺⸺⸺⸺⸺⸺⸺⸺ (   )
(2) 감쪽같이 행동하여 아무도 그 행방을 모르게. ⸺⸺⸺⸺⸺⸺⸺ (   )

4 다음의 낱말과 뜻이 알맞도록 선으로 이어 보세요.

(1) 맹세 •

(2) 능력 •

(3) 의지력 •

• ① 어떤 일을 해낼 수 있는 힘.

• ② 굳게 다짐하거나 약속함.

• ③ 어떤 일을 이루고자 하는 마음을 꿋꿋하게 지켜 나가는 힘.

5 다음의 낱말 뜻을 보고, 빈칸에 들어갈 알맞은 낱말을 보기 에서 찾아 써 보세요.

보기   당부   복종   부당

(1) 신하들은 임금의 명령에 ☐☐했다.
↳ 다른 사람의 명령이나 의견을 그대로 따름.

(2) 어머니께서 형의 손을 꼭 잡고 몸조심하라고 ☐☐하셨다.
↳ 말로 단단히 부탁함.

(3) 그분은 ☐☐한 일은 참지 못하는 성격이다.
↳ 도리에 어긋나서 정당하지 않음.

6 낱말의 관계가 보기 와 다른 것을 골라 보세요. ⋯⋯⋯ (   )

보기   이롭다 – 해롭다

① 묶다 – 풀다   ② 깨끗하다 – 더럽다   ③ 한가하다 – 여유롭다

7 보기 는 국어사전에 실린 '잡다'의 뜻입니다. (1)~(3)에서 밑줄 친 말의 뜻을 보기 에서 골라 번호를 써 보세요.

> 보기 **잡다**
>
>   1. 붙들어 손에 넣다.
>   2. 일이나 기회 등을 얻다.
>   3. 자동차 등을 타기 위하여 세우다.

(1) 경찰이 도둑을 <u>잡았다</u>. ──────────────────────── (   )

(2) 집에 가려고 택시를 <u>잡았다</u>. ──────────────────── (   )

(3) 우연히 얻은 기회를 잘 <u>잡았다</u>. ──────────────── (   )

틀리기 쉬워요!

8 다음 문장에서 올바른 표현에 ○표를 해 보세요.

(1) 이 책 빌려 가도 (되요 / 돼요)?

(2) 수현이는 커서 수의사가 (되는 / 돼는) 것이 꿈입니다.

(3) 다른 사람을 속이는 행동은 절대 하면 (안 돼요 / 안 되요).

'돼'는 '되어'의 준말입니다.

틀리기 쉬워요!

9 밑줄 친 부분을 바르게 띄어 쓴 것에 ○표를 해 보세요.

(1) 바닥이 미끄러우니 (조심할것 / 조심할 것)을 당부하였다.

(2) 괜찮아. (그럴수 / 그럴 수)도 있지.

(3) 이런 곳에서 (만날줄 / 만날 줄)은 꿈에도 몰랐다.

'것', '수', '줄' 등은 앞의 꾸미는 말과 띄어 써요!

😊 맞은 개수 _____ /9개

스스로 붙임딱지

한자 성어

괄목상대 (刮 비빌 괄 目 눈 목 相 서로 상 對 대할 대)

아는 어휘에 ✔ 표시를 해 보고, 어휘의 뜻을 생각하며 글을 읽어 보세요.

☐ 민첩하다 ☐ 용맹 ☐ 공 ☐ 학식 ☐ 충고 ☐ 유익 ☐ 역적 ☐ 이치

중국 오나라에 여몽이라는 사람이 살았습니다. 그는 어렸을 때부터 운동을 좋아하고, 행동이 [1]민첩했습니다. 하지만 집이 몹시 가난해서 다른 친구들이 부지런히 책을 읽고 글공부를 할 때 여몽은 공부를 하지 못했습니다.

[2]용맹하고 무술이 뛰어났던 여몽은 수많은 [3]공을 세워 장군이 되었습니다. 여몽을 아꼈던 오나라의 왕 손권은 여몽의 [4]학식이 부족한 것을 안타깝게 생각하였습니다. 어느 날, 손권은 여몽을 불러 [5]충고했습니다.

"그대는 앞으로 이 나라에 큰일을 할 사람이오. 그러니 학식을 갖추면 좋겠소."

그러자 여몽이 말했습니다.

"군사 일로 [6]눈코 뜰 사이 없이 바쁘니 글 읽을 시간이 없습니다."

"장군, 책을 읽어 위대한 학자가 되라는 말이 아니오. 그저 옛날 사람들이 남긴 좋은 책을 많이 읽어 두라는 말이오. 공자께서도 책 읽기가 가장 [7]유익하다고 했고, [8]역적 조조도 책 읽기를 좋아한다고 자랑삼아 떠드는데 어찌 스스로 힘쓰지 않는단 말이오."

그 말을 들은 여몽은 열심히 책을 읽기 시작했습니다. 훈련을 마치고 돌아와서도 밤에는 책을 읽었고, 전쟁터에 있을 때조차도 손에서 책을 놓지 않았습니다. 여몽은 책에서 지식을 얻었고 [9]이치를 깨달았습니다.

어느 날 여몽의 오랜 친구인 노숙이 나랏일을 이야기하고자 그를 찾아갔다가 달라진 여몽을 보고 깜짝 놀랐습니다. 여몽은 학식이 풍부해졌을 뿐만 아니라 지혜로워 보였습니다.

"자네 언제 이렇게 공부했는가? 오늘 보니 예전의 자네가 아닐세."

노숙이 칭찬하자 여몽은 미소 지으며 말했습니다.

"선비라면 헤어진 지 삼 일이 지나 다시 만나면, 눈을 비비고 다시 봐야 할 정도로 변해 있어야 하는 것이 아니겠습니까."

여몽의 이 말에서 [10]괄목상대가 유래하였습니다.

[1] **민첩했습니다:** 재빠르고 날쌨습니다.

[2] **용맹:** 용감하고 날래며 기운참.

[3] **공:** 목적을 이루는 데 들인 노력과 수고. 또는 공적.

[4] **학식:** 배워서 익힌 지식과 사물을 구별하여 가를 수 있는 능력.

[5] **충고:** 남의 허물이나 잘못을 진심으로 타이름.

[6] **눈코 뜰 사이 없다:** 정신 못 차리게 몹시 바쁘다.

[7] **유익:** 이롭거나 도움이 될 만한 것이 있음.

[8] **역적:** 자기 나라나 민족, 통치자를 배반한 사람.

[9] **이치:** 정당하고 도리에 맞는 원리. 또는 근본이 되는 목적이나 중요한 뜻.

[10] **괄목상대:** 눈을 비비고 상대편을 본다는 뜻으로, 남의 학식이나 재주가 놀랄 만큼 부쩍 늚을 이르는 말.

1 이 글의 내용으로 맞는 것에 ○표, 틀린 것에 ×표를 해 보세요.

(1) 여몽은 어려서부터 책 읽는 것을 좋아했다. ·· (○ / ×)

(2) 오나라의 왕 손권은 여몽의 재능을 질투했다. ·· (○ / ×)

(3) 손권은 여몽이 나라를 위해 큰일을 할 것이라고 생각했다. ··························· (○ / ×)

2 이 글에서 손권이 여몽에게 충고한 내용으로 알맞은 것을 골라 보세요. ············ (   )

① 부하들을 잘 관리해라.

② 책을 읽어 학식을 갖추어라.

③ 무술을 더 열심히 연습해라.

④ 전쟁에서 이길 방법을 찾아라.

3 여몽의 말과 다음 한자 풀이를 보고, 빈칸에 알맞은 말을 넣어 '괄목상대'의 뜻을 파악해 보세요.

여몽의 변화	학식이 풍부해지고 지혜로워졌다.
여몽의 말	선비는 삼 일만 지나도 눈을 비비고 다시 봐야 할 정도로 변해야 한다.

刮	目	相	對
비빌 괄	눈 목	서로 상	대할 대

➜ '괄목상대'는 '☐을 비비고 ☐☐를 다시 본다.'라는 말로, '남의 ☐☐이나 재

주가 놀랄 만큼 부쩍 늚.'을 뜻한다.

127

4 다음의 낱말과 뜻이 알맞도록 선으로 이어 보세요.

(1) 학식 •

(2) 이치 •

(3) 무예 •

• ① 무술에 관한 재주.

• ② 배워서 익힌 지식과 사물을 구별하여 가를 수 있는 능력.

• ③ 정당하고 도리에 맞는 원리.

5 다음의 낱말 뜻을 참고하여 빈칸에 들어갈 알맞은 말을 쓰세요.

(1) 햇볕을 쬐면 부족한 비타민 D를 생성할 수 있어 건강에 ⬚⬚하다.

↳ 이롭거나 도움이 될 만함.

(2) 진돗개는 충성심이 강하고 매우 ⬚⬚하다.

↳ 용감하고 날래며 기운참.

6 밑줄 친 낱말과 바꾸어 쓸 수 있는 말을 골라 번호를 써 보세요.

(1) 이 책은 아이들에게 **유익하다**. ⋯⋯⋯⋯⋯⋯⋯⋯⋯⋯⋯⋯⋯⋯⋯ ( )

① 이롭다

② 해롭다

(2) 영화 배우들은 감정이 매우 **풍부하다**. ⋯⋯⋯⋯⋯⋯⋯⋯⋯⋯⋯ ( )

① 많다

② 부족하다

(3) 그 개는 몸에 얼룩이 있고 행동이 매우 **민첩하다**. ⋯⋯⋯⋯⋯ ( )

① 굼뜨다

② 재빠르다

7 다음 중 '괄목상대'를 사용하여 말할 수 있는 친구의 이름을 써 보세요.

나는 수학이 너무 어려워서 싫어했는데, 이제 열심히 공부해 보기로 마음먹었어.

재민

한글을 모르던 내 동생이 한 달 만에 한글을 다 익히고 혼자서 책을 읽을 수 있게 되었어.

경수

(   )

8 다음 문장에서 올바른 표현에 ○표를 해 보세요.

(1) 집안일을 (부지런이 / 부지런히) 돕고 나니 뿌듯했습니다.

(2) 지우는 친구와 (해어진 / 헤어진) 후에 혼자 놀이터에서 놀았습니다.

틀리기 쉬워요!

9 다음 문장의 밑줄 친 부분을 알맞게 띄어 써 보세요.

(1) 비가 올뿐만아니라 바람도 세게 분다.

➡ _____

(2) 그동안 눈코뜰사이없이 바쁘게 지냈다.

➡ _____

10 밑줄 친 낱말의 발음으로 알맞지 않은 것을 골라 보세요. ·············· (   )

① 내가 읽어[일거] 볼 테니까 잘 들어 봐.

② 전시회를 보러 관람객이 점점 많이[마니] 왔다.

③ 세계 대회에 출전하기 위해 열심히 훈련[훈년]하였다.

맞은 개수 _____ /10개   129

교과 어휘 | 사회 4학년

지역의 위치와 특성

지도로 여행 계획을 세워요

아는 어휘에 ✔ 표시를 해 보고, 어휘의 뜻을 생각하며 글을 읽어 보세요.

☐ 지도　☐ 간략하다　☐ 검색　☐ 등고선　☐ 기호　☐ 범례

😊 공부한 날

　　월　　　일

　　도영이네 가족은 이번 여름 휴가 때 제주도로 가족 여행을 가기로 했습니다. 이번이 첫 번째 제주도 여행이라 도영이와 도현이는 무척 설레었습니다. 둘은 ❶발 벗고 나서 서 여행 계획을 세우겠다고 했습니다. 도영이가 제주도 ❷지도를 펼쳤습니다.

　　"형, 나는 한라산에 꼭 올라가 보고 싶어. 그리고 아쿠아리움에도 가고 싶은데 ❸눈을 씻고 봐도 이 지도에는 아쿠아리움이 안 보이네?"

　　"지도는 넓은 지역을 ❹간략하게 나타내려고 실제 거리를 많이 줄여서 나타낸 것이라 서 그래. 여기 **축척**이 있지? 이게 실제 거리를 줄인 정도를 알려 주는 표시야."

　　"❺검색해 보니 아쿠아리움은 동쪽에 있대. 그런데 지도를 보고 방향을 어떻게 알아? 나는 하나도 모르겠어."

　　"여기 동서남북의 방향을 알려 주는 표시인 **방위표**가 있잖아. 이걸 보면 동서남북을 알 수 있어. 그럼 도현아, 한라산은 어디에 있을까?"

　　"한라산은 제주도의 가운데에 있네. 그런데 왜 여기는 색깔이 진하지? 그리고 ⓐ 표시는 뭐야?"

　　"한라산이 다른 곳보다 높아서 그래. 지도에서는 ❻등고선과 색깔로 땅의 높낮이를 나타내는데 높은 곳일수록 고동색에 가까워져. 그리고 ⓐ 표시는 지도에서 산을 나타내는 ❼기호야. ❽범례를 보면 그 기호가 무엇을 뜻하는지 알 수 있지."

　　"지도에는 내가 모르는 것이 정말 많구나. 숨은그림찾기를 하는 기분이야."

　　도영이와 도현이는 이번 제주도 여행이 무척 기대되었습니다.

❶ **발 벗고 나서서**: 적극적으로 나서서.

❷ **지도**: 위에서 내려다본 땅의 실제 모습을 일정한 형식으로 줄여서 나타낸 그림.

❸ **눈을 씻고 봐도**: 정신을 바짝 차리고 집중하여 봐도.

❹ **간략하게**: 간단하고 짤막하 게.

❺ **검색**: 책이나 컴퓨터에서 필 요한 자료들을 찾아내는 일.

❻ **등고선**: 지도에서 높이가 같 은 곳을 연결하여 땅의 높낮 이를 나타낸 선.

❼ **기호**: 땅 위에 있는 건물이나 도로 등을 간단하게 그린 그 림.

❽ **범례**: 지도에서 기호의 내용 을 알기 위해 표시해 둔 것으 로, 기호의 의미를 설명함.

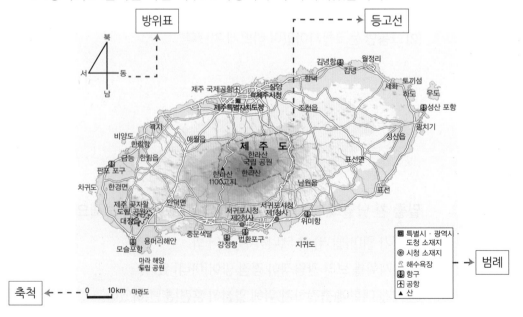

1 다음은 '도영이와 도현이가 하고 있는 일'을 정리한 것입니다. 빈칸에 들어갈 알맞은 말을 이 글에서 찾아 써 보세요.

> 도영이와 도현이는 이번 여름의 가족 여행 ☐☐을 세우기 위해 ☐☐를 보며 이야기를 나누고 있다.

2 다음의 뜻을 지닌 낱말을 이 글에서 찾아 써 보세요.

(1) 지도는 실제 땅의 크기를 줄여서 일정한 형식으로 나타낸 그림으로, 지도에서 '실제 거리를 줄인 정도.'를 ☐☐이라고 한다.

(2) 지도에서 '동서남북의 방향을 알려 주는 표시.'를 ☐☐☐라고 한다.

3 이 글을 읽고 '지도에서 높이를 나타내는 방법'을 정리한 것입니다. 빈칸을 알맞게 채워 보세요.

> 지도에서는 높이가 같은 곳을 연결한 선인 ☐☐☐과 ☐☐을 이용해서 높이를 나타낸다. 높은 곳일수록 ☐☐☐에 가까워진다.

4 ㉠에 들어갈 기호로 알맞은 것을 골라 보세요. ·· (　　)

①
산

②
밭

③
논

④
학교

5 다음은 지도와 관련된 용어입니다. 빈칸에 알맞은 말을 보기 에서 찾아 써 보세요.

보기   등고선   방위표   범례   축척

(1) (   )
동서남북을 이용해 위치를 나타낸다.

(2) (   )
높이가 같은 곳을 선으로 이어 땅의 높낮이를 나타낸다.

(3) (   )
지도에 쓰이는 기호의 뜻을 나타낸다.

(4) (   )
지도에서 실제 거리를 줄인 정도를 나타낸다.

6 다음의 뜻을 지닌 낱말을 골라 번호를 써 보세요. ────────── (   )

책이나 컴퓨터에서 필요한 자료들을 찾아내다.

① 검문하다   ② 검토하다   ③ 검색하다   ④ 검사하다

7 주어진 뜻을 참고하여 빈칸에 들어갈 알맞은 말을 보기 에서 찾아 써 보세요.

보기   발 벗고 나서는   눈을 씻고 보아도

(1) 그는 노는 일이라면 [＿＿＿＿＿＿] 사람이다.

            ↳ 적극적으로 나서다.

(2) 깊은 산속이라 [＿＿＿＿＿＿] 사람 그림자도 안 보인다.

            ↳ 정신을 바짝 차리고 집중하여 보다.

틀리기 쉬워요!

8 다음 문장에서 밑줄 친 부분을 바르게 고쳐 써 보세요.

(1) 사촌 동생들과의 첫 여행이라 매우 <u>기대됬다</u>.   ➔ [＿＿＿＿＿]

(2) 좋아하는 뮤지컬 공연을 보러 갈 생각에 마음이 <u>설레였다</u>.   ➔ [＿＿＿＿＿]

틀리기 쉬워요!

9 보기 와 같은 방법으로 다음 문장의 밑줄 친 부분을 바꾸어 써 보세요.

보기   이 지도에는 아쿠아리움이 <u>안 보여</u>.

      ➔ 이 지도에는 아쿠아리움이 <u>보이지 않아</u>.

(1) 배탈이 나서 점심을 <u>안 먹었다</u>.   ➔ [＿＿＿＿＿]

(2) 나와 약속을 <u>안 지킨</u> 친구에게 서운한 마음이 들었다.   ➔ [＿＿＿＿＿]

'구(區)'와 '분(分)'이 들어간 말

아는 어휘에 ✔ 표시를 해 보고, 아래 활동을 하며 뜻을 익혀 보세요.

☐ 구분 ☐ 구획 ☐ 지구 ☐ 구간 ☐ 분수 ☐ 분류 ☐ 분석

구분할 **구**

이 한자는 많은 물건[品]을 구분지어 나누어 놓은 [匚] 것을 나타낸 글자로, '구분하다', '나누다', '구역'의 뜻이 있어요.

순서대로 써 봐요

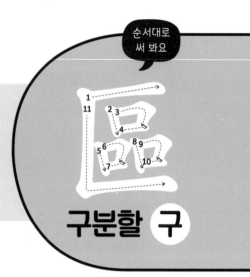

구분할 **구**

● '구(區)'가 들어간 낱말은 '구분하다', '나누다', '구역'의 뜻을 지니는 경우가 많아요.

'구분'은 '일정한 기준에 따라 전체를 몇 개로 나누는 것'을 뜻해요.

구 구분할 區	**획** 그을 劃	뜻 토지 등을 경계를 지어 가름. 예 구획을 짓다.
지 땅 地	**구** 구분할 區	뜻 일정한 목적 때문에 특별히 지정된 지역. 예 경주가 역사 문화 관광 지구로 지정되었다.
구 구분할 區	**간** 사이 間	뜻 어떤 지점과 다른 지점과의 사이. 예 마라톤은 42.195km의 구간을 달리는 운동이다.

바코드는 물건을 '구분'하기 위한 것이다?

구분할 區　　나눌 分

마트나 상점에서 계산할 때 바코드를 찍는 것을 본 적이 있나요? 바코드는 컴퓨터로 상품을 관리할 수 있도록 상품에 표시해 놓은 줄무늬입니다. 물건에 대한 정보를 입력하여 물건을 구분하기 쉽게 만든 것이랍니다.

공부 시간과 노는 시간을 명확하게 구분했어.

分

나눌 분

이 한자는 칼[刀]로 베어 둘로 나누는[八] 것을 나타낸 글자로, '나누다'의 뜻을 가지고 있어요.

分

나눌 분

● '분(分)'이 들어간 낱말은 '나누다'의 뜻을 지니는 경우가 많아요.

분 수	
나눌 分　셈 數	뜻 전체에 대한 부분을 나타낸 수. 예 주어진 값을 분수로 나타내어 보세요.

책을 종류별로 묶어서 분류하면 찾아보기가 쉬워.

분 류	
나눌 分　무리 類	뜻 종류에 따라서 가름. 예 심벌즈와 팀파니는 타악기로 분류된다.

분 석	
나눌 分　가를 析	뜻 어떤 대상을 그 구성 요소나 부분으로 나눔. 예 자료를 분석하고 있다.

135

1 다음의 낱말과 뜻이 알맞도록 선으로 이어 보세요.

(1) 분수(分數) •

(2) 분류(分類) •

(3) 분석(分析) •

• ① 종류에 따라서 가름.

• ② 어떤 대상을 그 구성 요소나 부분으로 나눔.

• ③ 전체에 대한 부분을 나타내는 수.

2 다음의 낱말 뜻을 보고, 빈칸에 들어갈 알맞은 낱말을 써 보세요.

(1) 이곳은 상업 ⬚⬚ 이다.
↳ 일정한 목적 때문에 특별히 지정된 지역.

(2) 이곳은 공사 ⬚⬚ 이야.
↳ 어떤 지점과 다른 지점과의 사이.

3 다음 문장의 빈칸에 들어갈 알맞은 말을 보기 에서 찾아 써 넣으세요.

보기	분류	분석	분수

(1) 피자 8조각 중 2조각을 먹었을 때, 남은 피자의 양을 ⬚⬚ 로 써 보세요.

(2) 소설 속 소년의 심리를 ⬚⬚ 해 보았다.

(3) 낱말을 비슷한 종류에 따라 ⬚⬚ 해 놓았다.

4 다음 그림을 보고 (2)~(4)의 낱말이 들어갈 문장을 찾아 번호를 써 보세요.

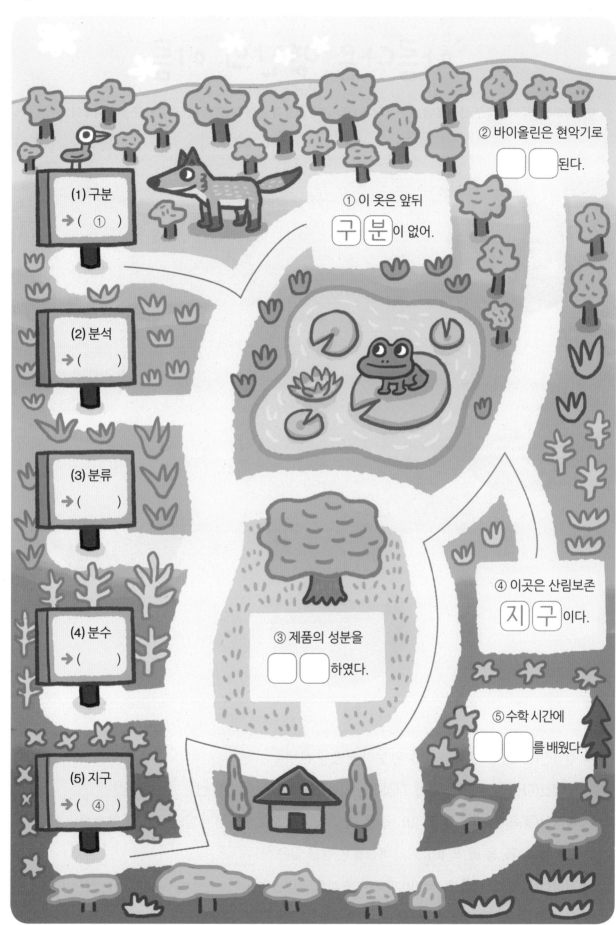

② 바이올린은 현악기로 □□된다.

(1) 구분 → (①)

① 이 옷은 앞뒤 [구][분]이 없어.

(2) 분석 → ( )

(3) 분류 → ( )

④ 이곳은 산림보존 [지][구]이다.

(4) 분수 → ( )

③ 제품의 성분을 □□하였다.

⑤ 수학 시간에 □□를 배웠다.

(5) 지구 → (④)

스스로 붙임딱지

아름다운 명산의 이름

☑ 우리나라의 아름다운 산 이름에는 뜻이 담겨 있답니다. 그림과 함께 아름다운 산 이름의 뜻을 알아보아요.

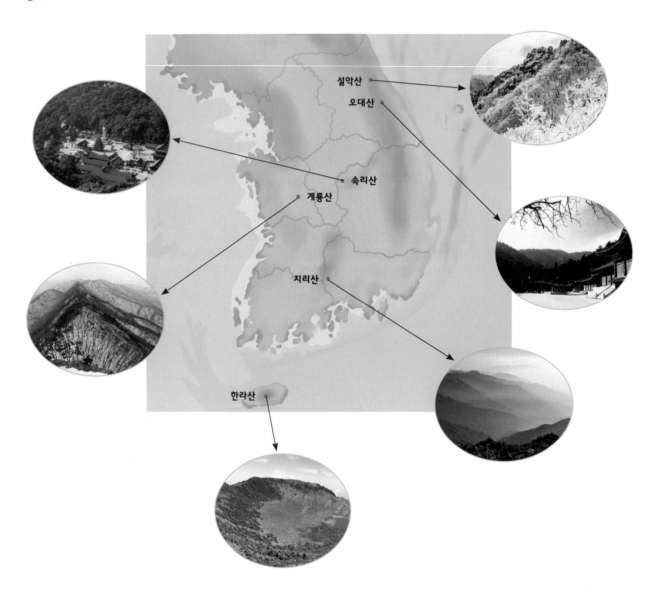

- **설악산(눈 雪, 큰 산 嶽, 뫼 山)**: 흰 눈이 덮인 큰 산.

- **오대산(다섯 五, 대 臺, 뫼 山)**: 다섯 봉우리가 연꽃처럼 모여 있는 산.

- **속리산(풍속 俗, 떠날 離, 뫼 山)**: 속세(고민과 괴로움으로 가득한 현실의 세상)를 잊게 하는 산.

- **계룡산(닭 鷄, 용 龍, 뫼 山)**: 닭의 벼슬을 쓴 용을 닮은 산.

- **지리산(지혜 智, 다를 異, 뫼 山)**: 어리석은 사람도 머물면 지혜로운 사람이 되게 하는 산.

- **한라산(한나라 漢, 붙잡을 拏, 뫼 山)**: 은하수를 붙잡을 만큼 높은 산.

7주 어휘 미리보기

뜻을 알고 있는 낱말에 V표 해 보세요.
알고 있는 낱말은 글에서 어떻게 쓰였는지 확인하고,
모르는 낱말은 글을 읽으며 재미있게 익혀 보아요.

		배울 내용	배울 낱말		공부한 날
Day 31	관용어	소매를 걷다	☐ 유래 ☐ 종잇장 ☐ 감칠맛 ☐ 유통	☐ 우연하다 ☐ 감탄 ☐ 북적이다 ☐ 수월하다	월/일
Day 32	속담	호랑이는 죽어서 가죽을 남기고 사람은 죽어서 이름을 남긴다	☐ 물품 ☐ 진상하다 ☐ 조정 ☐ 거역하다	☐ 자객 ☐ 신세 ☐ 억수	월/일
Day 33	한자 성어	어부지리(漁夫之利)	☐ 치다 ☐ 설득 ☐ 현실 ☐ 헤아리다	☐ 간절히 ☐ 맞받아치다 ☐ 이익 ☐ 틈타다	월/일
Day 34	교과 어휘 – 과학	벨크로 테이프의 유래	☐ 기술자 ☐ 관찰 ☐ 연구 ☐ 기술	☐ 누비다 ☐ 특징 ☐ 기업 ☐ 실생활	월/일
Day 35	한자 어휘	'강(強)'과 '약(弱)'이 들어간 말	☐ 강약 ☐ 강력 ☐ 약소국 ☐ 약자	☐ 강점 ☐ 완강 ☐ 약점	월/일

관용어

소매를 걷다

공부한 날

월 일

아는 어휘에 ✓ 표시를 해 보고, 어휘의 뜻을 생각하며 글을 읽어 보세요.

☐ 유래 ☐ 우연하다 ☐ 종잇장 ☐ 감탄 ☐ 감칠맛 ☐ 북적이다 ☐ 유통 ☐ 수월하다

포테이토칩은 아주 얇게 썬 감자를 기름에 바삭하게 튀긴 과자입니다. 바삭하고 맛있는 포테이토칩의 **❶유래**로 가장 널리 알려진 것은 요리사 조지 크럼이 만들었다는 이야기입니다. 이 이야기에 따르면 포테이토칩은 아주 **❷우연한** 기회에 만들어졌습니다.

1853년, 뉴욕의 유명한 식당에서 요리사로 일하던 크럼은 어느 날 입맛이 까다로운 손님을 만나게 되었습니다. 그 손님은 크럼이 만든 감자튀김을 먹고 불평을 잔뜩 늘어놓았습니다.

"감자가 너무 두꺼워서 맛이 없어요. 더 얇게 만들어 주세요."

크럼이 곧 얇은 감자튀김을 만들어서 내놓았지만 손님은 계속해서 더 얇은 것을 요구했습니다. 자존심이 상한 크럼은 감자가 너무 얇으면 맛이 없다는 것을 보여 주려고 감자를 **❸종잇장**처럼 얇게 잘라 기름에 튀긴 다음 소금을 뿌려 손님에게 내놓았습니다.

크럼의 예상과 달리, 맛을 본 손님은 감자튀김의 훌륭한 맛에 **❹감탄**하며 만족했습니다. 크럼은 그 요리를 다른 손님들에게도 맛보게 하였습니다. 바삭바삭하고 **❺감칠맛**까지 있는 감자튀김은 모든 손님들에게 인기가 있었습니다. 이 요리는 식당의 정식 메뉴로 팔리기 시작했고 '바삭하다'라는 뜻에서 '포테이토 크런치'라고 불렸습니다. 많은 사람이 이 요리를 먹기 위해 멀리서도 찾아왔고, 가게는 손님들로 **❻북적였습니다**.

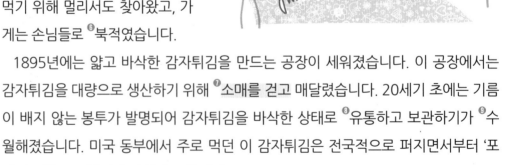

1895년에는 얇고 바삭한 감자튀김을 만드는 공장이 세워졌습니다. 이 공장에서는 감자튀김을 대량으로 생산하기 위해 **❼소매를 걷고** 매달렸습니다. 20세기 초에는 기름이 배지 않는 봉투가 발명되어 감자튀김을 바삭한 상태로 **❽유통**하고 보관하기가 **❾수월해졌습니다**. 미국 동부에서 주로 먹던 이 감자튀김은 전국적으로 퍼지면서부터 '포테이토칩'으로 불리게 되었다고 합니다.

❶ **유래**: 사물이나 일이 생겨남. 또는 그 과정이나 까닭.

❷ **우연한**: 어떤 일이 어쩌다가 저절로 이루어진.

❸ **종잇장**: 종이의 낱장.

❹ **감탄**: 마음속 깊이 크게 느낌.

❺ **감칠맛**: 맛있는 음식을 먹고 난 뒤에 입에 남는 아주 좋은 느낌.

❻ **북적였습니다**: 많은 사람이 한곳에 모여 매우 어수선하고 시끄럽게 떠들었습니다.

❼ **소매를 걷고**: 어떤 일을 하려고 적극적으로 나서서.

❽ **유통**: 화폐나 물품 등이 세상에서 널리 쓰임.

❾ **수월해졌습니다**: 복잡하거나 힘들지 않아 하기가 쉬워졌습니다.

1 이 글의 내용으로 맞는 것에 ○표, 틀린 것에 ×표를 해 보세요.

(1) 크럼의 감자튀김은 오랜 연구 끝에 만들어졌다. ⸺⸺⸺⸺⸺⸺⸺⸺⸺ (○ / ×)

(2) 크럼의 감자튀김이 처음 만들어졌을 때는 '포테이토 크런치'라고 불렸다. ⸺⸺⸺ (○ / ×)

2 다음은 '포테이토칩의 유래'를 정리한 것입니다. 빈칸에 들어갈 알맞은 말을 보기 에서 찾아 써 보세요.

보기	감탄	불평	우연	전국

(1) 입맛이 까다로운 손님이 크럼의 감자튀김을 먹고 ☐☐을 늘어놓음.

↓

(2) 크럼이 종잇장처럼 얇은 감자튀김을 내놓자 손님은 훌륭한 맛에 ☐☐함.

↓

(3) ☐☐한 기회로 만들어진 감자튀김은 인기를 얻으며 '포테이토 크런치'로 불렸음.

↓

(4) 감자튀김이 ☐☐으로 퍼지면서부터 '포테이토칩'으로 불리게 됨.

3 이 글을 읽고, '소매를 걷다'의 뜻을 짐작하는 과정입니다. 빈칸을 알맞게 채워 보세요.

'소매를 걷다'라는 표현이 사용된 상황	얇고 바삭한 감자튀김을 대량으로 ☐☐하기 위해 적극적으로 나선 상황임.
'소매를 걷다'의 뜻	'어떤 일을 하려고 ☐☐☐으로 나서다.'라는 뜻임.

4 빈칸에 알맞은 말을 채워 낱말의 뜻을 완성해 보세요.

(1) **불평하다**: 마음에 들지 아니하여 | 못 | ㅁ | ㄸ | ㅎ | ㄱ | 여기다.
　　　　예 기회가 불공평하다고 <u>불평하다</u>.

(2) **만족하다**: | 마 | ㅇ | 에 들어서 흐뭇하고 좋다.
　　　　예 시험 결과에 <u>만족하다</u>.

(3) **수월하다**: 까다롭거나 힘들지 않아 하기가 | 쉽 | ㄷ .
　　　　예 이 일은 진행하기가 무척 <u>수월하다</u>.

5 다음의 낱말과 뜻이 알맞도록 선으로 이어 보세요.

(1) 입맛 　•

(2) 감칠맛 　•

• ① 음식을 먹을 때 입에서 느끼는 맛.

• ② 맛있는 음식을 먹고 난 뒤에 입에 남는 아주 좋은 느낌.

6 밑줄 친 낱말의 뜻으로 알맞은 것을 골라 번호를 써 보세요.

(1) 나는 **우연한** 기회에 수민이를 알게 되었다. ·· (　　)
　　　① 뜻하지 않게 저절로 이루어진
　　　② 그렇게 될 수밖에 없는

(2) 노래 실력이 좋으니 **훌륭한** 가수가 될 수 있을 거야. ································· (　　)
　　　① 모자란
　　　② 뛰어난

7 보기 와 같이 관용어가 알맞게 쓰인 문장을 골라 번호를 써 보세요. ·········· (   )

> 보기
>
> 지금은 환경 보호를 위해 모두가 <u>소매를 걷고</u> 나서야 할 때이다.

① 이번 명절에는 가족들이 모두 <u>소매를 걷고</u> 어머니께서 음식 만드시는 것을 도와드렸다.

② 모두 명절 음식 준비로 한창 바쁜데, 혼자서만 <u>소매를 걷고</u> 편히 누워 있는 고모가 얄미웠다.

틀리기 쉬워요!

8 다음 문장에서 올바른 표현에 ○표를 해 보세요.

(1) 바람이 불자 책상 위의 { 종이장 / 종잇장 } 들이 날아갔다.

(2) 수업 전에 연필을 미리 { 깍아 / 깎아 } 두지 않아서 쓸 수가 없었다.

(3) 전통 시장이 물건을 사려는 사람들로 { 북적이고 / 북쩍이고 } 있다.

틀리기 쉬워요!

9 보기 를 보고, 다음을 소리 나는 대로 써 보세요.

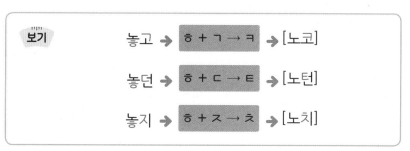

> 보기
>
> 놓고 ➡ ㅎ + ㄱ → ㅋ ➡ [노코]
>
> 놓던 ➡ ㅎ + ㄷ → ㅌ ➡ [노턴]
>
> 놓지 ➡ ㅎ + ㅈ → ㅊ ➡ [노치]

받침의 'ㅎ'과 'ㄱ, ㄷ, ㅈ'이 만나면 [ㅋ], [ㅌ], [ㅊ]으로 소리 나는구나!

(1) 많고 ➡ [   ]   (2) 많던 ➡ [   ]   (3) 많지 ➡ [   ]

😀 맞은 개수 _____ /9개   **143**

속담

호랑이는 죽어서 가죽을 남기고 사람은 죽어서 이름을 남긴다

아는 어휘에 ✔ 표시를 해 보고, 어휘의 뜻을 생각하며 글을 읽어 보세요.

☐ 물품 ☐ 자객 ☐ 진상하다 ☐ 신세 ☐ 조정 ☐ 억수 ☐ 거역하다

☺ 공부한 날

월   일

옛날, 제주에 양씨 성을 가진 **❶목사**가 있었습니다. 사람들은 그를 양이 목사라고 불렀습니다. 그 시절 제주에서는 해마다 한 번씩 백마(흰 말) 백 마리를 한양에 있는 왕에게 바쳐야 했습니다. 이를 옳지 않다고 생각한 양이 목사는 직접 한양에 가서 말 백 마리를 팔아 버렸습니다. 그리고 그 돈으로 백성들에게 줄 **❷물품**을 사서 돌아갔습니다.

이 사실을 전해 들은 왕은 불같이 화를 내며 **❸금부도사**와 **❹자객**을 보내 당장 양이 목사의 목을 베어 오라고 명령하였습니다. 양이 목사는 왕이 사람을 보낼 것을 짐작하고 배에서 기다렸습니다. 바다에서 양이 목사를 만난 금부도사가 양이 목사의 배 위로 펄쩍 뛰어오르며 말했습니다.

"감히 나라에 **❺진상하는** 백마를 가로채다니! 목숨이 아깝지 않은가?"

자객이 양이 목사를 향해 칼을 휘두르자 양이 목사는 재빨리 칼을 빼앗아 그들을 공격했습니다. 금부도사는 순식간에 무릎을 꿇고서 목숨을 비는 **❻신세**가 되고 말았습니다. 양이 목사가 천둥 같은 소리로 말했습니다.

"내 말을 **❼조정**에 전하라. 왕은 자기 배만 채우느라 백성의 배고픔은 모르고 있다. 이는 옳은 일이 아니다. 나는 말을 판 돈으로 백성들에게 필요한 물품을 사서 그들에게 나누어 주었다. 내 목을 가져가는 대신 백성들은 건드리지 말아라."

말을 마친 후 양이 목사는 금부도사에게 칼을 내어 주었습니다. 금부도사는 양이 목사에게 감동을 받아 **❽억수** 같은 눈물을 흘렸습니다. 그러나 왕의 명령을 **❾거역할** 수는 없었습니다. 금부도사가 휘두른 칼에 물속으로 떨어지던 양이 목사는 순간 용으로 변해 바다 깊은 곳으로 들어가며 뱃사공에게 마지막 말을 남겼습니다.

"백성들에게 내가 겪은 일을 모두 전해 주시오."

이후 뱃사공에게 양이 목사의 이야기를 들은 백성들은 양이 목사를 영웅으로 받들었습니다. 그리고 잘못을 깨달은 왕은 더 이상 제주에서 백마 백 마리를 받지 않았다고 합니다. **❿호랑이는 죽어서 가죽을 남기고 사람은 죽어서 이름을 남긴다**는 말처럼, 양이 목사는 죽어서도 명예로운 이름을 남기게 되었습니다.

– 양이 목사 설화

❶ **목사**: 조선 시대에, 관찰사 아래에서 각 고을을 맡아 다스리던 관리.

❷ **물품**: 쓸모 있게 만들어진 가치 있는 물건.

❸ **금부도사**: 조선 시대의 관직. 임금의 명령에 따라 중한 죄인을 조사하는 일을 맡아보던 벼슬.

❹ **자객**: 남에게 부탁을 받고 사람을 몰래 해치는 일을 하는 사람.

❺ **진상하는**: 귀한 물건이나 지방의 특산품을 왕이나 높은 벼슬아치 등에게 바치는.

❻ **신세**: 불행한 일과 관련된 한 사람의 상황이나 형편.

❼ **조정**: 옛날에 임금이 신하들과 나랏일을 의논하고 결정하던 곳.

❽ **억수**: 물이 쏟아지듯이 세차게 많이 내리는 비.

❾ **거역할**: 윗사람의 말이나 뜻을 따르지 않고 거스를.

❿ **호랑이는 죽어서 가죽을 남기고 사람은 죽어서 이름을 남긴다**: 인생에서 가장 중요한 것은 살아 있을 때 보람 있는 일을 해서 후세에 명예를 얻는 것임을 이르는 말.

1 이 이야기에서 사건이 일어난 순서대로 기호를 나열해 보세요.

> ㉮ 양이 목사는 백성들을 위해 자신의 목숨을 내놓는다.
>
> ㉯ 양이 목사는 백마 백 마리를 모두 팔아 그 돈으로 물품을 산다.
>
> ㉰ 백성들은 뱃사공의 말을 듣고 난 후 양이 목사를 영웅으로 기억하게 된다.
>
> ㉱ 왕은 금부도사와 자객을 보내 양이 목사의 목을 베어 오라고 명령을 내린다.

(   ) → (   ) → (   ) → (   )

2 금부도사가 양이 목사를 죽일 수밖에 없었던 까닭을 정리한 것입니다. 빈칸에 들어갈 알맞은 말을 써 보세요.

→ 금부도사는 백성을 위하는 양이 목사의 마음에 감동을 받아 ☐☐ 같은 눈물을 흘렸다.

그러나 양이 목사의 목을 베어 오라는 왕의 명령을 ☐☐할 수는 없었기 때문에 죽일 수

밖에 없었다.

3 다음은 "호랑이는 죽어서 가죽을 남기고 사람은 죽어서 이름을 남긴다."의 뜻을 짐작하는 과정입니다. 빈칸에 들어갈 알맞은 말을 써 보세요.

호랑이	사람
호랑이는 죽은 다음에 귀한 ☐☐을 남김.	제주 백성들을 위해 자신의 목숨까지 바친 양이 목사는 죽어서 명예로운 ☐☐을 남김.

↓

→ 인생에서 가장 중요한 것은 살아 있을 때 보람 있는 일을 해서 후세에 ☐☐를 얻는 것

임을 뜻한다.

4 빈칸에 알맞은 말을 채워 낱말의 뜻을 완성해 보세요.

(1) **명령하다**: 윗사람이 아랫사람에게 무엇을 하라고 시 ㅋ ㄷ.

　　예 사장님이 보고서를 다시 작성하라고 <u>명령하다</u>.

(2) **거역하다**: 윗사람의 뜻이나 명령 등을 따르지 않고 거 ㅅ ㄹ 다.

　　예 의사가 되라는 아버지의 뜻을 <u>거역하다</u>.

(3) **진상하다**: 귀한 물품이나 지방의 특산물을 왕이나 높은 관리에게 바 ㅊ 다.

　　예 진기한 과일을 임금께 <u>진상하다</u>.

5 빈칸에 들어갈 알맞은 말을 보기 에서 찾아 써 보세요.

보기	억수	물품	신세

(1) 중고 시장에서는 □□을 싸게 살 수 있다.

(2) □□같이 내리던 비가 거짓말처럼 그치고 파란 하늘이 드러났다.

(3) 돈을 훔치고 경찰에 쫓기는 □□가 되었다.

6 다음 중 직업이나 신분과 관련이 없는 낱말을 골라 보세요. ⋯⋯⋯⋯⋯⋯ (　　)

① 목사　　　　② 금부도사　　　　③ 조정　　　　④ 뱃사공

7 "호랑이는 죽어서 가죽을 남기고 사람은 죽어서 이름을 남긴다."라는 속담을 통해 배울 점을 바르게 말한 친구의 이름을 써 보세요.

호랑이는 호랑이답게, 사람은 사람답게 각자 자신의 처지에 맞게 살아야 해.

혁민

다영

사람은 후세에 명예를 얻을 수 있도록 살아 있는 동안에 착하고 훌륭한 일을 해야 해.

(   )

단위를 나타내는 말은 수를 나타내는 앞말과 띄어 써야 해요.
예 고양이 두 마리

틀리기 쉬워요!

8 밑줄 친 부분의 띄어쓰기가 바른 것에 ○표, 바르지 <u>않은</u> 것에 ×표를 해 보세요.

(1) 그는 집에서 컴퓨터 <u>한대로</u> 일을 한다. ──────── (   )

(2) 연필 <u>한자루</u>와 꿈만 있으면 어디든지 갈 수 있다. ───── (   )

(3) 백설 공주는 <u>일곱 명</u>의 난쟁이를 보고 깜짝 놀랐다. ────── (   )

9 다음 표의 빈칸을 채워 낱말의 기본형을 만들어 보세요.

형태가 바뀌는 낱말	바뀌지 않는 부분	기본형
휘두르자, 휘두르니, 휘두르면	휘두르	휘두르다
꿇고, 꿇으니, 꿇어서, 꿇자	(1) ( )	꿇다
겪어, 겪으니, 겪고, 겪은	겪	(2) ( )

스스로 붙임딱지

한자 성어

어부지리(漁 고기잡을 어 夫 남편 부 之 어조사 지 利 이로울 리)

아는 어휘에 ✔ 표시를 해 보고, 어휘의 뜻을 생각하며 글을 읽어 보세요.

☐ 치다 ☐ 간절히 ☐ 설득 ☐ 맞받아치다 ☐ 현실 ☐ 이익 ☐ 헤아리다 ☐ 틈타다

⏰ **공부한 날**

　월　　일

❶ **치려는:** 상대편에게 피해를 주기 위해 공격하려는.

❷ **간절히:** 어떤 일을 하는 마음이 몹시 정성스럽게.

❸ **설득:** 상대방이 그 말을 따르거나 이해하도록 잘 설명하거나 타이름.

❹ **도요새:** 강가나 바닷가에 사는 새. 부리와 다리가 길고 꽁지는 짧다.

❺ **맞받아쳤습니다:** 남의 말이나 행동에 곧바로 대응하여 나섰습니다.

❻ **현실:** 현재 실제로 있는 사실이나 상태.

❼ **이익:** 이롭거나 보탬이 되는 것.

❽ **헤아려:** 다른 것에 비추어 생각하거나 짐작하여 살펴.

❾ **틈타:** 때나 기회를 얻어.

　　옛날, 중국의 조나라가 연나라를 ❶치려는 계획을 세웠습니다. 연나라가 흉년이 들어 고통스러워하는 상황임을 알게 된 조나라는 침략 준비를 더 서둘렀습니다. 이 소식을 듣고 걱정이 된 연나라 왕은 신하인 소대를 불러 ❷간절히 부탁했습니다.

　　"연나라를 치지 않도록 자네가 조나라 왕을 잘 ❸설득해 주게."

　　소대는 서둘러 조나라로 떠났습니다. 조나라 왕을 만난 소대는 조나라로 오다가 재미있는 광경을 보았다며 이야기를 시작했습니다.

　　큰 조개가 물에서 나와 입을 벌리고 햇볕을 쬐고 있었습니다. 그때 조개를 본 ❹도요새가 살을 쪼아 먹으려고 부리를 조개 속으로 집어넣었습니다. 깜짝 놀란 조개는 입을 다문 채 도요새의 부리를 놓아주지 않았습니다.

　　그러자 도요새가 말했습니다.

　　"내일까지 비가 오지 않으면 너는 곧 바싹 말라 죽고 말 것이다."

　　조개도 지지 않고 ❺맞받아쳤습니다.

　　"내가 내일까지 입을 벌리지 않으면 너야말로 굶어 죽고 말 것이다."

　　도요새와 조개가 다투는 사이, 지나가던 어부가 이 광경을 보았습니다. 어부는 기뻐하며 조개와 도요새를 모두 잡아가 버렸습니다.

　　큰이야기를 마친 소대가 덧붙였습니다.

　　"지금의 ❻현실도 이와 같습니다. 지금 조나라가 연나라를 공격하려 한다고 들었습니다. 조나라와 연나라가 전쟁을 벌이다 지치면 옆에 있는 진나라가 ❼이익을 보게 될 것입니다. 저는 진나라가 어부가 되어 두 나라를 모두 얻을까 두렵습니다. 왕께서는 이 점을 깊이 ❽헤아려 주시기 바랍니다."

　　이 말은 들은 조나라의 왕은 연나라를 치려는 계획을 그만두었다고 합니다. 이 이야기에서 유래된 '어부지리(漁夫之利)'라는 말은 어부의 이익, 즉 둘 사이의 다툼을 ❾틈타 둘 아닌 다른 사람이 얻는 이익을 가리킵니다.

1 다음은 '어부지리' 이야기의 내용을 정리한 것입니다. 빈칸을 알맞게 채워 보세요.

(1) 연나라 왕은 소대에게 조나라가 연나라를 치지 않도록 설득해 줄 것을 ☐☐함.

↓

(2) 소대는 조나라 왕에게 연나라를 치면 진나라에 ☐☐을 주게 된다고 말함.

↓

(3) 소대의 말을 들은 조나라 왕은 연나라를 치려는 ☐☐을 그만둠.

2 소대가 조나라 왕에게 한 이야기에서 각 나라를 무엇으로 나타냈는지 써 보세요.

(1) 조나라   (2) 연나라   (3) 진나라

↓   ↓   ↓

☐☐☐   ☐☐   ☐☐

3 다음은 '어부지리'의 한자와 뜻입니다. 빈칸을 채워 '어부지리'의 뜻풀이를 완성해 보세요.

漁
고기잡을 어

夫
남편 부

之
어조사 지

利
이로울 리

➡ '어부지리'는 '어부의 이익'이라는 뜻으로, 두 사람이 다투고 있는 사이에 엉뚱한 사람이 애쓰지

않고 ☐☐을 얻게 됨을 이르는 말이다.

149

4 다음의 낱말과 뜻이 알맞도록 선으로 이어 보세요.

(1) 현실 •

(2) 이익 •

(3) 틈타다 •

• ① 때나 기회를 얻다.

• ② 현재 실제로 있는 사실이나 상태.

• ③ 이롭거나 보탬이 되는 것.

5 다음 그림을 보고, 빈칸에 들어갈 알맞은 낱말을 써 보세요.

제가 강아지를 키워야 하는 까닭은요, 첫째로 강아지를 키우며 행복감을 느낄 수 있고, 둘째로 생명에 대한 책임감을 배울 수 있고, 셋째로 강아지와 산책을 하며 더 건강해질 수 있기 때문이에요.

□□은 상대방이 그 말을 따르거나 이해하도록 잘 설명하거나 타이르는 것을 뜻하는 말입니다.

6 밑줄 친 낱말의 뜻으로 알맞은 것을 골라 번호를 써 보세요.

(1) 이 점을 깊이 **헤아려** 주시기 바랍니다. ·· (   )

    ① 짐작하여 살펴

    ② 잊지 않도록 마음에 새겨

(2) 나는 이런 일로 지수와 **다투고** 싶지 않다. ·································· (   )

    ① 따지며 싸우고

    ② 대화하며 사귀고

7 밑줄 친 낱말과 뜻이 반대되는 말을 써서 문장을 완성해 보세요.

> • 수영을 배워 두면 언젠가 너에게 이익이 될 거야.

지난 번 사고로 재산을 잃는 ☐☐가 발생했다.

틀리기 쉬워요!

8 보기 를 보고, 빈칸에 들어갈 알맞은 말에 ○표를 해 보세요.

'않'은 주로 '~지 않다'의 꼴로 쓰여요!

> 보기   '않다'는 '아니하다'의 준말이고, '안'은 '아니'의 준말이에요. 따라서 '아니하다'를 줄여 쓸 자리에는 '않다'를 쓰고, '아니'를 줄여 쓸 자리에 는 '안'을 써요.

(1) 빨간색 옷은 나에게 ☐ 어울린다. ─────────────────── (안 / 않)

(2) 아침을 ☐ 먹으면 살이 더 찐다고 한다. ───────────── (안 / 않)

(3) 조개가 도요새의 부리를 물고 놓아주지 ☐았다. ───────── (안 / 않)

틀리기 쉬워요!

9 다음 문장에 들어갈 알맞은 말을 보기 에서 찾아 써 보세요.

> 보기   치는   치다   쳐서

(1) 적의 중심부를 ☐☐.

(2) 적의 뒤를 ☐☐ 적을 혼란스럽게 하였다.

(3) 적을 이용하여 또 다른 적까지 ☐☐ 작전을 펼쳤다.

벨크로 테이프의 유래

아는 어휘에 ✔ 표시를 해 보고, 어휘의 뜻을 생각하며 글을 읽어 보세요.

☐ 기술자 ☐ 누비다 ☐ 관찰 ☐ 특징 ☐ 연구 ☐ 기업 ☐ 기술 ☐ 실생활

공부한 날

월   일

❶ **기술자**: 어떤 분야에 전문적인 기술(사물을 잘 다룰 수 있는 방법이나 능력)을 가진 사람.

❷ **누비고**: 이리저리 거리낌 없이 돌아다니고.

❸ **관찰**: 사물이나 현상을 주의 깊게 자세히 살펴봄.

❹ **특징**: 다른 것에 비해 특별히 달라 눈에 띄는 점.

❺ **여밈**: 벌어진 옷이나 커튼 등을 바로 합쳐 단정하게 함.

❻ **연구**: 어떤 이치나 사실을 밝히기 위해 자세히 조사하고 분석하는 일.

❼ **기업**: 돈을 벌려고 물건을 만들거나 팔거나 하는 활동을 하는 조직체.

❽ **기술**: 과학 이론을 실제로 적용하여 인간 생활에 쓸모가 있게 하는 수단.

❾ **실생활**: 실제의 생활.

❿ **생체**: 생물의 몸. 살아 있는 몸.

⓫ **모방**: 다른 것을 본뜨거나 본받음.

스위스의 전기 ❶기술자 조르주 드 메스트랄은 사냥을 무척 좋아했습니다. 사냥을 하느라 숲속을 ❷누비고 돌아온 메스트랄은 옷에 도꼬마리라는 식물의 열매가 잔뜩 붙어 있는 것을 발견했습니다. 메스트랄은 도꼬마리 열매를 일일이 떼어 내다가 문득 궁금해졌습니다.

'도대체 왜 이 열매는 옷에 한번 달라붙으면 잘 떨어지지 않는 걸까?'

메스트랄은 확대경으로 도꼬마리 열매를 자세히 ❸관찰했습니다. 도꼬마리 열매는 끝이 갈고리 모양으로 휘어져 있었습니다. 메스트랄은 이 갈고리가 옷에 달라붙어 잘 떨어지지 않는다는 사실을 알게 되었습니다. 이 같은 도꼬마리의 ❹특징에 흥미를 느낀 메스트랄은 좋은 생각이 떠올랐습니다. 도꼬마리 열매를 흉내 내서 새로운 ❺여밈 장치를 만들려는 것이었습니다.

그는 여러 곳을 찾아다니며 자신이 ❻연구한 것을 상품으로 만들어 달라고 부탁했지만 번번이 거절당했습니다. 하지만 그는 이것을 이용하면 분명히 생활에 도움이 될 것이라고 믿었습니다. 그래서 다니던 회사를 그만두고 상품을 만드는 데에 더욱더 매달렸습니다.

10여 년이 흐른 뒤에야 메스트랄은 드디어 팔 수 있을 정도의 제품을 개발해 냈습니다. 그가 만든 제품은 쉽게 달라붙을 뿐 아니라 약간의 힘만 주면 '찍찍' 소리를 내며 떨어졌습니다. 벨크로 테이프를 더 쉽게 붙였다 떼었다 할 수 있도록 연구를 되풀이한 그는 마침내 큰 성공을 거두었습니다. 벨크로 테이프를 붙인 어린이용 지갑이 큰 인기를 끌었기 때문입니다. 그 후 스키복이나 잠수복 같은 특수한 옷은 물론 가방이나 신발과 같은 다양한 물건에 벨크로 테이프가 쓰였습니다. 메스트랄은 이 발명품으로 자신의 회사를 큰 ❼기업으로 키울 수 있었습니다.

벨크로 테이프는 자연을 관찰한 것에 ❽기술을 더해 ❾실생활에 필요한 새로운 발명품을 만드는 ❿생체 ⓫모방 기술의 예라고 할 수 있습니다.

1 이 글을 신문 기사로 싣는다고 할 때, 제목으로 가장 알맞은 것을 골라 보세요. … (　　　)

① 벨크로 테이프, 우주복에도 쓰이게 될까?

② 벨크로 테이프의 문제를 해결한 도꼬마리 열매

③ 벨크로 테이프, 식물의 특징을 실생활에 활용하다!

④ 버려진 식물 도꼬마리, 벨크로 테이프로 다시 태어나다!

2 다음은 '벨크로 테이프의 발명 과정'을 정리한 것입니다. 각 부분의 내용에 알맞은 말을 골라 ○표를 해보세요.

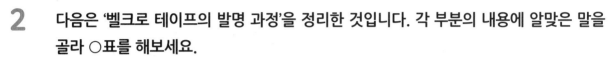

(1)	메스트랄은 옷에 붙은 도꼬마리 열매가 { 잘 떨어지지 않는 / 털어 내도 다시 붙는 } 까닭이 궁금했다.
(2)	메스트랄은 도꼬마리 열매의 끝이 { 잘려 / 휘어져 } 있는 모양임을 알게 되었다.
(3)	메스트랄은 { 회사에 들어가 / 회사를 그만두고 } 자신이 연구한 것을 상품으로 만드는 데에 매달렸다.
(4)	연구를 거듭한 끝에 메스트랄은 { 벨크로 테이프를 / 어린이용 지갑을 } 개발해 큰 성공을 거두었다.

3 다음은 확대경으로 도꼬마리 열매와 벨크로 테이프를 관찰한 것입니다. 이 둘의 공통점으로 알맞은 말을 이 글에서 찾아 써 보세요.

도꼬마리 열매

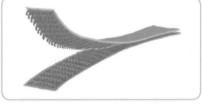

벨크로 테이프

➡ 끝이 □□□ 모양으로 되어 있어 털이나 옷 등에 잘 붙는 특징이 있다.

4 주어진 낱말의 뜻을 보고, 빈칸에 들어갈 알맞은 말을 보기 에서 찾아 써 보세요.

보기   연구   개발   이용

(1) 친환경 자동차를 □□하다.
↳ 새로운 물건을 만들거나 새로운 생각을 내어놓음.

(2) 인간의 생명에 대한 □□는 전 세계에서 진행되고 있다.
↳ 어떤 이치나 사실을 밝히기 위해 자세히 조사하고 분석하는 일.

(3) 발명품을 실생활에 □□하다.
↳ 대상을 필요에 따라 이롭게 씀.

5 다음 낱말이 들어가기에 알맞은 문장을 찾아 선으로 이어 보세요.

(1) 상품 •

• ① 구멍가게를 세계적인 □□으로 키웠다.

(2) 기업 •

• ② 백화점에는 온갖 □□이 다 진열되어 있다.

6 밑줄 친 낱말과 바꾸어 쓸 수 있는 말을 골라 번호를 써 보세요.

(1) 가수가 되려고 노력하더니 **드디어** 그 꿈이 이루어졌다. ⋯⋯⋯⋯ ( )
① 마침내
② 갑자기

(2) 아이는 새로 산 자전거를 타고 온 동네를 **누비며** 자랑했다. ⋯⋯⋯⋯ ( )
① 주의하여 자세히 살피며
② 여기저기 마음껏 돌아다니며

7 다음은 이 글을 읽고 친구들이 나눈 대화입니다. 빈칸에 들어갈 알맞은 말을 보기 에서 찾아 써 보세요.

보기   특징   관찰   실생활

내 운동화에 있는 벨크로 테이프가 도꼬마리 열매의 생김새를 (1) ☐☐ 해 만들어졌다는 사실이 흥미로웠어.

☐☐☐ 속에서 이렇게 식물의 특징을 활용해 만들어진 것에는 또 무엇이 있을까?

(3) 연꽃잎은 비에 젖지 않는 ☐☐ 이 있는데, 이를 활용해 비옷처럼 물이 스며들지 않는 옷을 만들었다고 해.

틀리기 쉬워요!

8 다음 문장에서 올바른 표현에 ○표를 해 보세요.

(1) 그는 (번번이 / 번번히) 약속 시간에 늦는다.

(2) 나는 그 친구들을 (일일이 / 일일히) 만나 보았다.

(3) 친구는 나에게 약속 장소를 (자세이 / 자세히) 알려 주었다.

틀리기 쉬워요!

9 보기 를 보고, 올바른 표현에 ○표를 해 보세요.

'한 번'을 '두 번', '세 번'으로 바꾸어 뜻이 통하면 '한 번'으로 띄어 쓰고, 그렇지 않으면 '한번' 으로 붙여 써요.

보기 • 한번 / 한 번: '번'이 어떤 일을 시험 삼아 해 본다는 뜻의 '한번'은 붙여 쓰고, 차례나 일의 횟수를 나타내는 경우에 는 '한 번', '두 번', '세 번'과 같이 띄어 씁니다.

(1) 우리 학교는 한 달에 (한 번 / 한번) 대청소를 한다.

(2) 얼마나 튼튼한지 (한 번 / 한번) 시험해 보자.

(3) 제가 (한 번 / 한번) 먹어 보겠습니다.

한자 어휘

'강(強)'과 '약(弱)'이 들어간 말

😊 공부한 날   월   일

아는 어휘에 ✔ 표시를 해 보고, 아래 활동을 하며 뜻을 익혀 보세요.

☐ 강약 ☐ 강점 ☐ 강력 ☐ 완강 ☐ 약소국 ☐ 약점 ☐ 약자

순서대로
써 봐요

强

강할 **강**

強

강할 **강**

이 한자는 원래 벌레를 나타내었으나 '힘이 세다', '활이 세다'라는 뜻이 섞여 '강하다'라는 뜻으로 쓰이게 되었어요.

'강약'은 '강함과 약함.' 이라는 뜻이에요.

● '강(強)'이 들어간 낱말은 '강하다'의 뜻을 지니는 경우가 많아요.

강 점

강할 強 점 點

뜻 남보다 우세하거나 더 뛰어난 점.

예 우리 회사는 세계 최고의 기술력을 갖추고 있다는 것이 강점이다.

강 력

강할 強 힘 力

뜻 힘이나 영향이 강함.

예 서진이는 강력한 우승 후보다.

완 강 하 다

완고할 頑 강할 強

뜻 태도가 모질고 의지가 굳세다.

예 친구의 부탁을 완강하게 거절했다.

너무 완강하게
거절한 거 아니니?

안 돼!!

NO!!

남보다 우세하거나 더 뛰어난 점

강 점 vs **장 점**

강할 強 점 點 길 長 점 點

좋거나 잘하거나 긍정적인 점

여러분은 강점과 장점의 차이를 아시나요? '강점(強點)'은 '남보다 우세하거나 더 뛰어난 점'을, '장점(長點)'은 '좋거나 잘하거나 긍정적인 점'을 뜻해요.

악기를 연주할 때는 강약 조절을 잘해야 해.

弱
약할 **약**

이 한자는 두 개의 弓(활 궁) 자에 획을 그어 활시위가 약하다는 뜻을 표현한 것이에요. '약하다', '약해지다'라는 뜻을 나타내요.

弱
약할 **약**

● '약(弱)'이 들어간 낱말은 '약하다'의 뜻을 지니는 경우가 많아요.

약 소 국	
약할 弱 작을 小 나라 國	뜻 경제적이나 군사적으로 힘이 약하고 작은 나라. 예 강대국이 약소국을 도와주었다.
약 점	
약할 弱 점 點	뜻 다른 사람에 비해 부족해서 불리한 점. 예 몸이 작은 것이 약점이라고 생각하지 않아요.
약 자	
약할 弱 사람 者	뜻 힘이나 세력이 약한 사람이나 생물. 예 약자를 보호하기 위한 법이 만들어졌다.

157

1 다음의 낱말과 뜻이 알맞도록 선으로 이어 보세요.

(1) 강약(強弱) •

(2) 완강(頑強)하다 •

(3) 강력(強力) •

• ① 태도가 모질고 의지가 굳세다.

• ② 힘이나 영향이 강함.

• ③ 강함과 약함.

2 빈칸에 공통으로 들어갈 알맞은 말을 써 보세요.

- [ ] 소 국 : 경제적이나 군사적으로 힘이 약하고 작은 나라.

- [ ] 점 : 다른 사람에 비해 부족해서 불리한 점.

- [ ] 자 : 힘이나 세력이 약한 사람.

(   )

3 빈칸에 들어갈 알맞은 말을 보기 에서 찾아 써 보세요.

보기   강점   강약   약점

(1) 야구를 할 때 손목 힘의 [ ][ ]을 조절하지 못해 공이 너무 멀리 날아가 버렸다.
                  ↳ 강함과 약함.

(2) 평범한 사람들은 자신의 [ ][ ]을 보완하는 데 시간을 사용하지만, 성공하는 사람들은
                    ↳ 다른 사람에 비해 부족해서 불리한 점.

    자신의 [ ][ ]을 키우는 데 시간을 사용한다.
           ↳ 남들보다 우세하거나 더 뛰어난 점.

4 정글을 무사히 지날 수 있도록 한자의 알맞은 뜻과 소리를 따라 길을 찾아보세요.

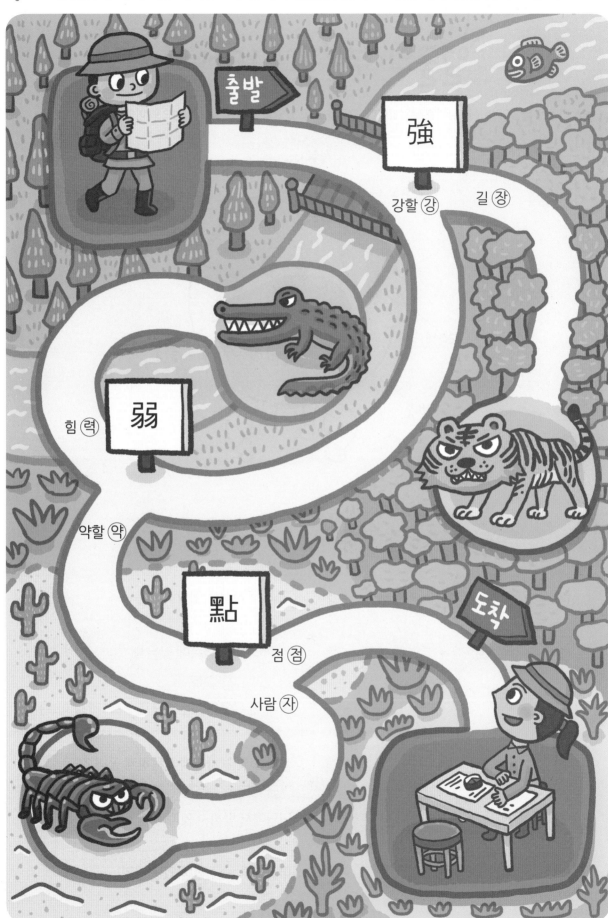

스스로
붙임딱지

얼굴의 부분을 나타내는 말

다음은 얼굴의 부분을 나타낸 낱말입니다. 그림을 보고 낱말과 뜻이 알맞도록 선으로 이어 보세요.

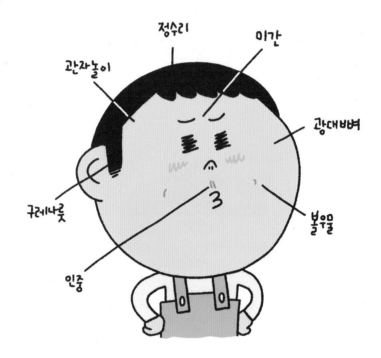

(1) 정수리	•	• ①	두 눈썹의 사이.
(2) 관자놀이	•	• ②	귀와 눈 사이의 맥박이 뛰는 곳.
(3) 구레나룻	•	• ③	눈 아래 얼굴 양쪽에 있는 뼈.
(4) 인중	•	• ④	볼에 팬 우물이라는 뜻으로, '보조개'를 이르는 말.
(5) 볼우물	•	• ⑤	코와 윗입술 사이에 오목하게 골이 진 곳.
(6) 광대뼈	•	• ⑥	귀밑에서 턱까지 잇따라 난 수염.
(7) 미간	•	• ⑦	머리 위의 숫구멍이 있는 자리.

8주 어휘 미리보기

뜻을 알고 있는 낱말에 V표 해 보세요.

알고 있는 낱말은 글에서 어떻게 쓰였는지 확인하고,
모르는 낱말은 글을 읽으며 재미있게 익혀 보아요.

		배울 내용	배울 낱말		공부한 날
Day 36	관용어	눈앞이 캄캄하다	☐ 거대하다 ☐ 선뜻 ☐ 예언 ☐ 묘책	☐ 지독하다 ☐ 무시무시하다 ☐ 족족 ☐ 다급하다	월 / 일
Day 37	속담	가재는 게 편	☐ 신분 ☐ 시중 ☐ 투구 ☐ 보답	☐ 접근 ☐ 벼락 ☐ 구성원 ☐ 근거지	월 / 일
Day 38	한자 성어	맹모삼천(孟母三遷)	☐ 여의다 ☐ 공동묘지 ☐ 장수 ☐ 모성	☐ 홀어머니 ☐ 장례 ☐ 붐비다	월 / 일
Day 39	교과 어휘 - 사회	성덕 대왕 신종	☐ 유물 ☐ 웅장하다 ☐ 비대칭 ☐ 잡음	☐ 손꼽히다 ☐ 여운 ☐ 은은하다 ☐ 집약	월 / 일
Day 40	한자 어휘	'미(美)'와 '술(術)'이 들어간 말	☐ 미술 ☐ 건축미 ☐ 기술 ☐ 호신술	☐ 미담 ☐ 미식가 ☐ 화술	월 / 일

관용어

눈앞이 캄캄하다

아는 어휘에 ✔ 표시를 해 보고, 어휘의 뜻을 생각하며 글을 읽어 보세요.

☐ 거대하다 ☐ 지독하다 ☐ 선뜻 ☐ 무시무시하다 ☐ 예언 ☐ 족족 ☐ 묘책 ☐ 다급하다

🕐 **공부한 날**

월   일

땅의 여신 가이아와 하늘의 신 우라노스는 열두 명의 자식을 낳았습니다. 몸집이 ❶거대하고 힘이 매우 센 이 열두 남매를 티탄족이라고 합니다. 그리고 가이아와 우라노스는 눈이 하나인 키클롭스 삼 형제와 팔이 백 개 달린 헤카톤케이르 삼 형제도 낳았습니다. 그런데 이 삼 형제들은 ❷지독한 말썽쟁이여서 보다 못한 우라노스가 이들을 땅의 가장 깊은 곳에 있는 타르타로스라는 ❸지옥에 보내 버렸습니다.

이에 화가 난 가이아는 복수를 결심하고, 티탄족 열두 남매를 불러 우라노스를 내쫓으라고 했습니다. 하지만 이들은 아버지가 두려워 ❹선뜻 나서지 못했어요. 이때 막내 크로노스가 용감히 나서서 아버지인 우라노스를 내쫓고 최고의 신이 되었습니다. 그러나 우라노스를 내쫓은 후에 크로노스는 어머니의 부탁도 무시하고 지옥에 갇힌 형제들을 구해 주지 않았어요. 그러자 가이아는

"너도 아버지 우라노스처럼 너의 자식에게 죽임을 당할 것이다."

라는 ❺무시무시한 ❻예언을 남겼습니다.

이를 들은 크로노스는 ❼눈앞이 캄캄했습니다. 겁이 난 크로노스는 아내 레아가 아이를 낳는 ❽족족 모두 삼켜 버렸습니다. 하데스, 포세이돈, 헤스티아, 데메테르, 헤라 이렇게 다섯 명은 태어나자마자 크로노스의 배 속에 갇혔어요. 아이를 낳을 때마다 크로노스가 삼켜 버리니 레아는 안타까움에 속이 타 들어갔습니다.

"아이를 모두 잡아먹히게 둘 수는 없어. 뭔가 ❾묘책을 찾아야 해."

막내 제우스가 태어나자 레아는 보자기에 돌멩이를 싸서 크로노스에게 주었습니다. ❿다급했던 크로노스는 돌멩이를 자기 아이라고 믿고 꿀꺽 삼켰습니다.

그 뒤 레아는 크로노스 몰래 제우스를 크레타섬의 동굴에 숨기고 요정 아말테이아에게 부탁했습니다.

"제우스를 잘 부탁해요. 절대 크로노스에게 들키면 안 돼요."

제우스는 그곳에서 염소 모습을 한 요정 아말테이아의 보살핌을 받으며 성장했습니다.

– 그리스·로마 신화

* Day 37로 이어집니다.

❶ **거대하고**: 엄청나게 크고.

❷ **지독한**: 어떤 모양이나 상태가 더할 수 없을 만큼 막다른 지경에 이른.

❸ **지옥**: 살아 있을 때 죄를 지은 사람이 죽은 뒤에 가서 벌을 받는다는 곳.

❹ **선뜻**: 아무 망설임이나 어려움 없이 쉽게.

❺ **무시무시한**: 몹시 무서운.

❻ **예언**: 앞으로 다가올 일을 미리 알거나 짐작하여 말함.

❼ **눈앞이 캄캄했습니다**: 어찌할 바를 몰라 막막했습니다.

❽ **족족**: 어떤 일을 하는 하나하나.

❾ **묘책**: 매우 교묘한 꾀.

❿ **다급했던**: 일이 바싹 닥쳐서 매우 급했던.

1 이 이야기의 내용으로 맞는 것에 ○표, 틀린 것에 ×표를 해 보세요.

(1) 아버지를 내쫓고 최고의 신이 된 크로노스는 지옥에 갇힌 형제들을 구해 주었다. ·········· (○ / ×)

(2) 레아는 크로노스에게 제우스 대신 보자기에 싼 돌멩이를 주었다. ·········· (○ / ×)

2 이 이야기를 읽고 빈칸에 들어갈 알맞은 말을 써 보세요.

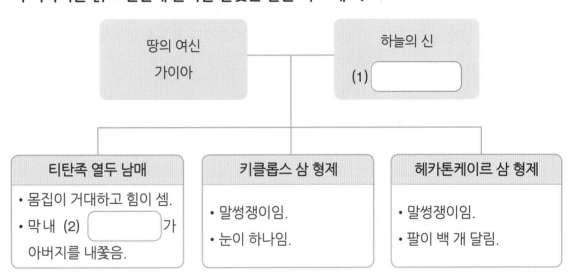

```
┌─────────────────┐        ┌─────────────────┐
│   땅의 여신      │────────│   하늘의 신      │
│    가이아        │        │  (1) [      ]    │
└─────────────────┘        └─────────────────┘
```

티탄족 열두 남매	키클롭스 삼 형제	헤카톤케이르 삼 형제
• 몸집이 거대하고 힘이 셈. • 막내 (2) [ ]가 아버지를 내쫓음.	• 말썽쟁이임. • 눈이 하나임.	• 말썽쟁이임. • 팔이 백 개 달림.

3 빈칸에 들어갈 알맞은 말을 보기 에서 찾아 이야기의 내용을 정리해 보세요.

> **보기**   형제   아이   지옥

우라노스가 자식들을 □□에 보내자 이에 화가 난 가이아는 다른 자식들에게 우라노스를 내쫓으라고 함.

↓

크로노스가 아버지를 내쫓고도 지옥에 갇힌 □□들을 구해 주지 않자, 가이아는 크로노스도 자식에게 죽임을 당할 것이라고 예언함.

↓

크로노스가 아내 레아가 낳은 □□들을 모두 삼켜 버리자, 레아는 막내 제우스 대신 돌멩이를 주어서 크로노스를 속임.

4 다음의 낱말과 뜻이 알맞도록 선으로 이어 보세요.

(1) 복수 •

(2) 예언 •

(3) 묘책 •

• ① 원수를 갚음.

• ② 매우 교묘한 꾀.

• ③ 앞으로 다가올 일을 미리 알거나 짐작하여 말함.

5 다음 낱말의 뜻을 보고, 아래의 문장에 들어갈 알맞은 말을 보기 에서 찾아 써 보세요.

보기	다급하다	부탁하다	선뜻

(1) 그는 평생 모은 재산을 [   ] 장학금으로 내놓았다.

↳ 아무 망설임이나 어려움 없이 쉽게.

(2) 그 작가는 마감이 얼마 안 남아 마음이 몹시 [   ].

↳ 일이 닥쳐서 몹시 급하다.

(3) 지나가는 사람에게 사진을 찍어 달라고 [   ].

↳ 어떤 일을 해 달라고 하거나 맡기다.

6 '족족'을 알맞게 사용한 문장 두 가지에 ○표를 해 보세요.

(1) 할인 상품이 전시하는 족족 다 팔려 나갔어. ⋯⋯⋯⋯⋯⋯⋯⋯⋯⋯⋯⋯⋯⋯⋯ (   )

(2) 동생 민재는 강아지처럼 나만 족족 따라다닌다. ⋯⋯⋯⋯⋯⋯⋯⋯⋯⋯⋯⋯ (   )

(3) 나는 도넛을 튀겨 건져 내는 족족 다 먹어 치웠어. ⋯⋯⋯⋯⋯⋯⋯⋯⋯⋯⋯ (   )

7 뜻이 반대되는 낱말끼리 묶이지 <u>않은</u> 것을 골라 보세요. ⋯⋯⋯⋯⋯⋯⋯⋯⋯(   )

① 막내 – 맏이   ② 삼키다 – 뱉다

③ 태어나다 – 죽다   ④ 성장하다 – 자라다

8 '눈앞이 캄캄하다'라는 표현을 알맞게 사용한 친구의 이름을 써 보세요.

(   )

9 알맞은 문장이 되도록 빈칸에 들어갈 낱말을 선으로 이어 보세요.

(1) 낳다 •   • ① 병이 ☐☐.

(2) 낫다 •   • ② 점수가 ☐☐.

(3) 낮다 •   • ③ 새끼를 ☐☐.

가재는 게 편

아는 어휘에 ✔ 표시를 해 보고, 어휘의 뜻을 생각하며 글을 읽어 보세요.

☐ 신분 ☐ 접근 ☐ 시중 ☐ 벼락 ☐ 투구 ☐ 구성원 ☐ 보답 ☐ 근거지

⏱ 공부한 날

월   일

청년이 된 제우스는 아버지에게 잡아먹힌 다섯 명의 형과 누나를 되살리기로 결심했습니다. 제우스는 ❶신분을 감춘 채 크로노스에게 ❷접근하여 그의 ❸시중을 드는 일을 맡았습니다. 그리고 크로노스가 눈치채지 못하도록 눈 깜짝할 사이에 음식에 몰래 ❹구토하는 약을 넣었습니다. 약을 먹은 크로노스는 심한 ❺구역질을 하며 그동안 삼켰던 자식들을 모두 토해 냈습니다.

세상에 나온 하데스, 포세이돈, 헤스티아, 데메테르, 헤라는 크로노스를 물리치기 위해 힘을 합쳤습니다. 전쟁이 시작되자 다른 신들 역시 두 편으로 나뉘어 함께 싸웠습니다. ❻가재는 게 편이라고 대부분의 티탄족은 같은 티탄족인 크로노스의 편을 들었습니다. 일부 티탄족만이 제우스의 편에 섰습니다.

제우스와 포세이돈, 하데스는 키클롭스 삼 형제를 구해 주고 특별한 무기를 얻었습니다. 키클롭스 삼 형제는 제우스에게는 ❼벼락을, 포세이돈에게는 구름과 비와 바람을 부를 수 있는 삼지창을, 하데스에게는 쓰기만 하면 보이지 않는 ❽투구를 각각 만들어 주었습니다. 그리고 키클롭스 삼 형제와 함께 지옥에서 풀려난 헤카톤케이르 삼 형제도 제우스의 편에 서서 싸웠습니다. 헤카톤케이르 삼 형제는 백 개의 팔로 제우스의 벼락을 피해 도망가는 티탄족들에게 바위를 마구 던졌습니다.

마침내 전쟁에서 승리를 거둔 제우스는 최고의 신 자리에 올랐습니다. 그리고 자신과 맞서 싸웠던 티탄족들은 지옥 타르타로스에 가두고 자신을 도와준 프로메테우스와 몇몇 티탄족을 올림포스의 ❾구성원으로 인정해 주었습니다. 또한 자신을 키워 주었던 염소 요정인 아말테이아에게 ❿보답하는 것도 잊지 않았습니다. 제우스는 아말테이아가 세상을 떠나자 그녀를 하늘로 올려 별자리로 만들어 주었습니다.

이후 제우스는 올림포스산에 ⓫근거지를 꾸렸습니다.

– 그리스·로마 신화

❶ **신분**: 개인의 사회적인 위치나 계급.

❷ **접근**: 가까이 다가감.

❸ **시중**: 옆에 있으면서 여러 가지 심부름을 하는 일.

❹ **구토**: 먹은 음식을 토함.

❺ **구역질**: 속이 메스꺼워 자꾸 토하려고 하는 짓.

❻ **가재는 게 편**: 모양이나 형편이 서로 비슷하고 인연이 있는 것끼리 서로 잘 어울리고, 사정을 보아주며 감싸 주기 쉬움을 비유적으로 이르는 말.

❼ **벼락**: 하늘에서 큰 소리를 내며 번쩍이는 빛의 줄기가 내리치는 자연 현상.

❽ **투구**: 예전에, 전투할 때 머리를 보호하기 위하여 쓰던 쇠로 만든 모자.

❾ **구성원**: 어떤 조직이나 단체를 이루고 있는 사람.

❿ **보답**: 남의 호의나 은혜를 갚음.

⓫ **근거지**: 활동의 근거로 삼는 곳.

1 이 이야기의 내용으로 맞는 것에 ○표, 틀린 것에 ×표를 하세요.

(1) 제우스는 신분을 감추고 크로노스에게 접근하였다. ──────────────────── (○ / ×)

(2) 대부분의 티탄족은 크로노스가 아닌 제우스의 편을 들었다. ──────────────── (○ / ×)

(3) 최고의 신 자리에 오른 제우스는 티탄족들을 모두 풀어 주었다. ──────────── (○ / ×)

2 다음은 이 이야기의 내용을 정리한 것입니다. 빈칸에 들어갈 알맞은 낱말을 글에서 찾아 써 보세요.

> 제우스는 크로노스의 음식에 ☐☐ 하는 약을 넣어 삼켰던 자식들을 토해 내게 함.

↓

> 제우스는 자신의 형제자매, 일부 티탄족과 한편이 되어 아버지 크로노스와 ☐☐을 함.

↓

> 제우스는 전쟁에서 승리한 후 ☐☐☐☐산에 근거지를 꾸림.

3 "가재는 게 편"의 뜻을 정리한 것입니다. 문장에서 알맞은 말에 ○표를 해 보세요.

우리는 같은 편!

→ 모양이나 형편이 서로 (다르고 / 비슷하고) 인연이 있는 것끼리 서로 잘 (싸우고 / 어울리

고), 사정을 보아주며 감싸 주기 (쉬움 / 어려움)을 비유적으로 이르는 말이다.

167

4 낱말의 뜻을 보고, 빈칸에 들어갈 알맞은 말을 보기 에서 찾아 써 보세요.

> 보기   투구   전쟁   승리

(1) 모두가 [ ][ ]을 반대하고 평화를 원했다.
   ↳ 대립하는 나라나 민족이 군대와 무기를 사용하여 서로 싸움.

(2) 경기는 우리 팀의 [ ][ ]로 끝났다.
   ↳ 겨루어서 이김.

(3) [ ][ ]를 쓴 병사가 뚜벅뚜벅 다가왔다.
   ↳ 예전에, 전투할 때 머리를 보호하기 위해 쓰던 쇠로 만든 모자.

5 다음 낱말과 바꾸어 쓸 수 있는 말을 찾아 선으로 이어 보세요.

(1) 접근하다 •   • ① 은혜를 갚다

(2) 물리치다 •   • ② 다가가다

(3) 보답하다 •   • ③ 무찌르다

6 밑줄 친 낱말의 뜻을 알아보려고 할 때, 국어사전에서 어떤 낱말을 찾아야 하는지 골라 보세요. ⸺⸺⸺⸺⸺⸺⸺⸺⸺⸺⸺⸺⸺⸺⸺⸺ (   )

> 이후 제우스는 올림포스산에 근거지를 꾸렸습니다.

① 꾸려   ② 꾸리다   ③ 꾸렸다   ④ 꾸렸습니다

7 "가재는 게 편"이라는 속담과 뜻이 비슷한 말에 <u>모두</u> ○표를 해 보세요.

유유상종	초록은 동색	도랑 치고 가재 잡는다
같은 무리 즉, 비슷한 특성을 가진 사람들끼리 서로 사귐.	풀색과 녹색은 같은 색이라는 뜻으로, 처지가 같은 사람들끼리 한편임.	한 가지 일을 하면서 두 가지 이익을 봄.

(1) (   )   (2) (   )   (3) (   )

8 그림 속 상황을 보고, 알맞은 말을 골라 ○표를 해 보세요.

저녁 식사 때 (1) (게 / 개)딱지에 밥을 비벼 먹었다. 우리 집 (2) (게 / 개)도 먹고 싶은지 꼬리를 흔들며 다가왔다.

"걔는 아까 사료 많이 먹었으니, 먹을 것 주지 마라."

어머니께서 말씀하셨다.

틀리기 쉬워요!

9 다음 문장에서 띄어쓰기가 알맞은 것에 ○표를 해 보세요.

(1) 의자에 (앉은채 / 앉은 채) 잠이 들었다.

(2) 수철이는 잃어버린 시계를 찾아 (그동안 / 그 동안) 겪은 마음고생이 모두 사라졌다.

😊 맞은 개수 _____ /9개

맹모삼천(孟 맏 맹 母 어머니 모 三 석 삼 遷 옮길 천)

아는 어휘에 ✔ 표시를 해 보고, 어휘의 뜻을 생각하며 글을 읽어 보세요.

☐ 여의다 ☐ 홀어머니 ☐ 공동묘지 ☐ 장례 ☐ 장수 ☐ 붐비다 ☐ 모성

🕐 **공부한 날**

월   일

맹자는 세 살 때 아버지를 ❶여의고 ❷홀어머니 밑에서 자랐습니다. 맹자가 어렸을 때 그의 집은 ❸공동묘지 근처에 있었습니다. 그래서 맹자는 사람들이 ❹관을 내려 흙을 덮고 노래를 부르는 ❺장례를 치르는 것을 자주 보게 되었습니다.

어느 날, 맹자 어머니는 맹자가 이웃집 아이들과 무덤을 만들고 노래를 부르며 노는 모습을 보았습니다. 맹자 어머니는 "이곳은 아이를 교육할 만한 환경이 못 되는구나." 라며 그곳을 떠나기로 마음먹었습니다.

맹자 어머니는 시장 근처로 이사를 했습니다. 새로 이사 간 동네에서는 ❻장수가 물건을 산처럼 쌓아 놓고 파는 소리가 크게 들렸습니다. 또한 그곳은 사람이 많이 모이는 곳이어서 언제나 정신없이 ❼붐볐습니다. 이를 본 맹자는 물건을 파는 장사꾼의 흉내를 내며 놀았습니다.

이를 본 맹자의 어머니는 시장 근처도 아이를 교육할 만한 곳이 아니라고 생각했습니다. 그러고는 다른 곳으로 이사를 가기로 결심했습니다.

이번에는 서당 근처로 이사를 하였습니다. 그곳에서는 훈장이 아이들을 가르치는 소리가 날마다 흘러나왔고, 맹자도 아이들을 따라 글공부를 하기 시작했습니다.

"하늘 천, 땅 지, 검을 현, 누를 황……."

그제야 맹자의 어머니는 흐뭇한 미소를 지었습니다.

맹자의 어머니는 이곳에 자리를 잡고 살았으며, 맹자는 훗날 이름을 크게 떨친 ❽유학자가 되었습니다. 이와 같이 맹자가 훌륭한 인물로 성장한 데에는 어머니의 남다른 노력이 있었습니다. 맹자 어머니의 자식을 위한 ❾모성을 '❿맹모삼천'이라고 합니다.

❶ **여의고**: 부모나 사랑하는 사람이 죽어서 이별하고.

❷ **홀어머니**: 남편을 잃고 혼자 자식을 키우며 사는 어머니.

❸ **공동묘지**: 한 지역에 여러 사람의 무덤이 있어 공동으로 관리하는 무덤.

❹ **관**: 죽은 사람의 몸을 넣는 길쭉한 상자.

❺ **장례**: 사람이 죽은 후에 땅에 묻거나 화장하는 일.

❻ **장수**: 물건을 사람들에게 파는 사람.

❼ **붐볐습니다**: 많은 사람들이나 차 등이 한곳에 몰려 매우 복잡했습니다.

❽ **유학자**: 유학을 깊이 연구하여 높은 단계에 오른 사람.

❾ **모성**: 여성이 어머니로서 지니는 본능적인 성질.

❿ **맹모삼천**: 맹자의 어머니가 아들의 교육을 위해 세 번이나 이사를 하였음을 이르는 말.

1 이 글의 내용으로 맞는 것에 ○표, 틀린 것에 ×표를 하세요.

(1) 맹자는 세 살 때 아버지를 여의고 홀어머니 밑에서 자랐다. ──────── (○ / ×)

(2) 맹자 어머니는 시장 근처가 자식을 가르칠 만한 곳이라고 생각하였다. ──────── (○ / ×)

(3) 맹자가 훌륭한 인물로 성장한 데에는 어머니의 남다른 노력이 있었다. ──────── (○ / ×)

2 다음은 맹자의 행동을 정리한 것입니다. 맹자가 한 일을 참고하여 맹자가 살았던 곳을 차례대로 써 보세요.

살았던 곳	맹자가 한 일
( ) 근처	이웃집 아이들과 무덤을 만들고 노래를 부르며 놀았다.
↓	
( ) 근처	물건을 파는 장사꾼의 흉내를 내며 놀았다.
↓	
( ) 근처	아이들을 따라 글공부를 했다.

3 이 글에서 맹자 어머니가 한 행동과 한자의 뜻을 참고하여, '맹모삼천'의 뜻을 완성해 보세요.

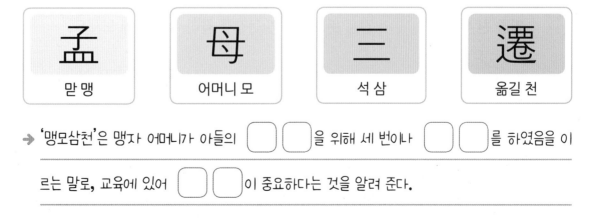

孟	母	三	遷
맏 맹	어머니 모	석 삼	옮길 천

➡ '맹모삼천'은 맹자 어머니가 아들의 [ ][ ]을 위해 세 번이나 [ ][ ]를 하였음을 이

르는 말로, 교육에 있어 [ ][ ]이 중요하다는 것을 알려 준다.

4 낱말의 뜻을 보고, 빈칸에 들어갈 알맞은 말을 보기 에서 찾아 써 보세요.

> 보기   여의다   붐비다

(1) 부모를 일찍 ⬜⬜⬜.
↳ 부모나 사랑하는 사람이 죽어서 이별하다.

(2) 거리가 사람들로 ⬜⬜⬜.
↳ 많은 사람들이나 차 등이 한곳에 몰려 매우 복잡하다.

5 다음의 낱말과 뜻이 알맞도록 선으로 이어 보세요.

(1) 장수 •   • ① 글을 가르치는 서당의 선생.

(2) 훈장 •   • ② 물건을 사람들에게 파는 사람.

(3) 유학자 •   • ③ 유학을 깊이 연구하여 높은 단계에 오른 사람.

6 밑줄 친 부분이 보기 와 같은 뜻으로 쓰인 문장을 골라 ○표를 해 보세요.

> 보기   맹자는 열심히 공부하여 훗날 이름을 크게 떨친 유학자가 되었습니다.
> ↳ 세상에 알려진 평판이나 명성.

(1) 이 새의 이름은 앵무새입니다. ·· (   )

(2) 그녀는 동화 작가로 이름을 날렸다. ·· (   )

(3) 답안지에는 이름을 정확하게 써야 한다. ·· (   )

7 보기 를 보고, '-꾸러기'를 넣어 다음 뜻을 가진 낱말을 써 보세요.

> **보기** **– 꾸러기**: '그것이 심하거나 많은 사람'의 뜻을 더하는 말이에요. 그 예로 말썽을 자주 일으키는 사람을 가리키는 말인 '말썽꾸러기'를 들 수 있어요.

(1) 욕심이 많은 사람: ☐☐☐☐☐

(2) 잠이 아주 많은 사람을 낮잡아 이르는 말: ☐☐☐☐

8주차
Day
38

정답과 해설 37쪽

8 '맹모삼천'을 알맞게 사용한 친구의 이름을 써 보세요.

우리 엄마는 맹모삼천 하듯 좋은 선생님을 찾으러 다니셨어.

창욱

내 친구는 맹모삼천으로 노력하더니 기어이 전국 대회에 나가서 상을 탔어.

미화

(   )

틀리기 쉬워요!

9 다음 문장에서 올바른 표현에 ○표를 해 보세요.

(1) (흐뭇한 / 흐믓한) 표정을 지으며 흐르는 강물을 바라보았다.

(2) 그 문제를 어떻게 해결할지 (곰곰이 / 곰곰히) 생각해 보았다.

(3) 두 사람은 (훋날 / 훗날) 이 자리에서 꼭 다시 만나자고 약속했다.

틀리기 쉬워요!

10 밑줄 친 낱말을 바르게 읽은 것에 ○표를 해 보세요.

(1) 흙   ① [흑] (   )   ② [흘] (   )

(2) 괭이로 흙을 고르다.   ① [흐글] (   )   ② [흘글] (   )

(3) 마당의 흙이 잔뜩 파헤쳐졌다.   ① [흐기] (   )   ② [흘기] (   )

성덕 대왕 신종

아는 어휘에 ✔ 표시를 해 보고, 어휘의 뜻을 생각하며 글을 읽어 보세요.

☐ 유물 ☐ 손꼽히다 ☐ 웅장하다 ☐ 여운 ☐ 비대칭 ☐ 은은하다 ☐ 잡음 ☐ 집약

신라 시대의 ❶유물 가운데는 불교문화의 아름다움을 보여 주는 ❷문화유산이 많습니다. 그 중에서도 최고로 ❸손꼽히는 것 중 하나가 바로 에밀레종이라고 불리는 성덕 대왕 신종입니다. 아름다우면서도 ❹웅장한 멋이 어우러진 종으로, 아름다운 종소리를 만들기 위해 쇳물에 어린아이를 넣었다는 전설 때문에 우리에게는 에밀레종이라고 알려져 있습니다.

▲ 성덕 대왕 신종

성덕 대왕 신종이 ❺찬사를 받는 것은 그윽하고 ❻여운이 남는 특별한 소리 때문입니다. 이 종은 어떻게 이렇게 특별한 소리를 만들어 내는 것일까요? 이는 바로 '맥놀이' 현상 때문이라고 합니다. 맥놀이는 떨림이 거의 같은 두 소리가 겹쳐지면서 일정한 간격으로 소리가 세졌다 약해졌다를 반복하는 현상을 말합니다.

맥놀이 현상이 일어나는 것은 성덕 대왕 신종이 ❼미세하게 ❽비대칭이기 때문이라고 합니다. 서양의 종은 겉면이 매끈하고 대칭을 이루고 있지만 성덕 대왕 신종은 종의 겉면에 새겨진 문양과 조각이 대칭을 이루지 않습니다. 그리고 몸체의 두께도 일정하지 않고 부위마다 조금씩 차이가 납니다. 이러한 특징으로 맥놀이가 발생하며, 이 때문에 ❾은은하고 여운이 남는 종소리가 만들어지는 것입니다.

또한, 성덕 대왕 신종은 종을 매다는 고리 부분에 음관이라고 부르는 통이 있습니다. 음관은 종이 울릴 때 내부에서 나는 ❿잡음을 밖으로 내보내 소리를 맑게 해 줍니다. 그리고 종의 바로 아래 바닥에는 반원 모양으로 움푹 들어간 공간인 명동을 만들어 놓았습니다. 이것이 종을 쳤을 때 소리가 울리도록 하는 역할을 해서 잔잔한 소리가 오랫동안 나게 됩니다.

성덕 대왕 신종은 아름답고 깊은 소리를 만들어 내는 여러 기술이 ⓫집약되어 만들어진 우리의 자랑스러운 문화유산입니다.

❶ **유물**: 앞선 시대에 살았던 사람들이 후대에 남긴 물건.

❷ **문화유산**: 조상 대대로 전해 내려온 문화 중에서 다음 세대에 물려줄 만한 가치가 있는 것.

❸ **손꼽히는**: 많은 가운데 다섯 손가락 안에 들 만큼 뛰어나게 여겨지는.

❹ **웅장한**: 규모 따위가 거대하고 풍성한.

❺ **찬사**: 훌륭함을 드러내어 칭찬하는 말이나 글.

❻ **여운**: 소리가 그치거나 거의 사라진 뒤에도 남아 있는 잔잔한 소리나 울림.

❼ **미세하게**: 분간하기 어려울 정도로 아주 작게.

❽ **비대칭**: 양쪽의 크기나 모양이 같지 않은 것.

❾ **은은하고**: 뚜렷하게 드러나지 않고 희미하거나 약한.

❿ **잡음**: 시끄러운 여러 가지 소리.

⓫ **집약**: 한데 모아져서 요약함.

1 이 글을 읽고 빈칸에 들어갈 알맞은 말을 써 보세요.

(1) 신라 시대의 유물 가운데는 불교문화의 아름다움을 보여 주는 ⬚이 많습니다.

(2) 성덕 대왕 신종은 아름다움과 웅장한 멋이 ⬚ 종입니다.

2 이 글에 나타난 성덕 대왕 신종 소리의 특징을 정리한 것입니다. 빈칸에 들어갈 알맞은 말을 보기 에서 찾아 써 보세요.

보기	여운 소리 잡음

| 성덕 대왕 신종 소리의 특징 | • 그윽하고 ⬚⬚이 남는 소리가 나는 이유는 '맥놀이' 현상 때문임.
• 음관이라고 부르는 통이 종 내부에서 나는 ⬚⬚을 밖으로 내보내 소리를 맑게 함.
• 종 아래에 있는 명동이라는 공간이 종을 쳤을 때 ⬚⬚가 울리도록 하는 역할을 하여 잔잔한 소리가 오랫동안 남. |

3 다음 세 낱말의 한자 뜻을 확인한 후, 빈칸에 들어갈 알맞은 말을 골라 써 보세요.

有形
있을 유 모양 형

無形
없을 무 모양 형

文化遺産
글월 문 될 화 남길 유 낳을 산

→ 우리 조상 대대로 전해 내려온 문화 중에서 다음 세대 또는 젊은 세대에게 물려줄 만한 가치가

있는 것을 ⬚⬚⬚⬚이라고 한다. 그중에서 건축물이나 과학 발명품처럼 형태가

있는 것을 ⬚⬚ 문화유산, 예술 활동이나 기술과 같이 형태가 없는 것을 ⬚⬚

문화유산이라고 한다.

4 다음의 낱말과 뜻이 알맞도록 선으로 이어 보세요.

(1) 손꼽히다 •

(2) 웅장하다 •

(3) 은은하다 •

• ① 규모 따위가 거대하고 풍성하다.

• ② 뚜렷하지 않고 희미하다.

• ③ 다섯 손가락 안에 들 만큼 뛰어나게 여겨지다.

5 빈칸에 들어갈 알맞은 말을 보기 에서 찾아 문장을 완성해 보세요.

> 보기   기술   집약

(1) 이 제품은 최첨단 과학 ☐☐을 활용하여 만든 신제품이다.

(2) '신라의 미소'로 알려진 '경주 얼굴 무늬 수막새'는 당대의 우수한 기와 건축 기술이

☐☐된 문화재이다.

6 보기 의 밑줄 친 '유물'의 뜻으로 알맞은 것을 골라 보세요. ················ (   )

> 보기 신라 시대의 <u>유물</u> 가운데는 불교문화의 아름다움을 보여 주는 문화유산이 많습니다.

> ① 앞선 시대에 살았던 사람들이 후대에 남긴 물건.
>   예 그 무덤에서 고려 시대의 <u>유물</u>이 발견되었다.
>
> ② 죽은 사람이 살아 있을 때 사용하다 남긴 물건.
>   예 돌아가신 할아버지의 <u>유물</u>을 정리했다.
>
> ③ 이제는 쓸모가 없어진 이전 시대의 제도나 이념이나 습관.
>   예 미녀 뽑기 대회 같은 것은 구시대의 <u>유물</u>이다.

7 다음 문장에서 올바른 표현을 골라 ○표를 해 보세요.

(1) 은호는 우리 동내에서 { 손꼽히는 / 손꼬피는 } 부자이다.

(2) 성덕 대왕 신종은 몸체의 { 두께 / 두깨 } 가 일정하지 않다.

8 보기 의 내용을 참고하여 주어진 낱말과 반대되는 뜻을 가진 낱말을 빈칸에 써 보세요.

> 보기 일부 낱말 앞에 '비(非)'를 붙이면 '아니다'라는 뜻을 더할 수 있어요.
>
> 예) 대칭 ↔ 비대칭

(1) **회원**: 어떤 모임을 이루는 사람. ↔ □□□

(2) **인간적**: 사람다운 성질이 있는 것 ↔ □□□□

틀리기 쉬워요!

9 보기 를 참고하여 빈칸에 들어갈 알맞은 말에 ○표를 해 보세요.

> 보기 • **어떻게**: '어떻다'에 '-게'가 붙은 말로 다른 말을 꾸미는 데 사용함.
>
> • **어떡해**: '어떻게 해'를 줄여 쓴 말로 문장의 끝에 위치함.

(1) 이 종은 소리를 (어떻게 / 어떡해) 퍼뜨릴 수 있을까?

(2) 집이 이렇게 지저분한데 손님을 모시고 오면 (어떻게 / 어떡해)?

(3) 친구와 사이좋게 지내려면 (어떻게 / 어떡해) 해야 할까?

40

한자 어휘

'미(美)'와 '술(術)'이 들어간 말

😊 공부한 날 　월　일

아는 어휘에 ✔ 표시를 해 보고, 아래 활동을 하며 뜻을 익혀 보세요.

☐ 미술　☐ 미담　☐ 건축미　☐ 미식가　☐ 의술　☐ 화술　☐ 호신술

순서대로 써 봐요

美

아름다울 미

美

아름다울 미

이 한자는 大(큰 대)와 羊(양 양)이 합쳐진 글자예요. 크고[大] 살찐 양[羊]을 아름답다고 여긴 데서 '아름답다'의 뜻을 가지게 되었어요.

'미술(美術)'은 '그림이나 조각처럼 눈으로 볼 수 있는 아름다움을 표현한 예술.'을 말해요.

● '미(美)'가 들어간 낱말은 '아름답다', '맛있다'의 뜻을 지니는 경우가 많아요.

미 담

아름다울 美　말씀 談

🔵뜻 감동을 일으키는 아름다운 행실에 대한 이야기.

🔵예 잃어버린 가방을 찾아 준 미담이 전해져 화제이다.

건 축 미

세울 建　쌓을 築　아름다울 美

🔵뜻 건축물이 지닌 아름다움.

🔵예 이 궁은 빼어난 건축미를 잘 살린 건물이다.

경복궁은 한국의 전통적인 건축미가 돋보이는군!

미 식 가

아름다울 美　먹을 食　집 家

🔵뜻 맛있고 좋은 음식을 찾아 먹는 것을 즐기는 사람.

🔵예 그는 까다로운 미식가이다.

'미술'이란 무엇일까요?

美
아름다울 미

術
재주 술

자연을 보거나 훌륭한 그림, 사람 등을 볼 때 우리는 아름답다고 느낍니다. 물론 사람마다 아름다움의 기준은 다르지요. 이렇게 자신이 느낀 아름다움[美]을 그림이나 조각과 같이 눈으로 볼 수 있는 작품으로 표현하는 것이 바로 미술이랍니다.

미술에는 그림, 조각, 건축, 공예, 서예 등이 있어.

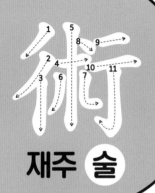

術
재주 **술**

이 한자는 손을 빠르게 움직이는 모습을 나타낸 글자예요. '재주', '기술' 등의 뜻이 있어요.

術
재주 **술**

8주차

Day
40

정답과 해설 38쪽

그는 끊임없는 배움의 자세로 의술을 펼치고 있어요.

● '술(術)'이 들어간 낱말은 '재주', '기술' 등의 뜻을 지니는 경우가 많아요.

의 술	
의원 醫 　재주 術	뜻 병이나 상처를 고치는 기술. 예 현대에는 의술이 발달했다.

화 술	
말할 話 　재주 術	뜻 말을 잘하는 재주와 기술. 예 지선이는 화술이 뛰어나서 인기가 많다.

호 신 술	
보호할 護 　몸 身 　재주 術	뜻 태권도, 유도 등 몸을 보호하기 위한 무술. 예 우리도 호신술을 익혀 두면 좋을 것 같아.

179

1 다음의 낱말과 뜻이 알맞도록 선으로 이어 보세요.

(1) 미담(美談) •

(2) 미식가(美食家) •

(3) 건축미(建築美) •

• ① 감동을 일으키는 아름다운 행실에 대한 이야기.

• ② 건축물이 지닌 아름다움.

• ③ 맛있고 좋은 음식을 찾아 먹는 것을 즐기는 사람.

2 빈칸에 공통으로 들어갈 알맞은 말을 써 보세요.

- 의 [ ] : 병이나 상처를 고치는 기술.

- 화 [ ] : 말을 잘하는 재주와 기술.

- 호 신 [ ] : 몸을 보호하기 위한 무술.

(   )

3 다음 한자의 뜻과 소리를 보고 낱말의 뜻을 짐작하여 써 보세요.

(1)

學
배울 학

術
재주 술

: 학문과 ㄱ ㅅ .

(2)

美
아름다울 미

人
사람 인

: 아름다운 ㅅ ㄹ .

4 빈칸에 들어갈 알맞은 말을 보기 에서 찾아 문장을 완성해 보세요.

> 보기
>
> 미술   건축미

(1) 그 건물은 [   ]가 탁월하다.

(2) 우리는 [   ] 시간에 물감으로 수채화를 그렸다.

8주차 Day 40

정답과 해설 38쪽

5 가로, 세로 열쇠를 보고 십자말풀이를 완성해 보세요.

가로 열쇠

1. 그림이나 조각처럼 눈으로 볼 수 있는 아름다움을 표현한 예술

3. 건축물이 지닌 아름다움.

세로 열쇠

1. 맛있고 좋은 음식을 찾아 먹는 것을 즐기는 사람.

2. 병이나 상처를 고치는 기술.

4. 감동을 일으키는 아름다운 행실에 대한 이야기.

맞은 개수 _____ /4개

181

지역에 따라 다른 방언

☑ 방언은 어떤 지역이나 지방에서만 쓰는, 표준어가 아닌 말이에요. '할아버지'를 지역에 따라 어떻게 말하는지 살펴보고
보기 에서 알맞은 말을 찾아 빈칸에 써 보세요.

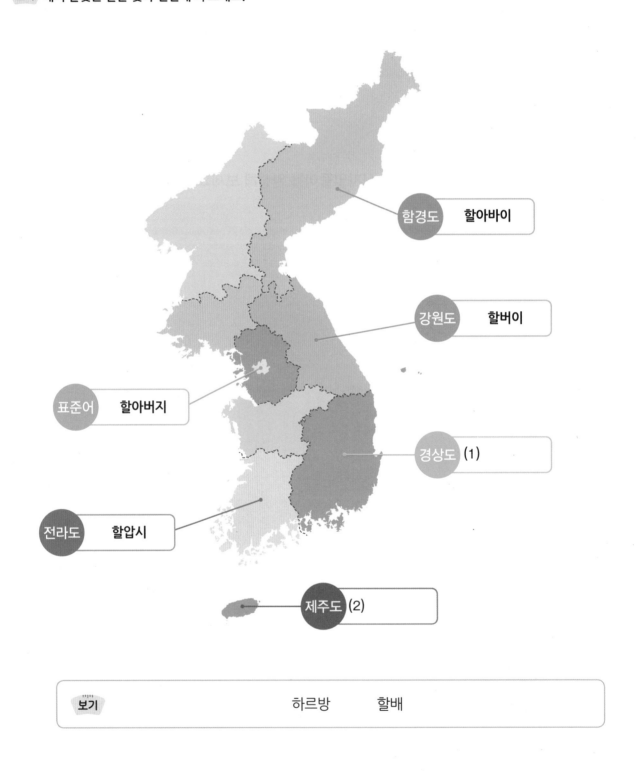

함경도　할아바이

강원도　할버이

표준어　할아버지

경상도　(1)

전라도　할압시

제주도　(2)

보기　　　　　　　　　　　하르방　　　할배

스스로 붙임딱지

일일학습을 마친 후, 스스로 붙임딱지를 골라 본문에 붙여 보세요.

- 스스로 문제를 끝까지 풀고
  오답 확인까지 마쳐 **뿌듯할 때!** →

- 지문에서 새로 알게 된 점이
  있어 **보람찰 때!** →

- 내용에서 모르는 점을
  스스로 알려고 노력하였을 때! →

- 열심히 풀었지만 풀면서
  어려움을 느꼈을 때! →

여기에 붙여요!

어휘력 쑥쑥 자람판

1 어휘력과 독해력을 키우는 하루 15분 공부 습관,
"어휘력 자신감"과 함께 오늘부터 시작해 보세요!

2 일일학습을 마친 후, 오답까지 확인하면
"어휘력 자람판"에 붙임딱지를 하나 붙여 주세요!

3 스스로 Day40까지 채운 후
어휘력과 독해력이 쑥쑥 자란 나를 발견해 보세요.

자람판은 뒷장에 있어요!

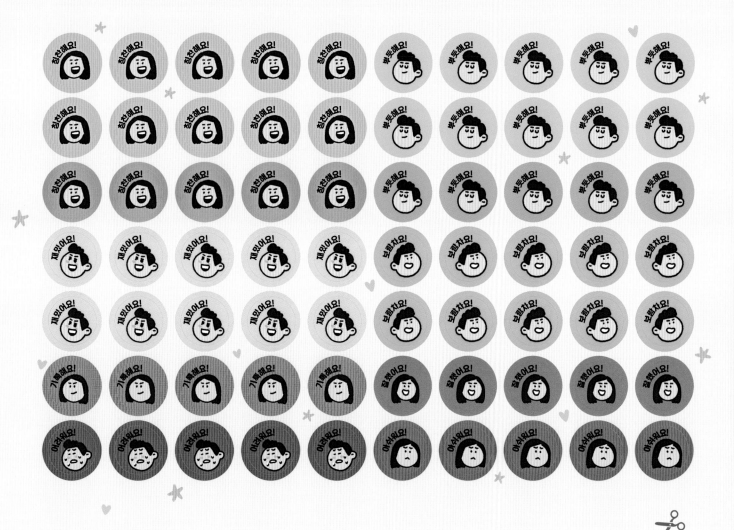

어휘력 자신감

4 단계

주간 테스트 + 정답과 해설

지학사

어휘력 자신감

초등 국어

4 단계

주간
테스트

1 빈칸에 공통으로 들어갈 알맞은 낱말을 쓰세요.

- ☐☐이 깎이다.
- ☐☐을 차리다.
- 후배들 앞에서 겨우 ☐☐을 세웠다.

2 다음 문장에서 밑줄 친 표현이 어울리지 <u>않는</u> 것은 무엇인가요? ································· (   )

① 그가 실수할까 봐 걱정했던 것은 <u>기우</u>에 불과했다.

② 낫 놓고 기역 자도 모른다더니 정말 이것도 모르니?

③ 그는 기막힌 상황에 <u>말문을 열고</u> 나를 아무 말 없이 쳐다보았다.

④ 아버지께서 편찮으시다는 말을 들은 기영이는 갑자기 <u>하늘이 노래지는</u> 것 같았다.

3 다음 속담과 비슷한 뜻을 가진 한자 성어가 <u>아닌</u> 것에 ×표를 해 보세요.

낫 놓고 기역 자도 모른다		
목불식정 (目不識丁)	우이독경 (牛耳讀經)	문일지십 (聞一知十)
아주 간단한 글자인 '丁' 자를 보고도 그것이 '고무래'인 줄을 알지 못한다는 뜻으로, 아주 까막눈임을 이르는 말.	쇠 귀에 경 읽기라는 뜻으로, 아무리 가르치고 일러 주어도 알아듣지 못함을 이르는 말.	하나를 들으면 열 가지를 미루어 안다는 뜻으로, 지극히 총명하다는 말.
(1) ( )	(2) ( )	(3) ( )

4 다음 글을 읽고, 빈칸에 들어갈 알맞은 말을 ⟨보기⟩에서 찾아 차례대로 쓰세요.

> **보기**　　　　　지층　　　화석　　　퇴적물

> ☐☐은 자갈, 모래, 진흙 등이 쌓여 층을 이루고 있는 것이다. ☐☐은 옛날에 살았던 생물의 몸체나 흔적이 암석이나 이러한 지층 속에 남아 있는 것을 말한다. 화석이 만들어지는 과정은 다음과 같다. 우선 죽은 생물이 호수나 바다의 바닥으로 옮겨지면 그 몸체 위에 자갈이나 모래 등의 ☐☐☐이 두껍게 쌓인다. 그러다 보면 지층이 만들어지고 그 속의 생물이 변해서 화석이 된다.

5 빈칸에 공통으로 들어갈 알맞은 말은 무엇인가요? ·· (　　　)

> • 이 산성은 전쟁 때 불에 타서 ☐☐의 모습은 후대에 다시 고쳐서 지은 것이다.
>
> • ☐☐ 양팀의 점수는 동점으로, 막상막하의 실력을 보여 주고 있어 결과를 예측하기 힘들다.

① 현실　　　　　② 현재　　　　　③ 현대　　　　　④ 현상

6 밑줄 친 표현이 바르지 <u>않은</u> 것은 무엇인가요? ·· (　　　)

① 이번에는 약속을 꼭 지킬 <u>거에요</u>.
② 빗소리를 들으며 <u>가만히</u> 창밖을 바라봤다.
③ 밤새 눈이 너무 많이 <u>쌓여</u> 차들이 꼼짝할 수 없었다.
④ 시간이 없어서 하고 싶었던 말을 다 하지 <u>못한 채</u> 발표를 끝냈다.

1 빈칸에 공통으로 들어갈 알맞은 낱말은 무엇인가요?⋯⋯⋯⋯⋯⋯⋯⋯⋯⋯⋯⋯ (　　　)

> • 새로운 제품을 만들어 내기 위해 밤낮없이 □□□ 에 매달렸다.
>
> • 화석을 발굴하고 □□□ 하는 과학자가 되고 싶다.

① 연기　　　　　② 연구　　　　　③ 관심　　　　　④ 해결

2 밑줄 친 낱말과 비슷한 뜻을 가진 낱말을 <u>두 가지</u> 고르세요. ⋯⋯⋯⋯⋯⋯⋯ (　　　)

> **보기**　　　　그는 중고 가구를 <u>헐값</u>에 사들였다.

① 고가　　　　　② 저가　　　　　③ 금값　　　　　④ 싼값

3 빈칸에 들어갈 속담으로 알맞은 것은 무엇인가요?⋯⋯⋯⋯⋯⋯⋯⋯⋯⋯⋯⋯ (　　　)

> 　새해의 첫날, 운동을 하기로 결심한 나는 처음 3일 동안 정말 열심히 운동을 했다. 그러나 4일째부터 귀찮은 마음이 생겨 하루를 운동하면 이틀을 쉬었다. 옆집 상수는 나와 달리 두 달을 하루도 빼먹지 않고 하루에 1시간씩 꾸준히 노력하며 운동하더니 개학 날 몰라보게 건강하고 날씬한 모습으로 나타나 아이들의 부러움을 샀다. "□□□□□□□□□□□□□"라는 말처럼, 작은 힘이라도 꾸준히 노력하면 큰일을 이룰 수 있다는 것을 깨달았다.

① 낙숫물이 댓돌을 뚫는다.

② 낫 놓고 기역 자도 모른다.

③ 돌다리도 두들겨 보고 건너라.

④ 낮말은 새가 듣고 밤말은 쥐가 듣는다.

4 밑줄 친 부분의 표현이 바르지 <u>않은</u> 것은 무엇인가요? ·································· (   )

① 오랫동안 앓던 병이 <u>나았다</u>.

② 조금 있으면 그가 식당으로 <u>올 거예요</u>.

③ 유리창을 깬 일을 <u>사실대로</u> 말씀드렸다.

④ 동해의 <u>바다속</u>에는 다양한 물고기들이 산다.

5 '근심'과 비슷한 뜻을 가진 낱말은 무엇인가요? ·································· (   )

① 근거   ② 결심   ③ 걱정   ④ 작심

6 빈칸에 공통으로 들어갈 알맞은 말을 쓰세요.

> • 오늘 ☐☐ 에 신기한 사건에 대한 기사가 실렸다.
>
> • 순 한글로 된 우리나라 최초의 ☐☐ 은 『독립신문』이다.

7 밑줄 친 부분의 띄어쓰기가 바르지 <u>않은</u> 것은 무엇인가요? ·································· (   )

① <u>노는 것은</u> 언제나 즐겁다.

② 그렇게 <u>말할 줄</u> 알고 있었다.

③ 음식을 너무 많이 담지 말고 <u>먹을 만큼만</u> 담아.

④ 비가 <u>올뿐만아니라</u> 바람도 심하게 불어서 밖에 나갈 수 없어.

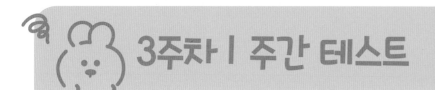

정답과 해설 39쪽

1 빈칸에 공통으로 들어갈 알맞은 낱말을 쓰세요.

> • 밑져야 ⬚⬚이니 한번 해 보자.
>
> • 괜히 나섰다가 ⬚⬚도 못 찾았다.
>
> • 장사가 잘되어 한 달 만에 ⬚⬚을 뽑았다.

2 다음은 우리 몸의 일부와 관련된 관용어입니다. 주어진 뜻을 참고하여 빈칸에 들어갈 말을 보기 에서 찾아 쓰세요.

> 보기 　　　　　눈　　코　　입　　손　　발

(1) ⬚을 모으다: 여러 사람이 같은 의견을 말하다.

(2) ⬚을 똑바로 뜨다: 정신을 차리고 주의를 기울이다.

(3) ⬚을 떼다: 하던 일을 그만두다.

(4) ⬚ 디딜 틈이 없다: 복잡하고 혼잡스럽다.

(5) ⬚가 높다: 잘난 체하고 뽐내는 기세가 있다.

3 밑줄 친 부분의 표현이 바르지 <u>않은</u> 것은 무엇인가요? ⋯⋯⋯⋯⋯⋯⋯⋯⋯ (　　　)

① 너와 나는 성격이 <u>틀리다</u>.

② 그는 훌륭한 작가<u>요</u> 정치가이다.

③ 이 연필보다 저 연필이 더 <u>낫다</u>.

④ 춤을 추<u>든</u> 노래를 부르<u>든</u> 다 좋아.

4 '우공이산'이라는 한자 성어와 뜻이 통하지 <u>않는</u> 것은 무엇인가요? ·············· (   )

① 우물을 파도 한 우물을 파라	② 무쇠도 갈면 바늘 된다	③ 힘센 놈의 집에 져다 놓은 것 없다
어떤 일이든 한 가지 일을 끝까지 하여야 성공할 수 있다는 뜻.	꾸준히 노력하면 어떤 어려운 일이라도 이룰 수 있다는 말.	힘이 세다는 것을 믿고 게으름을 부린다는 말.

5 밑줄 친 부분의 띄어쓰기가 바르지 <u>않은</u> 것은 무엇인가요? ················· (   )

> 다리가 불편한 진수를 위해 친구들은 ① <u>한 해 동안</u> 기꺼이 진수의 손과 발이 되어 주었다. 열한 번째 생일날, 진수는 생일을 축하해 주러 온 친구들에게 ② <u>둘러싸였다.</u> 진수 아버지께서는 진수의 친구들을 ③ <u>모아 놓고</u> 이렇게 말씀하셨다.
> "너희들이 있어서 진수가 참 행복하게 학교를 다닐 수 있었다. 고맙다."
> 그날, 진수와 친구들은 앞으로 어떤 장애물들이 인생에서 ④ <u>가로 막을지</u> 모르지만 자신도 어려운 상황에 처한 사람을 보면 꼭 도와주겠다고 마음먹었다.

6 ㉠과 ㉡에 들어갈 알맞은 낱말을 보기 에서 찾아 써 보세요.

보기	기체 액체 고체

물	수증기
• ㉠ 상태로 존재한다. • 담는 그릇에 따라 모양이 변하지만 부피는 일정하다. • 흐르는 성질이 있다.	• ㉡ 상태로 존재한다. • 모양과 부피가 일정하지 않다. • 색깔이 없어 눈에 보이지 않지만, 무게가 가벼워서 공기 중에 섞여 있다.

㉠: (   )   ㉡: (   )

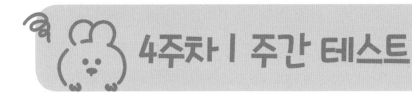
1 빈칸에 들어갈 알맞은 낱말을 쓰세요.

> • 김 선생님께서 박 선생님보다 먼저 이 학교에 ☐☐하셨다.
>
> • 우리 고을에 ☐☐한 원님은 백성들을 잘 다스렸다.

2 다음 중 밑줄 친 표현이 어울리지 <u>않는</u> 것은 무엇인가요? ·················· ( )

① 엄마: 이번 농촌 체험은 누구나 원하는 좋은 기회인데 정말 안 갈 거야?

　　은지: 네, 저한테 농촌 생활은 잘 안 맞아서요.

　　엄마: 할 수 없지. <u>평안 감사도 저 싫으면 그만</u>이라는데.

② 내 동생이 <u>하늘 높은 줄 모르고</u> 잘난 척하더니 미움을 샀다.

③ 그 배우는 감독의 <u>삼고초려</u>로 이번 영화에 출연하기로 결정하였다.

④ 아버지는 복권에 당첨되었다는 말에 그럴 줄 알았다는 듯이 <u>눈이 번쩍 뜨였다.</u>

3 밑줄 친 낱말이 　보기　와 같은 뜻으로 쓰인 것은 무엇인가요? ·················· ( )

> **보기**　　특권을 누릴 수 있는 평안 감사 <u>자리</u>를 원하는 사람이 많았다.

① 서점이 없어진 <u>자리</u>에 편의점이 생겼다.

② 월요일 아침에 지하철에는 앉을 <u>자리</u>가 없다.

③ 누가 그 회사의 대표 <u>자리</u>에 앉게 될지 궁금했다.

④ 학교에서 절약을 주제로 토론의 <u>자리</u>를 마련했다.

4 빈칸에 공통으로 들어갈 낱말로 알맞은 것은 무엇인가요? ·· (　 　)

> • ☐☐이 노랗다: 큰 충격을 받아 정신이 아찔하다.
>
> • ☐☐을 찌르다: 기세가 몹시 세차다.
>
> • ☐☐처럼 믿다: 무엇에 크게 기대를 걸어 전적으로 의지하다.
>
> • ☐☐ 높은 줄 모르다: 자기의 분수를 모르다.

① 하늘 　　　　 ② 태산 　　　　 ③ 구름 　　　　 ④ 강물

5 '우리 지역의 역사적 인물 전봉준'이라는 제목의 글을 쓰려고 합니다. 빈칸에 들어갈 알맞은 낱말을 보기 에서 찾아 쓰세요.

> 보기 　　　　　　　　　　　 관리 　 정신

> 　전봉준은 동학의 지도자로서 부패한 ☐☐☐☐를 벌주고 조선을 침략하려는 외국 세력에 맞서 싸웠다. 외국 세력과의 싸움에 패배하여 그가 꿈꾸던 세상을 이루지는 못했지만, 농민과 나라를 위했던 전봉준의 ☐☐☐☐은 오늘날까지 전해지고 있다.

6 밑줄 친 부분의 표현이 바르지 <u>않은</u> 것은 무엇인가요? ··· (　 　)

① 그는 고향에서 농촌 운동을 <u>벌이고</u> 있다.

② 아라크네는 <u>점점더</u> 자만에 빠지게 되었다.

③ 수민이는 <u>지혜로울 뿐</u> 아니라 무척 용맹했다.

④ 유비는 제갈량을 지략가로 데려오기 위해 <u>세 번</u>을 찾아갔다.

1 "소 뒷걸음질 치다 쥐 잡기"의 뜻으로 알맞은 것은 무엇인가요? ·········· (   )

① 뜻밖에 좋은 결과를 얻다.

② 사람의 욕심은 끝이 없다.

③ 한 가지 일로 두 가지 이익을 본다.

④ 강한 자들의 싸움에 약한 자가 공연히 해를 입는다.

2 밑줄 친 표현의 사용이 알맞지 <u>않은</u> 것은 무엇인가요? ·············· (   )

① 그 일은 역사에 한 획을 <u>그은</u> 큰 사건이었다.

② 이 차를 사려고 얼마나 <u>허리띠를 졸라매었는지</u> 몰라.

③ 이번 신상품은 반응이 너무 좋아 <u>가물에 콩 나듯</u> 팔려 나간다.

④ 콜럼버스가 인도를 향해 가다가 아메리카 대륙을 발견한 것은 <u>소 뒷걸음질 치다 쥐를 잡은 격</u>이라 할 수 있다.

3 문장의 내용에 잘 어울리는 낱말을 고르세요.

(1) 민지는 풀숲에 홀로 핀 제비꽃을 (발견 / 발명)하였다.

(2) 장영실은 그림자를 이용하여 시간을 알 수 있는 해시계를 (발견 / 발명)하였다.

4 밑줄 친 낱말을 사용하여 만든 문장으로 알맞지 <u>않은</u> 것은 무엇인가요? ·············· (   )

① 그 약의 효과를 과학적으로 <u>증명</u>해 주세요.

② <u>비옥한</u> 토양에서는 어떤 식물도 자라기가 어렵다.

③ 수지는 부탁하기가 미안해서 <u>선뜻</u> 말을 꺼내지 못했다.

④ 하루 종일 무리하게 운동을 했더니 <u>이튿날</u> 팔다리가 쑤셨다.

5 빈칸에 들어갈 말로 알맞지 <u>않은</u> 것은 무엇인가요? ························ (   )

> 그들은 수많은 사람들의 재물을 힘으로 (   ) 갔다.

① 가로채   ② 빼앗아   ③ 수탈해   ④ 축적해

6 빈칸에 들어갈 알맞은 말을 보기 에서 찾아 쓰세요.

> 보기   화산   용암   분출

> ☐☐은 땅속의 마그마가 지표면으로 분출하여 생긴 지형이다. 화산 활동으로 인해
>
> ☐☐된 물질에는 화산 가스와 ☐☐, 화산재 등이 있다.

7 빈칸에 공통으로 들어갈 알맞은 말을 쓰세요.

> • 층간 소음 문제는 요즈음 심각한 ☐☐ 문제로 떠오르고 있다.
>
> • 정보화 ☐☐는 긍정적 측면과 부정적 측면이 있다.

8 밑줄 친 부분의 띄어쓰기가 알맞지 <u>않은</u> 것은 무엇인가요? ···················· (   )

① <u>숙제하는 데</u> 얼마나 걸릴 것 같아?

② <u>두번째로</u> 들른 가게에 예쁜 꽃이 많았어.

③ 이 꽃은 가격이 얼마인지 <u>한번</u> 물어나 보자.

④ 저 빨간 카네이션은 한 다발에 <u>만 원</u>입니다.

1 다음 문장에서 밑줄 친 표현이 어울리지 <u>않는</u> 것은 무엇인가요?·············(   )

① 숨겨 둔 과자를 <u>쥐도 새도 모르게</u> 먹어 치웠다.

② 지난주에는 <u>눈코 뜰 사이 없이</u> 바빠서 놀 시간이 없었다.

③ 희수는 마치 자기 일인 것처럼 <u>발을 빼고</u> 모금 활동을 했다.

④ 진수의 바둑 실력이 <u>괄목상대</u>하여 이제는 이길 수가 없게 되었다.

2 빈칸에 공통으로 들어갈 수 있는 낱말은 무엇인가요?·············(   )

• 그는 자꾸 거짓말을 해서 친구들에게 ☐☐를 잃었다.

• 이 가게에서 파는 물건은 ☐☐할 수 있다.

① 의지   ② 신뢰   ③ 마음   ④ 배려

3 다음 글을 읽고, 빈칸에 들어갈 알맞은 말을 **보기** 에서 찾아 쓰세요.

보기   유익   능력   당황   당부

"불이야! 불이야!"

"지금은 훈련 상황입니다. (1) ☐☐ 하지 마시고 신속히 대피해 주시기 바랍니다."

화재가 발생하였을 때, 어린이들은 빠르고 안전하게 대피하고 소방관은 신속하게 불을 끌 수 있도록 소방 안전 훈련을 실시했다.

소방 안전 훈련 담당자는 "어린이들은 갑작스러운 사고에 대응할 수 있도록 훈련을 자주 실시해야 합니다. 그리고 소방관은 화재로부터 인명과 재산을 보호할 수 있는 (2) ☐☐을 키워야 합니다."라며 훈련에 최선을 다해 줄 것을 (3) ☐☐했다. 소방 안전 훈련에 참여한 어린이는 불이 났을 때 안전하게 대피하는 방법을 알 수 있어서 (4) ☐☐했다고 말했다.

4 밑줄 친 부분과 바꾸어 쓸 수 있는 낱말은 무엇인가요? ……………………………… (   )

> 동생에게 물건을 잘 챙기라고 <u>충고</u>하였다.

① 충성　　　　　② 걱정　　　　　③ 조언　　　　　④ 조정

5 '지도에서 실제 거리를 줄인 정도.'를 뜻하는 낱말을 고르세요. ……………………… (   )

① 방위　　　　　② 기호　　　　　③ 축척　　　　　④ 등고선

6 빈칸에 공통으로 들어갈 알맞은 낱말을 써 보세요.

> • 그 책은 문제를 어려운 것과 쉬운 것으로 ☐☐하여 제시하고 있다.
>
> • 책을 읽은 책과 안 읽은 책으로 ☐☐했다.

7 밑줄 친 표현이 바르지 <u>않은</u> 것을 고르세요. ……………………………………… (   )

① 길거리에 쓰레기를 함부로 버리면 <u>안 되</u>.

② 노래를 열심히 연습했지만 <u>왠지</u> 자신이 없다.

③ <u>며칠</u> 전에 길에서 친구와 닮은 사람을 만났다.

④ 내 마음을 <u>솔직히</u> 말하고 나니 속이 후련했다.

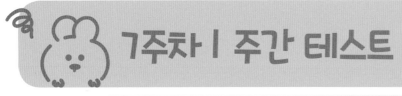

1 빈칸에 공통으로 들어갈 알맞은 말은 무엇인가요?·······························(   )

> (1) 나는 건후의 비밀을 ☐☐히 알게 되었다.
>
> (2) 우리 오빠가 시험에 합격한 것은 ☐☐한 일이 아니다.

① 순수   ② 우연   ③ 수월   ④ 생생

2 다음 중 '짐작하다'와 바꾸어 쓸 때 <u>어색한</u> 것은 무엇인가요?···················(   )

① 인물의 처지와 마음을 <u>헤아리며</u> 이야기를 읽어 보아요.

② 여름 방학이 며칠 남았는지 손가락으로 <u>헤아려</u> 보았다.

③ 진우는 선생님의 뜻을 제대로 <u>헤아리지</u> 못하여 답답했다.

④ <u>헤아릴</u> 수 없는 깊은 슬픔이 그의 얼굴 표정에 나타나 있었다.

3 빈칸에 들어갈 알맞은 말을 쓰세요.

> 최근 전통 시장은 시장을 찾는 손님이 줄면서 많은 어려움을 겪고 있다. 지방 자치 단체는
>
> 전통 시장을 살리기 위해 ☐☐를 걷고 나서기로 했다.

4 빈칸에 공통으로 들어갈 알맞은 말을 쓰세요.

> • (   )도 제 말 하면 온다.
>
> • (   )에게 물려 가도 정신만 차리면 산다.
>
> • (   )는 죽어서 가죽을 남기고 사람은 죽어서 이름을 남긴다.

(   )

5 '어부지리'라는 한자 성어가 가장 잘 어울리는 상황은 무엇인가요? ·················· (　　)

① 작은 나라끼리의 싸움에 큰 나라가 끼어들어 싸움이 더 커졌을 때

② 버스 한 자리를 두고 둘이 다투는 사이에 다른 사람이 그 자리에 앉았을 때

③ 마지막 치킨 한 조각을 서로 먹겠다고 동생과 다투다가 부모님께 혼났을 때

④ 힘센 사람들끼리 싸우는 바람에 옆에 있던 약한 사람이 피해를 입게 되었을 때

6 밑줄 친 부분의 표현이 바르지 <u>않은</u> 것을 두 가지 골라 보세요. ················(　　)

① 도서관은 <u>종잇장</u> 넘기는 소리만 들렸다.

② 그 배는 짐을 가득 <u>실코</u> 항구를 떠났다.

③ 그 선수는 매 시합에서 <u>번번이</u> 이기며 실력을 과시했다.

④ 이번에 새로 나온 그 가수의 신곡이 연일 화제가 <u>돼고</u> 있다.

7 빈칸에 들어갈 알맞은 낱말을 순서대로 나열한 것은 무엇인가요? ··············(　　)

> 메스트랄은 도꼬마리 열매를 자세히 [　][　]하여 열매의 끝이 갈고리처럼 휘어져 있다는 [　][　]을 알게 되었다. 그 후 이 식물의 [　][　]을 실생활에 어떻게 [　][　]할 수 있을지 연구하기 시작했다.

① 활용 – 특징 – 관찰 – 사실 　　　② 활용 – 사실 – 관찰 – 특징

③ 관찰 – 사실 – 특징 – 활용 　　　④ 관찰 – 사실 – 활용 – 특징

8 다음을 참고할 때, 밑줄 친 '강약(強弱)'과 짜임이 같은 한자어는 무엇인가요?··(　　)

> '강약(強弱)'은 '강하고 약함.'이라는 뜻으로, 뜻이 서로 반대되는 한자끼리 어울려 만들어진 한자어입니다.

① 일출(日出): 해가 뜸. 　　　② 교우(交友): 벗을 사귐.

③ 대소(大小): 크고 작음. 　　　④ 정직(正直): 바르고 곧음.

1 빈칸에 공통으로 들어갈 알맞은 말은 무엇인가요?·····················( )

- 광화문에서 발굴된 ☐☐을 시민들에게 공개하기로 하였다.

- 할머니의 ☐☐을 잘 보관하고 있다.

① 유품   ② 유물   ③ 유작   ④ 유적

2 빈칸에 공통으로 들어갈 알맞은 말은 무엇인가요?·····················( )

- 산지에서 신선한 채소를 가져오는 ☐☐ 다 팔려 나갔다.

- 그는 원서를 넣는 ☐☐ 다 합격하였다.

① 족족   ② 쏙쏙   ③ 죽죽   ④ 쑥쑥

3 다음 문장에서 밑줄 친 표현이 어울리지 <u>않는</u> 것은 무엇인가요?·····················( )

① <u>눈 깜짝할 사이</u>에 시간이 후다닥 지나가 버렸다.

② <u>가재는 게 편</u>이라더니, 지아와 노아는 만나기만 하면 싸운다.

③ 날이 몹시 춥고 눈까지 내리는데 산길을 넘어가야 해서 <u>눈앞이 캄캄했다</u>.

④ 할머니께서는 <u>맹모삼천</u> 이야기처럼 아버지의 교육을 위해 시골에서 도시로 이사하셨다.

4 다음 중 알맞은 말에 ○표를 해 보세요.

(1) 형과 나, 우리 두 (형제, 자매, 남매)는 서로 사이가 좋다.

(2) 언니와 나는 항상 누가 빠른지 경쟁하는 (형제, 자매, 남매)이다.

(3) 옆집 아주머니는 아들과 딸이 있는데, (형제, 자매, 남매)가 공부를 잘해서 늘 자랑하신다.

5 빈칸에 들어갈 알맞은 말을 보기 에서 찾아 써 보세요.

> 보기   유형   무형   기술

> 2016년에 유네스코 인류 (1) ☐☐ 문화유산으로 등재된 해녀 문화가 사라질 위기에
>
> 처해 있다. 어업 (2) ☐☐ 의 발달과 생활방식의 변화도 원인이지만 가장 주요한 원인은
>
> 기후 변화이다. 최근 바닷물 온도가 올라가면서 해녀들이 캐던 수산물이 사라지고 있기 때문
>
> 이다.

6 빈칸에 공통으로 들어갈 알맞은 말은 무엇인가요? ·········· (   )

> • 물감, 붓 등 내일 학교에 가져갈 ☐☐ 준비물을 가방에 넣었다.
>
> • 나는 ☐☐ 에는 소질이 없어서 그리기와 만들기를 좋아하지 않는다.

① 예술(藝術)   ② 미술(美術)   ③ 기술(技術)   ④ 요술(妖術)

7 밑줄 친 부분의 표현이 바르지 않은 것은 무엇인가요? ·········· (   )

① 요즘 어떻게 지내시나요?

② 푹 쉬어야 병이 빨리 낳는다.

③ 그는 중요한 결정을 하기 전에 곰곰이 따져 보았다.

④ 시험장에 가 보니 스무 명의 응시자가 앉아 있었다.

어휘력
자신감

초등 국어

4
단계

정답과
해설

Day 01 본문 8쪽

1 (1) ○ (2) × (3) ×

2 비좁은, 초라한, 내쫓으려는

3 없음

독해력을 키우는 어휘와 어법

4 (1) ② (2) ① (3) 체면 (4) 지체

5 (1) 콧대 (2) 알은체

6 (3) ○

7 상우

8 (1) 바라고 (2) 바래고

9 (1) 콧대 (2) 하룻밤 (3) 나뭇잎

1 (1) 선비들이 자신을 어떻게 생각하든지 노인은 신경 쓰지 않고 한쪽 구석에 앉아 잠을 청했습니다. (2) 노인은 시를 지을 줄 몰라서 그림을 그리겠다고 하였습니다. (3) 주막에 사람들이 많아서 선비들은 서로 모르는 사이였지만 같은 방을 쓰게 되었습니다.

2 노인의 더러운 옷과 낡은 갓을 보고 거지나 다름없다고 생각해서 노인에게 알은체도 하지 않은 선비들은 '비좁은' 방에서 '초라한' 행색의 노인과 함께 있기가 싫었습니다. 그래서 선비들은 노인이 낫 놓고 기역 자도 모를 사람, 즉 글도 모르는 사람일 것이라고 생각하여 시를 못 지으면 '내쫓으려는' 의도로 시 짓기를 하자고 한 것입니다.

3 "낫 놓고 기역 자도 모른다."는 '낫을 보고도 기역 자를 모를 만큼 배우지 않은 데다 보고 듣지 못하여 아는 것이 너무 없음.'을 빗대어 이르는 말입니다.

독해력을 키우는 어휘와 어법

5 (1) 이번 시험을 잘 봐서 그 아이의 거만한 태도를 꺾고 싶다는 의미이므로 '콧대'가 들어가기에 알맞습니다. (2) 화가 나서 아는 척도 안했다는 의미이므로 '알은체'가 들어가기에 알맞습니다.

6 보기 와 (3)의 '꾸미다'는 '어떤 일을 짜고 만들다.'의 뜻으로 사용되었습니다. (1)은 '모양이 나게 얼굴이나 머리 등을 매만지거나 손질하다.'라는 뜻입니다. (2)는 '거짓이나 없는 것을 사실인 것처럼 지어내다.'라는 뜻입니다.

7 벽에 자기 이름이 붙어 있는데도 동생이 이를 자기 이름인 줄도 모르는 상황이므로, "낫 놓고 기역 자도 모른다."라는 속담을 사용할 수 있습니다.

9 (1) '콧대'는 '코'와 '대'가 합쳐진 말로, 'ㅅ'이 덧붙어 '콧대'로 씁니다. (2) '하룻밤'은 '하루'와 '밤'이 더해진 말로 'ㅅ'이 덧붙어 '하룻밤'이라고 씁니다. (3) '나뭇잎'은 '나무'와 '잎'이 합쳐진 말로 'ㅅ'이 덧붙어 '나뭇잎'으로 씁니다.

Day 02 본문 12쪽

1 (3) ○   2 큰 위험, 겉모습   3 (1) ○

독해력을 키우는 어휘와 어법

4 (1) ③ (2) ② (3) ①

(4) 아득히, 온데간데없이 (5) 너나없이

5 넋   6 ④   7 (1) ① (2) ①

8 (1) 않았다 (2) 못한 채 (3) 온데간데없다

9 (1) 넋 (2) 점잖게 (3) 가빠져서

1 선비들은 노인의 말을 듣지 않고 맛있게 보이는 복숭아를 먹었습니다.

2 노인은 자신의 외모만을 보고 글도 모를 것이라고 생각하여 예의 없게 행동한 선비들에게, 겉보기에 좋은 복숭아를 먹으면 젊어지지만 큰 위험이 닥칠 것이라고 말합니다. 그리고 노인의 말을 잊고 겉보기에 좋은 복숭아를 선택한 선비들에게 벌을 줍니다. 노인은 이를 통해 선비들에게 겉으로 보이는 모습이 중요한 것이 아니며 사람도 겉모습으로 판단해서는 안 된다는 것을 가르쳐 주고자 한 것이라 볼 수 있습니다.

3 중학생 오빠가 읽고 있는 책이 너무 어려워 정신이 아찔한 상황이나 친한 친구의 갑작스러운 전학 소식에 너무 놀라서 아찔한 상황에 쓰인 '하늘이 노래지다'는 '충격을 받아 정신이 아찔하다.'라는 뜻입니다.

독해력을 키우는 어휘와 어법

5 '넋을 놓다'는 '제정신을 잃고 멍한 상태가 되다.'라는 말이고, '넋을 잃다'는 '제정신을 잃고 멍한 상태가 되거나 정신을 잃다.'라는 말입니다.

6 배를 세는 단위는 '척'입니다. ① '말'은 곡식이나 가루, 액체 등의 부피를 재는 단위입니다. ② '접'은 채소나 과일 따위를 묶어 세는 단위입니다. 한 접은 채소나 과일 백 개를 이릅니다. ③ '줌'은 주먹으로 쥘 만큼이 되는 분량을 나타내는 말입니다.

7 (1) '볼품없다'는 '겉으로 드러난 모습이 초라하다.'라는 뜻입니다. 비슷한 말에는 '보잘것없다', '초라하다' 등이 있습니다. (2) '하늘이 노래지다'는 '갑자기 기력이 다하거나 충격을 받아 정신이 아찔하다.'라는 뜻입니다. '정신이 아찔하다'는 놀라거나 해서 정신이 흐려지고 어지럽다는 뜻으로 '하늘이 노래지다'와 의미가 비슷하여 바꾸어 쓸 수 있습니다.

8 (1) '않다'는 앞의 말이 뜻하는 행동을 부정하는 말로 '-지 않다'라고 씁니다. (2) '채'는 '이미 있는 상태 그대로 있다는 뜻을 나타내는 말.'이고, '체'는 '그럴듯하게 꾸미는 거짓 태도나 모양.'을 말합니다. 숙제를 마치지 못한 상태로 잠이 들었다는 뜻이므로 '못한 채'라고 쓰는 것이 알맞습니다. (3) '감쪽같이 사라져서 찾을 수가 없다.'를 나타내는 말은 '온데간데없다'라고 쓰는 것이 알맞습니다.

1 ④

2 무너지면, 꺼지면

3 하늘, 땅, 걱정, 쓸데없는

독해력을 키우는 어휘와 어법

4 (1) ③ (2) ③

5 ②

6 (1) 끊임없이 (2) 미더워

7 세빈

8 (1) 오느른 (2) 거슬 (3) 뜨스로

9 (1) 환하게 (2) 환한

---

1 걱정이 너무 많은 기나라 사람은 산에 나무를 하러 갔다가 나무에 깔릴까 봐 걱정되어서 빈손으로 돌아왔습니다.

2 기나라 사람은 하늘이 무너지면 어쩌나, 땅이 꺼지면 어쩌나 하고 걱정했습니다. 이에 대해 친구는 하늘은 공기로 이루어져 있어 무너지지 않으며, 땅은 흙이 단단히 덮고 있어서 아무리 밟고 뛰어도 꺼지지 않는다고 말해 주었습니다.

3 '기우'는 '기나라 사람의 걱정.'이라는 뜻으로, '앞일에 대한 쓸데없는 걱정.'을 이르는 말입니다.

독해력을 키우는 어휘와 어법

5 주어진 문장은 윤아가 '근심이나 걱정이 가득한 어두운 얼굴에 나타나는 표정'이라고는 찾아보기 힘들 만큼 밝은 성격이라는 뜻입니다.

6 '끊임없이'는 '계속하거나 이어져 있던 것이 끊이지 않게.'라는 뜻이고, '미덥다'는 '믿음성이 있다.'라는 뜻입니다. '미덥다'는 '미더워', '미더우니' 등으로 모양이 바뀌는 낱말입니다.

7 '기우'는 '쓸데없는 걱정.'이라는 뜻입니다. (2)에서 세빈이는 자신이 운동을 잘 못해서 친구들이 자신을 원망하면 어쩌나 하는 쓸데없는 걱정을 하고 있으므로 (2)의 상황이 '기우'라는 한자 성어를 사용하기에 어울리는 상황이라고 할 수 있습니다.

8 앞말의 받침을 뒷말의 'ㅇ' 자리로 옮겨 발음합니다.

9 '환하다'는 '환하게', '환한', '환하고' 등으로 모양이 바뀌는 낱말입니다.

1 화석 2 (1) ○ (2) × (3) ×

3 호박, 얼음, 타르

4 배설물, 음식

독해력을 키우는 어휘와 어법

5 (1) ③ (2) ① (3) ②

6 ③ 7 ① 8 ④

9 (1) 거예요 (2) 파묻혀

10 (1) ② (2) ②

11 (1) 굳어진 (2) 갇혀

---

1 화석은 옛날에 살았던 생물의 몸체나 생물이 생활한 흔적이 지층이나 암석에 남아 있는 것으로, 공룡 뼈 화석, 삼엽충 화석, 고사리 화석 같은 것들이 있습니다.

2 (1) 생물의 몸체나 발자국과 같은 흔적 위로 퇴적물이 오랫동안 쌓이면서 화석이 만들어지기 때문에 화석은 주로 지층 속에서 발견됩니다. (2) 타르에서 발견된 화석은 동물뿐 아니라 식물도 있습니다. (3) 동물 화석은 대부분 살은 썩어 없어지고, 단단하고 잘 썩지 않는 뼈나 이빨, 발톱 등이 화석으로 발견됩니다. 그러나 시베리아 호수 속 얼음에 파묻혀 있던 매머드 화석은 살이 썩지 않은 채 발견되었습니다.

3 2문단은 호박 속 화석, 3문단은 얼음 속 화석, 4문단은 타르 속 화석에 대해 설명하고 있습니다.

독해력을 키우는 어휘와 어법

5 (1) 화석은 '옛날에 살았던 생물의 몸체와 생물이 생활한 흔적이 지층이나 암석에 남아 있는 것.'을 말합니다. (2) '퇴적암'은 '자갈, 모래, 진흙 등의 퇴적물이 굳어져 만들어진 암석.'을 말합니다. (3) '지층'은 '자갈, 모래, 진흙 등으로 이루어진 암석들이 층층이 쌓여 굳어진 것.'을 뜻합니다.

6 '보존되다'는 '잘 보호되고 보관되어 남겨지다.'라는 뜻입니다. ③은 무분별한 개발로 자연이 헐리거나 깨져 못 쓰게 되었다는 뜻이므로 '훼손되다'를 쓰는 게 알맞습니다.

7 '자꾸 척척 들러붙을 만큼 끈끈한 모양을 흉내내는 말.'은 '끈적끈적'입니다.

8 '동물'은 '생물'의 한 종류로 '생물'에 포함되는 낱말입니다. ①, ②, ③은 모두 이와 같은 관계이지만, '학생'이 '선생님'에 포함되는 낱말이 아니므로 ④는 나머지와 관계가 다릅니다.

10 (1) 앞말의 받침 'ㄴ'이 뒷말 첫소리의 'ㄹ'과 만나 [ㄹ]로 소리 나므로 '인류'는 [일류], '원료'는 [월료]로 발음하는 것이 알맞습니다.

11 (1) '굳어진'으로 써야 합니다. '굳다'는 '무른 물질이 단단하게 되다.'라는 뜻입니다. (2) '갇혀'로 써야 합니다. '갇히다'는 '일정한 장소에 넣어져 밖으로 나오지 못하게 되다.'라는 뜻입니다.

1 (1) ② (2) ③ (3) ①

2 (1) 현재 (2) 표현 (3) 현대 (4) 현실

3 현대

4 (1) 현실 (2) 비현실적 (3) 전통적 (4) 현대적

---

1 (1) '학교에 소속되어 공부하는 학생.'이라는 뜻의 '재학생'은 ②의 문장에 들어가기에 알맞습니다. (2) '예전부터 전해 내려오는 방식.'이라는 뜻의 '재래식'은 ③의 문장에 들어가기에 알맞습니다. (3) '현실에 실제로 있음. 또는 그런 대상.'이라는 뜻의 '존재'는 ①의 문장에 들어가기에 알맞습니다.

3 빈칸에 공통으로 들어갈 말은 '현대'입니다.
　• 현대인(나타날 現, 대신할 代, 사람 人): 현대에 살고 있는 사람.
　• 현대식(나타날 現, 대신할 代, 법 式): 현대에 알맞은 형식이나 방식.
　• 현대 사회(나타날 現, 대신할 代, 모일 社, 모일 會): 오늘날의 사회.

4 그림 속 친구들의 대화 내용에 알맞은 말을 보기 에서 찾아 써 봅니다.

---

1 ③

2 (3) ○

3 특허권, 생산, 노력, 헐값

4 작은, 큰일

독해력을 키우는 어휘와 어법

5 (1) ② (2) ① (3) 시초 (4) 생산

6 (1) 발견 (2) 발명

7 (1) 연구 (2) 감탄 (3) 관심 (4) 활용

8 한결

9 (1) ① 메고 ② 매고 (2) ① 때 ② 데

10 (1) 뛰어날 뿐만 (2) 여러 가지

---

1 휘트콤 저드슨은 아침마다 허리를 숙여서 군화의 끈을 매는 것이 너무 불편했습니다. 그래서 신발 끈을 대신할 수 있는 물건을 만들어야겠다고 생각했습니다.

2 (1) 지퍼를 생산하는 기계를 만든 것은 워커입니다. (2) 휘트콤 저드슨의 지퍼는 무겁고 고장도 자주 나서 사람들은 옷이나 신발 등에 쓰기에는 적절하지 않다고 생각했습니다. (3) 지퍼를 올리고 내릴 때 나는 '짚(zip)'이라는 소리를 본떠 신발 이름을 '지퍼'라고 한 것이 오늘날의 지퍼가 된 것이므로 '지퍼'라는 이름은 '짚'이라는 소리에서 온 것이라고 할 수 있습니다.

독해력을 키우는 어휘와 어법

6 '발명'은 지금까지 세상에 없었던 것을 새롭게 만들어 내는 것을 뜻하고, '발견'은 세상에는 있었지만 아직까지 찾아내지 못하거나 알려지지 않은 것을 찾아내는 것을 뜻합니다. '발명'과 '발견'은 만들거나 찾아낸 것이 지금까지 세상에 없었던 것이냐 세상에 있었던 것이냐에 차이가 있습니다.

8 "낙숫물이 댓돌을 뚫는다."라는 속담은 '작은 힘이라도 꾸준히 계속하면 큰일을 이룰 수 있다.'라는 뜻입니다. 이 말은 피아노 연습을 꾸준히 하여 최우수상을 받은 한결이의 상황과 어울린다고 할 수 있습니다.

9 (1)의 ①은 가방을 어깨에 걸치고 집으로 향했다는 뜻이므로 '메고'를 써야 합니다. (1)의 ②는 신발 끈을 풀어지지 않게 묶고 뛰기 시작했다는 뜻이므로 '매고'를 써야 합니다.
(2)의 ①은 의복을 시기와 장소에 맞게 입어야 한다는 뜻이므로 '알맞은 시기.'를 뜻하는 '때'를 써야 합니다. (2)의 ②는 갈매기 무리가 모여들었다는 뜻이므로, '사람이나 동물이 한데 많이 모여 있는 것.'을 뜻하는 '떼'를 써야 합니다.

10 (1) '-ㄹ 뿐만 아니라'는 앞의 말이 나타내는 내용에 더해 뒤의 말이 나타내는 내용까지 작용함을 나타내는 표현입니다. 그러므로 '뛰어날 뿐만 아니라'로 쓰는 것이 알맞습니다.
(2) '여러 가지'는 한 개의 낱말이 아니라 '여러'와 '가지'로 나눌 수 있으므로 띄어 씁니다.

1 (1) ◯ (2) ◯ (3) ×

2 벼슬, 목숨, 명복

3 (2) ◯

독해력을 키우는 **어휘와 어법**

4 (1) ③ (2) ① (3) ②

5 (1) ① (2) ①

6 (1) ◯

7 (1) 2 (2) 1 (3) 2

8 (1) 해치니 (2) 사실대로

9 (1) ② (2) ②

1 (1) ◯ (2) × (3) ◯

2 (1) 유언 (2) 경솔함 (3) 항복

3 (1) - ① - ④ (2) - ② - ㉮

독해력을 키우는 **어휘와 어법**

4 쓸개, 견디다

5 (1) 지다 (2) 세우다

6 (1) 유언 (2) 조언 (3) 행세

7 ③   **8** (1) × (2) × (3) ◯

9 (1) 참 (2) 참다 (3) 맛보 (4) 맛보다

---

1 (3) 김현은 여인이 말한 성의 북쪽 숲으로 가서 호랑이의 모습을 한 여인을 만났습니다.

2 호랑이 여인은 김현에게 내일 일어날 일을 미리 알려 주며 자신을 잡아서 벼슬을 얻으라고 말해 줍니다. 김현은 그럴 수 없다고 하였지만, 호랑이 여인은 하늘의 뜻이라며 김현에게 자신이 죽은 후 절을 지어 달라고 합니다. 다음 날, 호랑이 여인은 약속한 대로 장터에 가서 사람을 해치고, 김현의 칼을 뽑아 스스로 목숨을 끊었습니다. 김현은 호랑이 여인을 잡아 그 공으로 벼슬에 오른 뒤, 호원사라는 절을 짓고 여인의 명복을 빌었습니다.

3 '귀를 의심하다'는 '믿기 어려운 이야기를 들어 잘못 들은 것이 아닌가 생각하다.'라는 뜻입니다.

독해력을 키우는 **어휘와 어법**

5 (1) '보답하다'는 '남의 호의나 은혜를 갚다.'라는 뜻입니다. '보은하다'는 '은혜를 갚다.', '보완하다'는 '모자라거나 부족한 것을 보충하여 완전하게 하다.'라는 뜻입니다. 따라서 '보답하다'와 바꾸어 쓰기에 알맞은 것은 '보은하다'입니다. (2) '고하다'는 '어떤 사실을 알리거나 말하다.'라는 뜻입니다. 따라서 '알리다'가 '고하다'와 바꾸어 쓰기에 알맞습니다.

6 '귀를 의심하다'는 '믿기 어려운 이야기를 들어 잘못 들은 것이 아닌가 생각하다.'라는 뜻입니다. 너무 놀라서 잘못 들은 것이 아닌지 생각하는 상황은 (1)입니다.

7 (1) '손해를 입다.'에서 '입다'는 '(도움, 손해 따위와 같은 것을) 받거나 당하다.'의 뜻입니다. (2) '티셔츠를 입다'에서 '입다'는 '옷을 몸에 꿰거나 두르다.'의 뜻입니다. (3) '은혜를 입다.'에서 '입다'는 '(도움, 손해 따위와 같은 것을) 받거나 당하다.'의 뜻입니다.

8 (1) '사람의 마음이나 몸에 해를 입히다.'의 뜻을 가진 낱말은 '해치다'입니다. (2) '대로'는 앞의 말이 가리키는 바를 따르거나 그와 같이 함을 나타내는 말로, '사실대로'라고 써야 합니다.

9 (1), (2)는 모두 'ㄴ' 받침 뒤에 'ㄹ'이 오면 'ㄴ'이 [ㄹ]로 바뀌어 소리 나는 말로 각각 [날로], [할라산]으로 발음해야 합니다.

---

1 (1) 합려가 죽은 뒤로 그의 아들인 부차가 뒤를 이어 오나라의 왕이 되었습니다. (2) 부차는 아버지의 유언을 잊지 않으려고 딱딱한 장작더미 위에서 잠을 잤지만, 신하들까지 장작더미 위에서 잠을 자게 한 것은 아닙니다. (3) 구천은 오나라를 우습게 보고 싸웠다가 크게 패하고, 살아남기 위해서 부차에게 항복한 후 월나라로 돌아와 농사꾼 행세를 하였습니다.

2 합려의 유언에 따라 부차는 월나라에 복수하기 위해 열심히 준비했습니다. 이 사실을 알게 된 구천은 오나라를 먼저 공격하였지만 패배하였고, 섣불리 싸움을 시작한 자신의 경솔함을 후회하였습니다. 그리고 구천은 살아남기 위해 오나라 왕에게 항복하였습니다.

독해력을 키우는 **어휘와 어법**

4 장작더미 위에서 자면서 복수를 다짐했던 부차의 모습은 '와신(臥薪)', 짐승의 쓸개를 매달아 두고 이를 핥으며 복수를 다짐한 구천의 모습은 '상담(嘗膽)'에 해당합니다. '와신상담'은 '목표를 이루기 위해 온갖 어려움과 괴로움을 참고 견디다.'라는 뜻입니다.

5 '패배하다'는 '싸움이나 경쟁 등에서 지다.', '도모하다'는 '어떤 일을 이루기 위해 대책이나 방법을 세우고 힘쓰다.'라는 뜻입니다.

6 (1)은 어머니가 죽기 전에 남긴 말씀대로 동생들을 보살폈다는 뜻이므로 '유언', (2)는 도움이 되도록 말로 거들거나 깨우쳐 주는 부모님의 말씀을 귀담아들을 걸 그랬다는 뜻이므로 '조언', (3)은 양반 아닌 사람이 양반인 것처럼 꾸미어 행동했다는 뜻이므로 '행세'가 들어가야 알맞습니다.

7 '와신상담'이 마음먹은 일을 이루기 위해 온갖 어려움과 괴로움을 참고 견디며 노력하는 것과 관련되므로 (3)의 상황이 가장 알맞습니다. (1)은 '솔선수범', (2)는 '환골탈태' 등이 들어가기에 알맞습니다.

8 (1) 사람이나 사물의 이름을 나타내는 낱말 뒤에서는 붙여 써야 하므로 '바다만큼'이, 수를 나타내는 낱말 뒤에서 붙여 써야 하므로 '셋뿐'이 알맞습니다. (3) '-ㄴ/-ㄹ'로 끝나는 말 뒤에서는 띄어 써야 하므로 '볼 만큼'이 알맞습니다.

1 촌락

2 (1) - ④ - ㉣ (2) - ③ - ㉯ (3) - ② - ㉰ (4) - ① - ㉠

3 ④

4 ①, ③

독해력을 키우는 어휘와 어법

5 (1) ③ (2) ② (3) ①

6 (1) ① (2) ①

7 (1) 체험 (2) 공동체 (3) 여가

8 (1) ① 3 ② 2 ③ 1

　　(2) ① 1 ② 2

9 거리

1 자연환경을 주로 이용하여 살아가는 지역을 '촌락'이라고 합니다.

2 봄에는 전라남도 진도에서 신비의 바닷길 축제, 여름에는 충청남도 보령에서 머드 축제, 가을에는 충청북도 단양에서 온달 문화 축제, 겨울에는 강원도 태백에서 눈꽃 축제가 열린다고 하였습니다.

3 '신비의 바닷길 축제'에서는 바닷물이 빠지고 바닥이 드러나면서 생긴 길을 볼 수 있습니다.

4 도시 사람들이 특정 지역의 축제에 참여함으로써 다양한 문화 체험을 하며 여가를 즐길 수 있습니다. ②, ④는 지역 축제를 통해 촌락 사람들이 얻을 수 있는 것들입니다.

독해력을 키우는 어휘와 어법

6 (1) '체험하다'는 '자기가 몸소 겪다.'라는 뜻입니다. 이는 '자신이 실제로 해 보거나 겪어 보다.'라는 뜻의 '경험하다'로 바꾸어 쓸 수 있습니다.
　　(2) '구입하다'는 '물건 등을 사다.'라는 뜻으로, '사다'와 바꾸어 쓸 수 있습니다.

8 (1) ①의 '고운'은 '소금의 알갱이 크기가 잘다.'라는 뜻이므로 3, ②의 '고운'은 '목소리가 맑고 부드럽다.'라는 뜻이므로 2, ③의 '고운'은 '모양, 생김새가 아름답다.'라는 뜻이므로 1입니다.
　　(2) ①의 '일어나다'는 '누웠다가 앉거나 앉았다가 서다.'라는 뜻이므로 1, ②의 '일어나다'는 '어떤 일이 생기다.'라는 뜻이므로 2입니다.

9 '자랑거리, 걱정거리, 반찬거리'에서 '거리'는 '(일부 낱말 뒤에 붙거나 '-을' 뒤에 쓰여) 내용이 될 만한 대상이나 재료.'라는 뜻을 나타내는 말입니다.

1 (1) ② (2) ① (3) ③　　2 소문

3 견문　　　　　　　　　　4 (4) ×

5 해설 참조

1 '신입생', '경신', '신선하다'에 사용된 '신(新)'은 '새롭다'라는 뜻이 있습니다. '신입생(새로울 新, 들 入, 날 生)'은 '새로 입학한 학생'이라는 뜻이 있습니다. '경신(고칠 更, 새로울 新)'은 '이미 있던 것을 고쳐서 새롭게 함.'이라는 뜻이 있습니다. '신선(새로울 新, 고울 鮮)하다'는 '새롭고 산뜻하다.'라는 뜻이 있습니다.

2 '헛소문'의 '헛'은 (일부 낱말 앞에 붙어) '이유 없는', '보람 없는'의 뜻을 더해 주는 말로, '소문'과 합쳐져서 '근거 없이 떠도는 소문.'이라는 의미로 쓰입니다. '괴소문(기괴할 怪, 바 所, 들을 聞)'은 '기괴한 내용의 소문.'이라는 뜻입니다. '수소문(찾을 搜, 바 所, 들을 聞)'은 '원하는 것을 찾기 위해 떠도는 소문을 두루 따라다님.'이라는 뜻입니다. 따라서 빈칸에 공통으로 들어갈 말은 '소문'입니다.

3 '견문(볼 見, 들을 聞)'은 '보고 들은 경험이나 이를 통해 얻은 지식.'이라는 뜻입니다. '감상(느낄 感, 생각 想)'은 '마음속에서 일어나는 느낌이나 생각.'이라는 뜻입니다. 여행이나 견학을 하며 보거나 들어서 알게 된 지식은 '견문'입니다.

4 '문일지십', '군계일학', '백미'는 모두 '뛰어남'과 관계가 있는 한자 성어입니다. '장삼이사'는 '이름이나 신분이 특별하지 아니한, 평범한 사람을 이르는 말.'입니다.

5

Day 11 본문 52쪽

1 (1) × (2) ○ (3) ○

2 ②

3 본전, 손해

독해력을 키우는 어휘와 어법

4 (1) ② (2) ① (3) ③

5 (1) 포기 (2) 위로 (3) 연장

6 (1) ② (2) ① (3) ③

7 (1) 평등 (2) 단축

8 효윤

9 (1) ② (2) ①

1 (1) 장영희는 태어난 지 1년 만에 소아마비에 걸려 두 다리와 오른손을 쓰지 못하는 장애인이 되었습니다.

2 장영희는 초등학교 1학년 때 엿장수 아저씨를 만난 이후 세상이 살 만한 곳이고, 용서와 너그러움이 있는 곳이라고 믿기 시작했습니다.

3 "밑져야 본전."은 손해 볼 것이 없다면 한번 시도해 보라고 권할 때 쓰는 속담입니다.

독해력을 키우는 어휘와 어법

5 (1) 라이트 형제는 비행기를 만드는 일을 그만두지 않았다는 의미이므로 '포기'가 알맞습니다. (2) 경기에서 이긴 선수가 상대 선수에게 따뜻한 말을 건넴으로써 그의 슬픔을 달래 주었다는 의미이므로 '위로'가 알맞습니다. (3) 평균 수명이 길어져 노년층의 인구가 늘어났다는 의미이므로 '연장'이 알맞습니다.

7 (1) '차별'은 '둘 이상을 차등을 두어 구별함.'이라는 뜻으로, 이와 반대되는 낱말은 '권리, 의무, 자격 등이 차별 없이 고르고 똑같음.'을 뜻하는 '평등'입니다. (2) '연장'은 '길이나 시간, 거리 등을 본래보다 길게 늘림.'의 뜻으로 공연 기간을 연장한다는 것은 공연 기간을 '늘린다'는 뜻입니다. 이와 반대되는 뜻을 가진 낱말은 '시간, 거리 등을 줄임.'을 뜻하는 '단축'입니다. 주어진 문장에서는 불볕더위가 계속되어 수업 시간을 줄인다는 뜻이므로 '단축'이 알맞습니다.

8 효윤이는 독서 감상문 대회에 지원했다가 떨어져도 손해 볼 것 없다는 생각으로 원고를 낸 상황이므로 "밑져야 본전."이라는 속담을 사용하기에 알맞습니다. 성욱이는 달리기로 형을 이겨 보려다가 형에게 지고 놀림도 받는 상황이므로 '일한 결과가 좋기는커녕 오히려 나빠져서 안 한 것만 못하다.'라는 뜻의 '본전도 못 찾다'라는 관용어를 사용하는 것이 알맞습니다.

9 (1) 복잡한 곳에 놀러 가는 것보다 집에서 쉬는 것이 더 좋다는 의미이므로 ②를 써야 합니다. (2) 몸이 허약한 상태라 병이 없어져 본래대로 되지 않는다는 의미이므로 ①을 써야 합니다.

Day 12 본문 56쪽

1 (1) × (2) ○ (3) × **2** 박, 혁거세

3 ③ **4** (1) ○

독해력을 키우는 어휘와 어법

5 (1) ② (2) ③ (3) ①

6 (1) 예사롭지 (2) 경이로운 (3) 방자한

7 (1) ② (2) ① **8** (1) ○ **9** (1) ○

10 (1) 다르다 (2) 다르다 (3) 틀린

1 (1) 신라가 세워지기 이전에 북쪽에서 경주로 이주해 온 사람들이 여섯 마을을 이루고 살았습니다. (2) 임금을 정하여 받들기 위해 한자리에 모인 여섯 촌장은 나정에서 알을 발견하고 그 알의 껍질을 깨뜨렸습니다. 그러자 알에서 아기가 나왔습니다. (3) 알에서 나온 그 아기를 씻기자 새와 짐승이 함께 춤을 추었는데, 이때 촌장들이 춤을 추지는 않았습니다.

2 여섯 마을의 촌장은 아기가 나온 알이 둥근 박처럼 생겨서 아기의 성을 '박'씨로 삼고, 세상을 밝게 다스리는 사람이라는 의미를 담아 아기의 이름을 '혁거세'라고 지었습니다.

3 여섯 마을의 촌장은 회의를 하여 덕 있는 사람을 임금으로 삼고 여섯 마을을 하나로 합쳐 나라를 세우자고 결정했습니다.

4 남 몰래 선행을 해 온 가수에 대해 여러 사람이 '바르다'라는 같은 의견을 말하고 있으므로 '입을 모으다'가 '여러 사람이 같은 의견을 말하다.'라는 뜻임을 알 수 있습니다. (2)는 '입만 아프다'라는 관용어의 뜻입니다.

독해력을 키우는 어휘와 어법

5 '건국'은 '나라가 세워짐. 또는 나라를 세움.', '법도'는 '생활에서 지켜야 할 예법과 제도를 아울러 이르는 말.', '도읍'은 '한 나라의 중앙 정부가 있는 곳.'을 뜻합니다.

7 (1) '도읍'과 '수도'는 모두 '한 나라의 중앙 정부가 있는 곳.'을 뜻합니다. (2) '향기'는 '꽃, 향, 향수 따위에서 나는 좋은 냄새.'를 뜻하는 낱말이므로 '좋은 냄새.'와 바꾸어 쓸 수 있습니다.

8 (1)은 선화를 본 사람들이 모두 입을 모아 선화가 부지런하다는 같은 의견을 내고 있는 상황이므로 '입을 모으다'를 사용하기에 알맞습니다.

9 '세우다'는 여러 가지 뜻이 있습니다. 그중 보기 와 (1)의 '세우다'는 '나라나 기관 따위를 처음으로 생기게 하다.'라는 뜻입니다. (2)의 '세우다'는 '몸이나 몸의 일부를 곧게 펴게 하거나 일어서게 하다.', (3)의 '세우다'는 '어떤 물체를 땅 위에 수직의 상태로 있게 하다.'라는 뜻입니다.

10 '다르다'는 비교가 되는 두 대상이 서로 같지 아니할 때, '틀리다'는 셈이나 사실 따위가 그르게 되거나 어긋날 때 씁니다. (1), (2)에서는 비교가 되는 두 대상이 서로 같지 않은 경우이므로 '다르다'를 써야 하고, (3)에서는 일기 예보가 그릇되었음을 말하고 있으므로 '틀리다'를 써야 합니다.

1 (1)○ (2)× (3)×
2 편리, 소통
3 힘
4 산, 노력

독해력을 키우는 어휘와 어법

5 (1)② (2)① (3)③
　(4)무모 (5)소통 (6)제기
6 ②
7 가상히
8 (1)불만 (2)불신
9 상민
10 요, 오

---

1 (2) 우공이 산에서 파낸 흙을 발해로 옮기는 것을 본 이웃은 우공을 비웃었습니다. (3) 우공은 가족들과 천제의 도움으로 산을 옮기려는 뜻을 이룰 수 있었습니다.

2 우공은 높은 산들이 마을을 가로막고 있어서 다른 마을과 '소통'하기 어려우므로 두 산을 평평하게 만들면 길이 생겨 다니기 '편리'할 것이라고 생각했습니다.

3 우공의 아내는 우공이 작은 동산도 허물 수 없을 정도로 힘이 약한데 태행산과 왕옥산을 어찌 깎을 것이며, 거기에서 파낸 흙을 어찌할 것이냐며 우공의 말에 의문을 제기하였습니다.

4 '우공이산'은 우공이 산을 옮기려고 노력한 것에 감동한 천제가 산을 옮겨 주었다는 데서 나온 말로, 어떤 일이든 끊임없이 노력하면 반드시 이루어짐을 뜻하는 말입니다.

독해력을 키우는 어휘와 어법

6 보기 의 '높다'와 '낮다'는 서로 반대되는 뜻을 가진 낱말입니다. ①의 '오다'와 '가다', ③의 '찬성'과 '반대'도 서로 반대되는 뜻을 가진 낱말입니다. ③의 '여생'은 '앞으로 남은 삶.', '살날'은 '앞으로 세상에 살아 있을 날.'로 서로 비슷한 뜻을 가진 낱말입니다.

7 첫 번째 문장은 아버지께서는 어린 동생을 챙긴 상민이를 착하고 기특하게 여기셨다는 의미이고, 두 번째 문장은 선생님께서 선행에 앞장선 반 아이들을 착하고 기특하게 생각하셨다는 의미이므로 두 문장 모두 '가상히'가 들어가야 합니다.

8 '불만'은 '만족하지 아니함.'을 뜻하고, '불신'은 '믿지 아니함.'을 뜻합니다.

9 '우공이산'은 끊임없는 노력을 강조할 때 사용할 수 있습니다. 다양한 분야에서 능통한 사람을 이를 때는 '팔방미인'을 사용할 수 있습니다.

10 어떤 사실을 늘어놓을 때는 '-요'를 쓰고, 문장을 마칠 때는 '-오'를 씁니다.

---

1 ③
2 (1)× (2)○ (3)○
3 액체, 기체, 높아지고, 빠른

독해력을 키우는 어휘와 어법

4 (1)① (2)③ (3)②
5 (1)① (2)②
6 (1)② (2)①
7 ③
8 (1)물 (2)법
9 (1)살코기 (2)닫혀서

---

1 프랑스의 발명가였던 드니 파팽은 안전장치가 달린 증기 압력 찜통을 발명한 후 그와 관련된 책을 펴냈고, 그 책이 주부들에게 큰 관심을 받았습니다. 그런데 파팽이 증기를 이용해 만든 해산물 요리를 좋아했는지는 이 글을 통해서 알 수 없습니다.

2 (1) 파팽의 증기 압력 찜통 요리법은 획기적이어서 전통적인 요리법을 송두리째 바꿔 놓았습니다.

3 액체인 물을 가열하면 기체인 수증기로 변합니다. 찜통 내부의 압력이 높아지면 물의 끓는 온도도 높아져 일반 냄비로 끓여서 조리할 때보다 빠르고 부드럽게 요리를 할 수 있습니다.

독해력을 키우는 어휘와 어법

5 (1) '몰두하다'는 '한 가지 일에만 온 정신을 다 기울여 집중하다.'라는 뜻입니다. (2) '상세하다'는 '아주 자세하고 꼼꼼하다.'라는 뜻입니다.

6 (1)은 수민이가 말을 체계 있게 하지 못하여 설득력이 떨어진다는 것이므로 ②, (2)는 요리를 만든다는 것이므로 ①의 뜻입니다.

7 '질기다'와 '연하다'는 뜻이 서로 반대되는 낱말입니다. '최대한'과 '최소한'은 각각 '일정한 조건에서 정해진 가장 큰 정도.'와 '일정한 조건에서 더 이상 줄이기 어려운 가장 작은 한도.'를 뜻하므로 그 의미가 서로 반대됩니다.

8 (1) '물건' 또는 '물질'의 뜻을 더하는 말로, '해산□'과 '농산□'에 모두 들어갈 수 있는 말은 '물'입니다. (2) '방법' 또는 '규칙'의 뜻을 더하는 말로, '사용□', '요리□'에 모두 들어갈 수 있는 말은 '법'입니다.

9 (1) '기름기나 힘줄, 뼈 따위를 발라낸, 순살로만 된 고기.'를 의미하는 '살코기'가 바른 표현입니다. (2) '열린 문짝, 뚜껑, 서랍 따위가 도로 제자리로 가 막히다.'를 의미하는 낱말은 '닫히다'가 바른 표현입니다. '다치다'는 '부딪치거나 맞거나 하여 신체에 상처가 생기다.'의 의미를 가진 낱말입니다.

1 (1)② (2)① (3)③

2 (1)① (2)①

3 ③

4 해설 참조

---

1 '성묘', '성찰', '인사불성'에 쓰인 '성(省)'은 '살피다'의 뜻입니다. '성묘(살필 省, 무덤 墓)'는 '조상의 산소에 가서 인사를 드리고 산소를 돌보는 일.'을, '성찰(살필 省, 살필 察)'은 '자기의 마음을 반성하고 살핌.'을, '인사불성(사람 人, 일 事, 아닐 不, 살필 省)'은 '자기 몸에 벌어지는 일을 모를 만큼 정신을 잃은 상태.'를 뜻합니다.

2 (1) '반(反)'이 사용된 '반대'는 '어떤 것이 다른 것과 모양, 위치, 방향, 속성 등이 완전히 다름.', '어떤 행동이나 견해 등에 따르지 않고 맞섬.'이라는 뜻입니다. 이와 의미가 반대인 말은 '찬성'입니다. '찬성'은 '어떤 행동이나 견해, 제안 따위가 좋거나 옳다고 판단하여 수긍함.'이라는 뜻입니다. (2) '반(反)'이 사용된 '반성'은 '자신의 말과 행동을 되돌아보며 잘못을 살피거나 깨우침.'이라는 뜻입니다. 이와 비슷한 말은 '성찰(省察)'입니다. '성찰'은 '자기의 마음을 반성하고 살핌.'이라는 뜻입니다.

4 주어진 한자를 보고, 알맞은 뜻과 음을 따라가며 올바른 길을 찾도록 합니다.

---

1 (1)○ (2)○ (3)× 　 2 수빈 　 3 좋은 일

독해력을 키우는 어휘와 어법

4 (1)① (2)③ (3)②

5 (1)부임 (2)관직 (3)권한

6 (1)환영하다 (2)화려하다 (3)풍부하다

7 대명사

8 (1)권세 (2)반드시

9 (1)○

10 (1)뱃놀이 (2)벌여

---

1 김홍도는 조선 시대의 풍속 화가로, 평안 감사의 부임을 환영하는 잔치의 모습을 그렸습니다. 하지만 김홍도가 평안 감사를 축하하기 위해 잔치에 참석한 것인지는 이 글을 통해서는 알 수 없습니다.

2 「평안감사향연도」는 평안 감사의 부임을 환영하는 그림으로, 당시 평안 감사의 위세가 얼마나 대단한지 짐작할 수 있습니다. 그러나 그림을 보고 평안 감사가 굶주린 백성들에게 덕을 베푸는 훌륭한 관리였는지는 알 수 없습니다.

독해력을 키우는 어휘와 어법
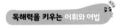

4 '대단하다'는 몹시 크거나 많은 상태, '근사하다'는 그럴듯하게 괜찮은 상태, '풍족하다'는 매우 넉넉해서 부족함이 없는 상태를 나타냅니다.

5 (1) 학교에 새로운 교장 선생님이 임무를 받아 오셨다는 의미이므로, '어떤 지위나 임무를 받아 근무할 곳으로 감.'의 뜻인 '부임'이 들어가야 알맞습니다. (2) 임금이 전쟁에서 이긴 장군에게 높은 지위를 내렸다는 의미이므로, '관리나 공무원이 직업상 책임지고 맡아서 하는 일이나 그 일에 따른 행정적 위치.'를 뜻하는 '관직'이 들어가야 알맞습니다. (3) 조선 시대의 고을 원님은 많은 권리를 가지고 있었다는 의미이므로, '사람이 자신의 역할이나 직책으로부터 받은 권리.'인 '권한'이 들어가야 알맞습니다.

9 (1) 요리를 하는 것보다 식탁에 수저를 놓는 일이 더 쉬운데도 주호는 요리를 하겠다고 했습니다. 이런 주호에게 윤정이는 아무리 좋은 일이라도 당사자의 마음이 내키지 않으면 억지로 시킬 수 없음을 비유적으로 이르는 말인 "평안 감사도 저 싫으면 그만이다."라는 속담을 사용할 수 있습니다. (2)의 상황에 어울리는 속담은 자기가 좋아하는 곳은 그대로 지나치지 못함을 비유적으로 이르는 말인 "참새가 방앗간을 그저 지나랴."입니다.

10 (1) '뱃놀이'는 두 낱말이 합쳐져서 새로운 낱말이 될 때 두 낱말 사이에 'ㅅ'이 덧붙는 낱말이므로 '뱃놀이'라고 씁니다. (2) '벌이다'는 '일을 계획하여 시작하거나 펼쳐 놓다.'라는 뜻이고 '벌리다'는 '둘 사이를 넓히거나 멀게 하다.'라는 뜻입니다. 생일잔치는 '벌이다'라고 써야 합니다.

1 ①, ②

2 ③

3 자만, 겸손

4 (1) 태진 (2) 분수

독해력을 키우는 어휘와 어법

5 (1) ③ (2) ① (3) ②

6 (1) 조언 (2) 도전 (3) 겸손

7 ①

8 (1) ② (2) ① (3) ①

9 (1) ② (2) ① (3) ③

10 (1) 어느 날 (2) 점점 더 (3) 끊임없이

1 지혜의 여신 아테나는 지혜로운 데다가 용맹스럽기까지 했습니다.

2 아테나는 감히 신에게 도전한 인간이 어떻게 되는지 알려 주려고 조심성 없고 건방진 아라크네를 거미로 만들었습니다.

4 아라크네는 겸손할 줄 모르고 자기의 솜씨에 자만하여 자신을 신과 견주었습니다. 결국 아라크네는 자기의 '분수'도 모르고 자만하여 아테나에게 도전했다가 아테나에게 혼이 나고 거미가 되어 끊임없이 실을 뽑게 되었습니다.

독해력을 키우는 어휘와 어법

5 '용맹하다'는 '용감하고 날래며 기운차다.', '섬세하다'는 '곱고 가늘다.', '수치스럽다'는 '부끄럽고 창피하다.'라는 뜻입니다.

6 (1) 고민거리가 생겨서 선생님께 도움이 되는 말을 구하러 간 것이므로 '조언'이 알맞습니다. (2) 작년 우승자에게 맞서서 싸움을 걸었다는 뜻이므로 '도전'이 알맞습니다. (3) 높은 자리에 올라갈수록 남을 존중하고 자기를 낮추는 태도를 잃지 않아야 한다고 한 것이므로 '겸손'이 알맞습니다.

7 ①은 어머니의 사랑이 깊다는 내용이므로 '분수를 모르고 잘난 체하다.', '물가가 매우 높게 뛰다.'의 뜻을 가진 '하늘 높은 줄 모르다'라는 표현이 어울리지 않습니다.

8 (1) '눈감다'는 남의 잘못을 알고도 모르는 체하는 것을 뜻하므로 '모른 체해'와 바꾸어 쓸 수 있습니다. (2) '견주다'는 어떤 차이가 있는지 알기 위해 서로 대어 보는 것을 뜻하므로 '비교하여'와 바꾸어 쓸 수 있습니다. (3) '겨루다'는 서로 버티어 승부를 다투는 것을 뜻하므로 '승부를 다투고'와 바꾸어 쓸 수 있습니다.

9 (1)은 털실로 목도리를 만든 것이므로 ②, (2)는 나무로 가구를 만든 것이므로 ①, (3)은 여행 계획을 세웠다는 것이므로 ③의 뜻으로 쓰였습니다.

10 (1)의 '어느'와 '날', (2)의 '점점'과 '더'는 각각 서로 다른 낱말이므로 띄어 써야 합니다. (3) '끊임없이'는 하나의 낱말이므로 붙여 써야 합니다.

1 (1) × (2) ○ (3) ○

2 ②

3 인재, 노력, 세

독해력을 키우는 어휘와 어법

4 (1) 대군 (2) 명장 (3) 병법 (4) 명장, 병법, 대군

5 (1) ② (2) ③ (3) ①

6 (1) ② (2) ①

7 (1) ② (2) ③

8 의찬

9 (1) 두 손 (2) 온 힘

1 유비가 첫 번째로 제갈량의 집에 찾아가던 날의 날씨가 어떠했는지는 글에 나타나 있지 않습니다. 유비가 두 번째로 제갈량의 집에 찾아갔을 때 제갈량은 집에 없었습니다. 유비가 세 번째로 제갈량의 집에 찾아갈 때는 제갈량에 대한 존중을 표현하기 위해 제갈량의 초막에서 반 리나 떨어진 곳에서부터 말에서 내려 그의 집까지 걸어갔습니다.

2 제갈량은 옛날 중국의 '지략가'로, 무예가 뛰어난 장수인 '명장'에는 해당하지 않습니다.

3 '삼고초려'는 유비가 제갈량을 자기편으로 맞아들이기 위해 제갈량의 집을 세 번이나 찾아갔다는 데서 비롯된 말로, '인재(뛰어난 인물)를 맞아들이기 위해 참을성 있게 노력함.'을 뜻합니다.

독해력을 키우는 어휘와 어법

4 (4) 관우와 장비라는 '명장'을 거느리고 있었던 유비는 삼고초려로 '병법'에 뛰어난 제갈량을 맞아들인 뒤에 조조의 '대군'과 싸워 크게 이겼습니다.

6 (1) '천하(하늘 天, 아래 下)'는 '하늘 아래 온 세상.'을 뜻하는 말입니다. '하늘과 땅 사이.'를 뜻하는 말은 '천지간'입니다. (2) '성심(정성 誠, 마음 心)'은 '정성스러운 마음.'을 뜻하는 말입니다.

7 (1) 식당이 문을 닫아서 방향을 바꾸어 집으로 가게 된 것이므로 '발길을 돌렸다.'라고 해야 합니다. (2) '피우다'는 앞말이 뜻하는 행동이나 태도를 나타낸다는 뜻으로 '소란을 피우다', '고집을 피우다' 등으로 쓰입니다.

8 '삼고초려'는 뛰어난 인물을 맞아들이기 위해 참을성 있게 노력하는 상황을 나타내는 말이므로 의찬이 말한 상황에 사용할 수 있습니다. 인희가 말한 상황은 집 안에만 있고 밖에 나가지 않는 상황이므로 '두문불출'을 사용하기 알맞습니다.

9 (1) '두'와 '손'은 각각의 낱말이므로 '두 손'과 같이 띄어 씁니다. (2) '온'은 '전부의' 또는 '모두의'라는 뜻을 지닌 한 낱말이므로 '힘'이라는 낱말과 띄어 씁니다.

1 (1)× (2)× (3)×

2 ②

3 일본, 전봉준, 백성

독해력을 키우는 어휘와 어법

4 (1)③ (2)① (3)②

5 (1)짓다 (2)징수하다

6 (1)③ (2)① (3)②

7 (3)○

8 ①

9 (1)내쫓다 (2)가르치는 (3)쌓여

---

1 전봉준이 살던 농촌 마을은 매우 가난했습니다. '녹두 장군'은 훗날 농민군의 우두머리가 되어 얻게 된 별명입니다. 전봉준은 동학교도, 농민들과 함께 새로 부임한 군수 조병갑의 횡포뿐 아니라 조선을 침략하려는 외국 세력에 맞서 싸웠습니다.

2 전봉준은 백성들의 재물을 빼앗고 마구 세금을 거두어 가는 관리들의 횡포를 더는 두고 볼 수 없었기 때문에 농민들과 함께 관아로 쳐들어갔습니다.

3 녹두꽃은 녹두 장군 전봉준을 뜻하고, 녹두꽃이 떨어지는 것은 동학 농민 운동의 실패를 뜻합니다. 녹두꽃을 떨어뜨리는 파랑새는 일본군, 녹두꽃이 떨어지면 울고 갈 청포 장수는 동학 농민 운동이 일본군 때문에 실패하자 눈물을 흘린 조선의 백성들을 뜻합니다.

독해력을 키우는 어휘와 어법

4 '탐관오리'는 백성들의 재물을 빼앗는 나쁜 관리를, '횡포'는 제멋대로 굴며 몹시 난폭함을, '수탈'은 강제로 빼앗음을 뜻하는 낱말입니다.

5 '짓다'에는 '농사를 하다.'라는 뜻이, '징수하다'에는 '행정 기관이 법에 따라 세금, 수수료, 벌금 등을 국민에게서 거두어들이다.'라는 뜻이 있습니다.

7 보기 와 (3)의 '일으키다'는 어떤 사건이나 일 등을 벌이거나 터뜨린다는 뜻입니다. (1)은 어떤 힘으로 어떤 현상을 만들어 낸다는 뜻, (2)는 다른 사람을 일어나게 한다는 뜻입니다.

8 보기 의 '이전'과 '이후'는 서로 반대되는 뜻을 가진 낱말입니다. '연초'와 '연말', '직전'과 '직후'도 서로 반대되는 뜻을 가진 낱말입니다. ①의 '이것'은 말하는 사람에게 가까이 있는 것, '그것'은 듣는 사람에게 가까이 있는 것을 가리키는 말이므로 뜻이 서로 반대되는 낱말은 아닙니다.

9 있던 자리에서 강제로 나가게 하는 것은 '내쫓다'라고 합니다. 지식이나 기술 등을 설명해서 익히게 하는 것은 '가르치다', 재물 따위를 많이 얻어 가지게 되는 것은 '쌓이다'입니다.

---

1 (1)③ (2)② (3)①

2 도

3 의지

4 의도

5 해실 참조

---

1 '의미', '의욕', '의지'에 사용된 '의(意)'는 '뜻', '의미', '생각'이라는 뜻이 있습니다. (1) '의미(뜻 意, 맛 味)'는 '말이나 글의 뜻. 또는 사물이나 현상의 가치.'라는 뜻입니다. (2) '의욕(뜻 意, 하고자 할 欲)'은 '무엇을 하고자 하는 적극적인 마음이나 의지.'라는 뜻입니다. (3) '의지(뜻 意, 뜻 志)는 '어떤 일을 이루고자 하는 마음.'이라는 뜻입니다.

2 '도서', '도감', '도형'에 공통으로 사용된 '도(圖)'는 '그림'의 뜻이 있습니다. '도서(그림 圖, 책 書)'는 '일정한 주제나 형식에 맞추어 어떤 생각이나 감정, 이야기 등을 글이나 그림으로 표현해 인쇄하여 묶은 것.'입니다. '도감(그림 圖, 거울 鑑)'은 '그림이나 사진을 모아 실물 대신 볼 수 있도록 엮은 책.'입니다. '도형(그림 圖, 형상 形)'은 '그림의 모양이나 형태.'입니다.

3 '다른 것에 마음을 기대어 도움을 받음.'이라는 뜻은 '의지(의지할 依, 지탱할 支)'이고, '어떤 것을 이루고자 하는 마음.'이라는 뜻은 '의지(뜻 意, 뜻 志)'입니다.

4 "하늘 천 하면 검을 현 한다."라는 속담은 하나를 가르치면 둘, 셋을 앞질러 가며 깨달음을 비유적으로 이르는 말, 상대나 윗사람의 의도를 미리 알아 그에 맞게 일을 처리해 나감을 빗대어 이르는 말입니다.

5 주어진 낱말의 뜻을 잘 생각하여 보고, 빈칸에 알맞은 낱말을 써 가며 십자말풀이를 해 봅니다.

Day 21

본문 96쪽

---

1 (1) 연구 (2) 신뢰 (3) 증명

2 실수, 푸른곰팡이, 페니실린

3 의도하지 않게, 좋은

독해력을 키우는 어휘와 어법

4 (1) ② (2) ① (3) ③

5 (1) ② (2) ①

6 (1) 증거 (2) 상

7 성욱

8 (1) 꽤 (2) 사용돼

9 (1) 싸인 (2) 나아 (3) 아나

---

1 (1) 플레밍은 배양 접시를 배양기 밖에 두고 휴가를 떠나는 실수를 하였고, 이후 푸른곰팡이 때문에 포도상 구균이 죽은 것을 보고 푸른곰팡이를 연구하게 되었습니다. (2) 페니실린이 곰팡이에서 나온 물질이라는 점 때문에 사람들은 플레밍의 연구 결과를 신뢰하지 않았습니다. (3) 플로리와 체인은 페니실린이 치료제로 얼마나 효과가 있는지를 증명하려고 동물 실험을 했습니다.

3 소가 뒷걸음질 치다가 의도치 않게 쥐를 잡는 공을 세운 것처럼 의도하지 않게 좋은 결과를 얻게 될 때 "소 뒷걸음질 치다 쥐 잡기"라는 속담을 사용합니다.

독해력을 키우는 어휘와 어법

4 '발견'은 아직 찾아내지 못했거나 세상에 알려지지 않은 것을 처음으로 찾아내는 것을 뜻하고, '효과'는 어떠한 것을 하여 얻어지는 좋은 결과를 말합니다. '결과'는 어떤 일이나 과정이 끝난 후의 상태나 현상을 뜻합니다.

5 (1) '마음먹다'는 '무엇을 하겠다는 생각을 하다.'라는 뜻으로 '결심하다'와 바꾸어 쓸 수 있습니다. (2) '신뢰하다'는 '굳게 믿고 의지하다.'라는 뜻으로 '믿다'와 바꾸어 쓸 수 있습니다.

6 '증명하다'는 '어떤 사항이나 판단이 진실인지 아닌지 증거를 들어서 밝히다.', '수상하다'는 '상을 받다.'라는 뜻입니다.

7 "소 뒷걸음질 치다 쥐 잡기"는 '우연히 공을 세우다.'라는 뜻입니다. 성욱이가 패스하려고 찬 공이 우연히 골대에 들어가 승리라는 좋은 결과를 얻었으므로 성욱이가 "소 뒷걸음질 치다 쥐 잡기"라는 속담을 사용할 수 있습니다.

8 (1) '꽤'는 '보통보다 조금 더한 정도로'라는 뜻이고, '꾀'는 '일을 잘 꾸며 내거나 해결해 내거나 하는, 묘한 생각이나 수단'이라는 뜻입니다. (2) '사용되어'를 줄여서 '사용돼'라고 쓸 수 있지만 '어'를 생략하여 '사용되'라고 쓰는 것은 잘못된 표현입니다.

9 (3) 받침 'ㄶ'에서 'ㅎ'만 소리 나지 않고, 'ㄴ'은 뒷말의 'ㅇ'의 자리로 옮겨져 소리 납니다.

Day 22

본문 100쪽

---

1 (1) 1 (2) 2 (3) 4 (4) 3

2 ㉡ **3** (1) ○

독해력을 키우는 어휘와 어법

4 (1) 간절하게 (2) 창피

5 (1) ① (2) ② (3) ① **6** ③

7 (1) 생계 (2) 선뜻 **8** 양식

9 (1) 만 냥 (2) 열 배 (3) 할 수 없이

---

1 과거는 보지도 않으면서 책만 읽던 허생은 아내의 하소연을 듣고 변씨를 찾아가 돈을 빌렸습니다. 허생은 그 돈으로 조선의 과일을 모두 사들였다가 다시 비싸게 팔아 큰돈을 벌어 가난한 사람들을 돕는 데 사용하였습니다.

2 허생은 생계를 돌보지 않고 책만 읽다가 바느질을 해서 생계를 꾸리던 부인의 하소연을 듣고 나서야 집을 나가 변씨에게 돈을 빌려 돈을 벌었습니다.

3 주어진 대화에서 '날개 돋치다'는 '상품이 빠른 속도로 팔려 나가다'라는 의미로 사용되었습니다.

독해력을 키우는 어휘와 어법

5 (1) '당당하다'는 '모습이나 태도가 자신 있고 거리낌 없이 떳떳하다.'라는 뜻이므로, '떳떳하게'와 바꾸어 쓸 수 있습니다. (2) '이미'는 '어떤 일이 이루어진 때가 지금 시간보다 앞서.'라는 뜻이므로, '벌써', '앞서'와 바꾸어 쓸 수 있습니다. (3) '자취'는 '어떤 것이 남긴 표시나 흔적.'을 뜻합니다.

6 '흉년'은 '농사가 잘되지 않아 굶주리게 된 해.'라는 뜻이고, '풍년'은 '농사가 잘되어 수확이 많은 해.'를 뜻하므로 '흉년'과 '풍년'은 뜻이 서로 반대되는 관계입니다. '사다'는 '값을 치르고 어떤 물건이나 권리를 자기 것으로 만들다.'라는 뜻이고, '팔다'는 '값을 받고 물건이나 권리 등을 남에게 넘기다.'라는 뜻으로 서로 반대되는 관계입니다.

7 '생계'는 '살림을 꾸리고 살아 나갈 방법이나 형편.', '선뜻'은 '아무 망설임이나 어려움 없이 쉽게.'를 뜻합니다.

8 주어진 문장에 쓰인 '양식'은 형태는 같지만 뜻이 다른 동형어입니다.

9 (1)

허	생	은		변	씨	에	게		만
냥	을		빌	렸	다	.			

(2)

	물	건	의		값	이		열	배	로
뛰	었	다	.							

(3)

	선	재	는		할		수		없	이
도	망	쳤	다	.						

1 (1) × (2) ○
2 (1) ①, ④ (2) ②, ③
3 인정, 고사, 자존심, 임기응변

독해력을 키우는 어휘와 어법

4 (1) 실언 (2) 대목 (3) 만회 (4) 실언, 만회 (5) 대목
5 (1) ③ (2) ② (3) ①
6 ③ 7 ②
8 (1) 씻고 (2) 엿보았다 9 (1) 으로써 (2) 으로서

1 손초는 어지러운 정치 현실을 떠나 대나무 숲에 숨어 살던 죽림칠현을 흠모하였고, 자신도 죽림칠현처럼 세상일을 피해 숨어 살기로 마음먹었습니다.

2 중국 전설 속 인물이면서, 더러운 소리를 들었다며 기산의 강물로 귀를 씻은 인물은 허유입니다. 죽림칠현은 진나라 때의 인물들로, 세상일을 피해 산속에 들어가 맑고 깨끗한 말을 주고받으며 살았습니다.

3 손초가 실언을 하였고, 그것을 친구가 말해 주었으나 손초는 자신의 실수를 인정하지 않고 고사를 들어 둘러댔습니다. 이를 통해 손초가 자존심이 무척 강한 사람이면서 동시에 자신이 처한 상황에 맞게 잘 대처하는 임기응변에 강한 사람임을 알 수 있습니다.

독해력을 키우는 어휘와 어법

4 '실수로 잘못 말함. 또는 그 말.'을 뜻하는 낱말은 '실언', '어떤 말이나 일에서 특별하게 관심을 가질 만한 부분.'을 뜻하는 낱말은 '대목', '바로잡아 원래의 상태로 되돌리거나 원래의 상태를 되찾음.'을 뜻하는 낱말은 '만회'입니다.

5 (1) '혼란하다'는 '뒤죽박죽이 되어 어지럽고 질서가 없다.'라는 뜻이므로 ③과 바꾸어 쓸 수 있습니다. (2) '흠모하다'는 '기쁜 마음으로 존경하고 마음속 깊이 따르다.'라는 뜻이므로 ②와 바꾸어 쓸 수 있습니다. (3) '인정하다'는 '어떤 것이 확실하다고 여기거나 받아들이다.'라는 뜻이므로 ①과 바꾸어 쓸 수 있습니다.

6 '임기응변'은 자신이 처한 상황에 맞도록 일을 즉각 잘 처리할 때 사용할 수 있습니다.

7 ②는 한번 내뱉은 말은 다시 수습하거나 돌이킬 수 없음을 나타내는 속담입니다.

8 (1) '때나 더러운 것을 없애다.'라는 뜻의 낱말은 '씻다'로 씁니다. (2)는 그림을 통해 당시의 생활상을 추측해 알게 되었다는 뜻입니다. 이때 '추측을 통해 알다.'라는 뜻의 낱말은 '엿보다'로 씁니다.

9 (1)은 운동이라는 방법으로 건강을 지킨다는 뜻이므로 '으로써'가 알맞습니다. (2)는 형이라는 신분에 맞게 더 잘하겠다는 뜻이므로 '으로서'가 알맞습니다.

1 화산
2 화산, 폭발, 화산섬
3 ② 4 ④

독해력을 키우는 어휘와 어법

5 (1) ② (2) ① (3) ③
6 (1) ① (2) ②
7 (1) 온실 (2) 온천
8 터전
9 (1) 빼앗아 (2) 뒤덮였다 (3) 폭발
10 (1) 궁물 (2) 망내

1 땅속 깊은 곳에서 암석이 녹은 마그마가 지표면으로 분출하여 만들어진 지형을 '화산'이라고 합니다.

2 울릉도, 독도, 제주도는 바다 밑에서 화산이 폭발하여 만들어진 화산섬입니다.

3 화산 활동은 지하수를 깨끗하게 만들어 주는 것이 아니라 땅속의 뜨거운 열로 지하수를 뜨겁게 하여 온천을 만들어 줍니다.

4 화산이 폭발하면서 분출되는 물질은 용암, 화산재, 가스 등입니다. '산사태'는 산 중턱의 바윗돌이나 흙이 갑자기 무너져 내리는 현상입니다.

독해력을 키우는 어휘와 어법

5

화산	땅속 깊은 곳에서 암석이 녹은 마그마가 지표면으로 분출하여 만들어진 지형.
지진	지구 내부에서 작용하는 힘을 오랫동안 받아 땅이 끊어지면서 흔들리는 현상.
용암	화산이 터질 때 솟구쳐 나온 마그마에서 가스 성분이 빠져나가고 남은 것.

6 '가능하다(可能하다)'는 '할 수 있거나 될 수 있다.'의 뜻이므로 ①이 알맞습니다. '비옥(肥沃)하다'는 '땅이 걸고 기름지다.'의 뜻이므로 ②가 알맞습니다.

7 온도나 습도를 조절하여 식물을 재배하는 시설을 '온실'이라고 하고, 땅속 열에 의해 데워진 지하수가 솟아 나와 만들어진 샘을 '온천'이라고 합니다.

8 '터전'은 '생활의 근거지가 되는 곳.', '일의 토대.'라는 뜻입니다.

9 (1) '빼앗다'는 '남의 것을 억지로 제 것으로 만들다.'라는 뜻이고, '빼앗아', '빼앗으니' 등으로 씁니다. (2) 어젯밤 내린 눈으로 온 세상이 하얗게 뒤덮인 것이므로 '뒤덮였다'로 써야 합니다. (3) '불이 일어나며 갑작스럽게 터짐.'이라는 뜻을 가진 낱말은 '폭발'입니다.

10 (1), (2) 모두 앞말의 받침 'ㄱ'이 [ㅇ]으로 소리 납니다.

1 (1) ② (2) ① (3) ③

2 (1) 회원 (2) 회의   (3) 회담

3 사회

4 해설 참조

---

1 '사회', '회사', '출판사'에 사용된 '사(社)'는 '모이다'라는 뜻이 있습니다. '사회(모일 社, 모일 會)'는 '계층, 직업 등이 비슷한 사람들이 모여 이루는 집단', 또는 '가족, 회사, 국가 등과 같이 공동생활을 하는 사람들의 모든 집단'의 뜻이 있습니다. '회사(모일 會, 모일 社)'는 '사업을 통해 이익을 얻기 위해 모여 만든 단체'의 뜻이 있습니다. '출판사(날 出, 널조각 版, 모일 社)'는 '글, 그림, 악보 등을 책으로 만들어 세상에 내놓는 일을 하는 회사.'라는 뜻이 있습니다.

2 '회의', '회담', '회원'에 공통으로 들어간 '회(會)'는 '모이다'의 뜻이 있습니다. (1)은 동아리를 이루는 사람을 모집한다는 의미이므로 '회원'이 들어가기에 알맞습니다. (2)는 교실 청소에 대해 여럿이 모여 의견을 나눈다는 의미이므로 '회의'가 들어가기에 알맞습니다. (3)은 각국의 지도자가 기후 변화라는 문제를 가지고 모여서 토의하였다는 의미이므로 '회담'이 들어가기에 알맞습니다.

3 문장의 내용으로 보아, '계층, 직업 등이 비슷한 사람들이 모여 이루는 집단.', '가족, 회사, 국가 등과 같이 공동생활을 하는 사람들의 모든 집단.'이라는 의미의 말이 적절하므로 '사회'가 들어가기에 알맞습니다.

4 모르는 낱말이 나올 때, 다음 열쇠로 넘어가 칸을 채우다 보면 실마리가 떠오를 수도 있습니다.

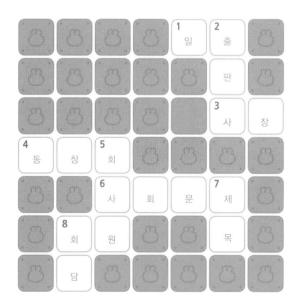

---

1 (3) ○

2 ③

3 참견(간섭)

4 (1) ○

독해력을 키우는 어휘와 어법

5 (1) 불만   (2) 대꾸   (3) 참견

6 (1) 사사건건   (2) 당황

7 (1) ②   (2) ①

8 (1) ②   (2) ②   (3) ①

9 (1) 열심히   (2) 솔직히   (3) 가만히

10 (1) 닦았다   (2) 왠지   (3) 며칠

---

1 수민이는 참견하기 좋아하는 채호와 얼굴을 마주치기 불편해서 고민했습니다.

2 친구들의 불만을 들은 채호는 친구들에게 미안한 마음이 들었습니다. 그래서 채호는 친구들의 입장을 한 번 더 생각해 보고 말을 하기로 마음먹었습니다.

3 "남의 잔치에 감 놓아라 배 놓아라 한다."는 '다른 사람 일에 괜히(공연히) 부당하게 참견(간섭)하고 나섬.'을 비유적으로 이르는 말입니다.

4 다른 사람 일에 괜히 참견하고 나서는 것과 관련된 상황은 (1)입니다.

독해력을 키우는 어휘와 어법

5 (1) 쉬는 시간이 짧아진 것에 대해 흡족하지 않은 마음을 드러내었다는 것이므로 '불만'이 알맞습니다. (2) 남의 말을 듣고 그 자리에서 '나'의 의사를 나타내었다는 것이므로 '대꾸'가 알맞습니다. (3) 동생의 일에 끼어들어 쓸데없이 아는 체하거나 이래라저래라 했다는 것이므로 '참견'이 알맞습니다.

6 (1) 민식이와 진식이는 해당되는 모든 일마다 의견이 충돌했다는 내용이므로 '사사건건'이 알맞습니다. (2) 너무 갑작스러운 고백에 그는 놀라거나 다급하여 어찌할 바를 몰라 하였으므로 '당황'이 알맞습니다.

8 (1) 추위는 신경 쓰지 않고 썰매를 탔다는 뜻이므로 ②가 알맞습니다. (2) 수호는 화가 나서 동생에게 날카롭게 공격하듯이 말했다는 뜻이므로 ②가 알맞습니다. (3) 친구의 말이 마음에 들지 않아 기분이 상했다는 뜻이므로 ①이 알맞습니다.

9 (1), (2), (3) 모두 '이'나 '히'로 소리 나므로 '열심히', '솔직히', '가만히'로 씁니다.

10 (1) '때, 먼지, 녹 따위의 더러운 것을 없애거나 윤기를 내려고 거죽을 문지르다.'라는 뜻의 '닦다'는 받침 'ㄲ'을 씁니다. (2) '왜 그런지 모르게.'의 뜻으로 쓰는 낱말은 '왠지'입니다. (3) '며칠'이 맞는 표현입니다.

Day 27

1 불, 간
2 복종, 부당, 상징
3 (2) ○

독해력을 키우는 어휘와 어법

4 (1) ② (2) ① (3) ③
5 (1) 복종 (2) 당부 (3) 부당
6 ③
7 (1) 1 (2) 3 (3) 2
8 (1) 돼요 (2) 되는 (3) 안 돼요
9 (1) 조심할 것 (2) 그럴 수 (3) 만날 줄

1 제우스는 신들의 '불'을 훔쳐 인간에게 준 프로메테우스를 코카서스 산꼭대기의 바위에 절대 끊을 수 없는 쇠사슬로 묶었습니다. 그리고 독수리를 보내 '간'을 쪼아 먹게 하였습니다.

2 프로메테우스는 제우스에게 '복종'을 맹세하면 고통스러운 벌에서 벗어날 수 있었지만 그렇게 하지 않았습니다. 그래서 프로메테우스는 '부당'한 고통에 대한 참을성, 폭력에 맞서는 의지력의 '상징'이 되었습니다.

3 '쥐도 새도 모르게'는 '감쪽같이 행동하여 아무도 그 행방을 모르게.'의 뜻입니다.

독해력을 키우는 어휘와 어법

4 '맹세'는 '굳게 다짐하거나 약속함.', '능력'은 '어떤 일을 해낼 수 있는 힘.', '의지력'은 '어떤 일을 이루고자 하는 마음을 꿋꿋하게 지켜 나가는 힘.'을 뜻합니다.

5 (1) 신하들은 임금의 명령을 그대로 따랐다는 의미이므로 '복종'이 알맞습니다. (2) 어머니께서는 형의 손을 꼭 잡고 몸조심하라고 단단히 부탁하였다는 의미이므로, '당부'가 알맞습니다. (3) 그분은 도리에 어긋나서 정당하지 않은 일은 참지 못하는 성격이라고 하였으므로 '부당'이 알맞습니다.

6 '이롭다'는 '이익이 있다.', '해롭다'는 '해가 되는 점이 있다.'라는 뜻으로, '이롭다'와 '해롭다'는 서로 반대되는 뜻을 가진 낱말입니다. ③의 '한가하다'는 '겨를이 생겨 여유가 있다.', '여유롭다'는 '여유가 있다.'의 뜻으로 서로 비슷한 뜻을 가진 낱말입니다.

7 (1)의 '잡았다'는 '붙들어 손에 넣다.'라는 뜻입니다. (2)의 '잡았다'는 '자동차 따위를 타기 위하여 세우다.'라는 뜻입니다. (3)의 '잡았다'는 '일이나 기회를 얻다.'라는 뜻입니다.

8 (1)과 (3)은 '되어'가 줄어 '돼'가 된 것으로, '돼요', '안 돼요'로 씁니다. (2)는 줄어든 말이 아니므로 '되는'으로 씁니다.

9 '것'. '수', '줄'은 혼자 쓸 수 없는 낱말로, 앞의 꾸미는 말과 띄어 써야 합니다.

Day 28

1 (1) × (2) × (3) ○
2 ②
3 눈, 상대, 학식

독해력을 키우는 어휘와 어법

4 (1) ② (2) ③ (3) ①
5 (1) 유익 (2) 용맹
6 (1) ① (2) ① (3) ②
7 경수
8 (1) 부지런히 (2) 헤어진
9 (1) 올 뿐만 아니라
  (2) 눈코 뜰 사이 없이
10 ③

1 (1) 여몽은 집이 가난하여 어렸을 때 책을 읽거나 글공부를 하지 못했습니다. (2) 오나라의 왕 손권은 여몽을 아끼는 마음에 충고를 하였습니다. (3) 손권은 여몽이 나라를 위해 큰일을 할 사람이라고 하면서 학식을 갖추라고 말했습니다.

2 손권은 여몽에게 책을 읽어 학식을 갖출 것을 충고했습니다.

3 '괄목상대'는 '눈을 비비고 상대를 다시 본다.'라는 뜻으로, '남의 학식이나 재주가 놀랄 만큼 늚.'을 이르는 말입니다.

독해력을 키우는 어휘와 어법

5 (1) 햇볕을 쬐는 것이 건강에 도움이 된다는 것이므로, '유익'이 알맞습니다. (2) '용감하고 날래며 기운참.'이라는 뜻의 낱말이 들어가야 하므로, '용맹'이 알맞습니다.

6 (1) '유익하다'는 '이롭거나 도움이 될 만한 것이 있다.'의 뜻입니다. (2) '풍부하다'는 '넉넉하고 많다.'의 뜻입니다. (3) '민첩하다'는 '재빠르고 날쌔다.'의 뜻입니다.

7 '괄목상대'는 남의 학식이나 재주가 놀랄 만큼 늘었을 때 사용할 수 있습니다. 경수는 동생의 실력이 놀랄 만큼 늘었음을 말하고 있으므로 '괄목상대'를 사용하기에 알맞습니다.

8 (1) '이'나 '히'로 소리 나는 것은 '히'로 적습니다. (2) '헤어지다'는 '모여 있던 사람이 흩어지다.'라는 뜻으로, '헤어진'으로 씁니다.

10 'ㄴ'은 'ㄹ' 앞에서 [ㄹ]로 소리 나므로 '훈련'은 [훌련]으로 발음해야 합니다.

1 계획, 지도

2 (1) 축척   (2) 방위표

3 등고선, 색깔, 고동색

4 ①

독해력을 키우는 어휘와 어법

5 (1) 방위표   (2) 등고선   (3) 범례   (4) 축척

6 ③

7 (1) 발 벗고 나서는   (2) 눈을 씻고 보아도

8 (1) 기대됐다(기대되었다)   (2) 설렜다(설레었다)

9 (1) 먹지 않았다   (2) 지키지 않은

1 제주도로 가족 여행을 가게 된 도영이와 도현이는 여행 '계획'을 세우기 위해 함께 '지도'를 보며 이야기하고 있습니다.

2 (1) 실제 땅의 크기를 줄여서 보여 주는 지도에서 '실제 거리를 줄인 정도.'를 '축척'이라고 합니다. (2) 지도에서 동서남북의 방향은 방위표로 나타냅니다.

3 '등고선(等高線)'은 '무리 등(等), 높을 고(高), 줄 선(線)'으로 이루어진 말로, 높이가 같은 곳을 연결한 선을 가리킵니다. 지도에서는 산과 같이 높은 곳은 등고선과 함께 색깔을 사용해 나타냅니다. 위치가 높은 곳일수록 색은 고동색에 가까워집니다.

4 지도에서 산을 나타내는 기호는 '▲'입니다.

독해력을 키우는 어휘와 어법

5 지도에서 (1)은 방위표, (2)는 등고선, (3)은 범례, (4)은 축척입니다.

6 '책이나 컴퓨터에서 필요한 자료들을 찾아내다.'라는 뜻을 지닌 낱말은 '검색하다'입니다.

8 (1) '기대되-'에 '-었-'이 합쳐졌으므로 '기대되었다' 또는 그 준말인 '기대됐다'라고 써야 합니다. (2) '설레이다'는 틀린 말이고 '설레다'가 맞는 말이므로 '설레었다', '설렜다'로 고쳐 써야 알맞은 표현이 됩니다.

9 서술어에서 부정의 뜻을 나타낼 때에는 '-지 않다'의 형태로 씁니다.

1 (1) ③   (2) ①   (3) ②

2 (1) 지구   (2) 구간

3 (1) 분수   (2) 분석   (3) 분류

4 (2) ③   (3) ②   (4) ⑤

2 (1)은 상업을 위해 특별히 지정된 지역이라는 뜻이므로 빈칸에는 '지구(땅 地, 나눌 區)'라는 낱말이 알맞습니다. (2) '어떤 지점과 다른 지점과의 사이.'는 '구간'의 뜻입니다.

3 (1) '전체에 대한 부분을 나타내는 수'라는 뜻의 낱말이 들어가야 하므로 빈칸에는 '분수(分數)'가 알맞습니다. (2) 인물의 심리를 여러 요소나 성질로 나누어 보았다는 뜻이므로 빈칸에는 '분석(나눌 分, 가를 析)'이 알맞습니다. (3) 낱말을 비슷한 종류별로 갈라놓았다는 뜻이므로 빈칸에는 '분류(나눌 分, 무리 類)'가 알맞습니다.

4 (2) 분석: ③은 제품의 성분을 여러 요소나 성질로 나누어 보았다는 내용이 되도록 빈칸에는 '분석(分析)'이 들어가야 합니다.

(3) 분류: ②는 바이올린은 악기를 종류별로 가를 때 현악기로 나뉘어 묶인다는 내용이 되도록 빈칸에는 '분류(分類)'가 들어가야 합니다.

(4) 분수: ⑤는 수학 시간에 전체에 대한 부분을 나타내는 수를 배웠다는 내용이 되도록 빈칸에는 '분수(分數)'가 들어가야 합니다.

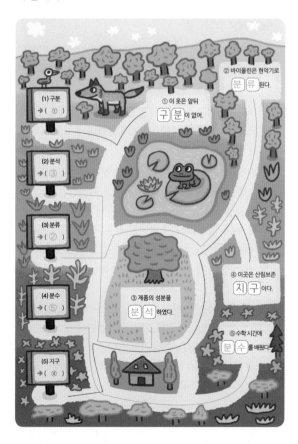

1 (1) ×　(2) ○
2 (1) 불평　(2) 감탄　(3) 우연　(4) 전국
3 생산, 적극적

독해력을 키우는 어휘와 어법

4 (1) 못마땅하게　(2) 마음　(3) 쉽다
5 (1) ①　(2) ②
6 (1) ①　(2) ②
7 ①
8 (1) 종잇장　(2) 깎아　(3) 북적이고
9 (1) 만코　(2) 만턴　(3) 만치

---

1 (1) 크럼의 감자튀김은 까다로운 손님의 요구로 우연한 기회에 만들어졌습니다. (2) 크럼이 처음 감자튀김을 만들었을 때는 '바삭하다'라는 뜻에서 '포테이토 크런치'라는 이름으로 불렸습니다.

2 (1) 입맛이 까다로운 한 손님이 감자튀김이 마음에 들지 않는다고 말했으므로 '불평'이 알맞습니다. (2) 얇은 감자튀김을 맛본 손님이 너무 맛있어서 마음속으로 크게 느꼈으므로 '감탄'이 알맞습니다. (3) 감자튀김이 어쩌다가 뜻하지 않게 만들어졌다고 했으므로 '우연'이 알맞습니다. (4) 감자튀김이 전국적으로 퍼지면서 '포테이토칩'으로 불리게 되었다고 하였습니다.

독해력을 키우는 어휘와 어법

4 '불평하다'는 '마음에 들지 아니하여 못마땅하게 여기다.', '만족하다'는 '마음에 들어서 흐뭇하고 좋다.', '수월하다'는 까다롭거나 힘들지 않아서 하기가 쉽다.'라는 뜻입니다.

6 (1) '나'는 어쩌다가 뜻하지 않게 수민이를 알게 되었다는 뜻이므로 ①이 알맞습니다. (2) 노래 실력이 좋다고 하였으므로 ②가 알맞습니다.

7 '소매를 걷다'는 '어떤 일을 하려고 적극적으로 나서다.'라는 뜻으로, ①의 상황에서 쓰이는 것이 자연스럽습니다. ②는 모두 명절 음식 준비로 바쁜데 혼자서만 아무 일도 안 하고 편히 누워 있는 고모가 얄미운 상황이므로 '소매를 걷다'가 아니라, '아무 일도 안 하고 뻔뻔하게 놀고만 있음을 비난조로 이르는 말.'인 '손가락 하나 까딱 않다'라는 표현이 어울립니다.

8 (1) '종이의 낱장.'이라는 뜻을 가진 말은 '종잇장'이라고 씁니다. (2) '칼 따위로 물건의 거죽이나 표면을 얇게 벗겨 내다.'라는 뜻을 가진 말은 '깎다'라고 씁니다. (3) '많은 사람이 한곳에 모여 매우 어수선하고 시끄럽게 떠들다.'라는 뜻을 가진 말은 '북적이다'라고 씁니다.

9 (1) 받침의 'ㅎ'이 뒷말의 'ㄱ'과 만나 [ㅋ]으로 소리 납니다. (2) 받침의 'ㅎ'이 뒷말의 'ㄷ'과 만나 [ㅌ]으로 소리 납니다. (3) 받침의 'ㅎ'이 뒷말의 'ㅈ'과 만나 [ㅊ]으로 소리 납니다.

1 ㉯, ㉰, ㉮, ㉬
2 억수, 거역
3 가죽, 이름, 명예

독해력을 키우는 어휘와 어법

4 (1) 시키다　(2) 거스르다　(3) 바치다
5 (1) 물품　(2) 억수　(3) 신세
6 ③
7 다영
8 (1) ×　(2) ×　(3) ○
9 (1) 꿇　(2) 겪다

---

1 양이 목사가 백마 백 마리를 왕에게 바치지 않고 모두 팔아 버리자, 화가 난 왕은 양이 목사를 죽이라고 명령합니다. 양이 목사는 백성들을 위해 자신을 희생하고, 뱃사공을 통해 이를 알게 된 백성들은 양이 목사를 영웅으로 기억하게 됩니다.

2 금부도사는 왕의 명령을 따라야 하는 사람으로, 양이 목사의 목을 베어 오라는 왕의 명령을 거스를 수는 없었기 때문에 양이 목사를 죽일 수밖에 없었습니다.

3 호랑이가 죽어서 가죽을 남기듯 사람은 죽어서 명예로운 이름을 남긴다는 것으로, 인생에서 가장 중요한 것은 살아 있는 동안 보람 있는 일을 하여서 후세에 명예를 얻어야 한다는 말입니다.

독해력을 키우는 어휘와 어법

4 '진상하다'는 '귀한 물품이나 지방의 특산물을 왕이나 높은 관리에게 바치다.'라는 뜻입니다.

5 (1)은 중고 시장에서는 '쓸모 있게 만들어진 가치 있는 물건'을 싸게 살 수 있다는 뜻이므로 '물품'이 들어가기에 알맞습니다. (2)는 물이 쏟아지듯이 세차게 많이 내리는 비가 거짓말처럼 그쳤다는 뜻이므로 '억수'가 들어가기에 알맞습니다. (3)은 돈을 훔치고 경찰에 쫓기는 처지가 되었다는 뜻이므로 '불행한 일과 관련된 한 사람의 상황이나 형편'이라는 뜻의 '신세'가 빈칸에 들어가기에 알맞습니다.

6 '조정'은 옛날에 임금이 신하들과 나랏일을 의논하고 결정하던 곳으로, 직업이나 신분과는 관련이 없습니다.

7 '호랑이는 죽어서 가죽을 남기고 사람은 죽어서 이름을 남긴다'는 사람이 살아 있을 때 훌륭한 일을 하여 후세에 명예를 남겨야 한다는 뜻임을 바르게 이해한 사람은 다영입니다.

8 '대'와 '자루', '명'은 단위를 나타내는 말로, 수를 나타내는 앞말과 띄어 써야 합니다. '컴퓨터 한 대', '연필 한 자루', '일곱 명의 난쟁이'와 같이 띄어 써야 알맞습니다.

9 낱말의 기본형은 낱말에서 형태가 바뀌지 않는 부분에 '-다'를 붙여 만듭니다.

1 (1) 부탁 (2) 이익 (3) 계획
2 (1) 도요새 (2) 조개 (3) 어부
3 이익

독해력을 키우는 어휘와 어법

4 (1) ② (2) ③ (3) ①
5 설득
6 (1) ① (2) ①
7 손해
8 (1) 안 (2) 안 (3) 않
9 (1) 치다 (2) 쳐서 (3) 치는

---

1 연나라 왕의 '부탁'을 받은 소대는 조나라 왕에게 '어부지리'에 대한 이야기를 하며, 조나라가 연나라를 치면 진나라에 '이익'을 주는 셈이라고 말하였습니다. 이 말을 들은 조나라 왕은 연나라를 치려는 '계획'을 그만두게 됩니다.

2 도요새와 조개는 조나라와 연나라를, 어부는 진나라를 뜻합니다.

3 '어부지리'는 도요새와 조개가 다투는 사이에 어부가 둘 다 잡아 '이익'을 얻었다는 옛이야기에서 나온 말로, 둘 사이의 다툼을 틈타 엉뚱한 사람이 애쓰지 않고 이익을 얻게 됨을 이르는 말입니다.

독해력을 키우는 어휘와 어법

4 • 현실: 현재 실제로 있는 사실이나 상태.
 • 이익: 이롭거나 보탬이 되는 것.
 • 틈타다: 때나 기회를 얻다.

6 (1) '헤아리다'는 '다른 것에 비추어 생각하거나 짐작하여 살피다.'라는 뜻입니다. (2) '다투다'는 '생각이나 마음이 달라 따지며 싸우다.'라는 뜻입니다.

7 빈칸에는 '이익'의 반대말이면서 '돈, 재산 등을 잃거나 정신적으로 해를 입음.'을 뜻하는 낱말인 '손해'가 들어가야 합니다.

8 (1), (2)에는 '아니'의 준말인 '안'이 들어가야 합니다. (3)에는 '아니하'의 준말인 '않'이 들어가야 합니다.

9 '치다'는 '상대편에게 피해를 주기 위해 공격하다.'의 뜻으로, '치는', '쳐서' 등으로 형태가 바뀝니다.

---

1 ③
2 (1) 잘 떨어지지 않는 (2) 휘어져
 (3) 회사를 그만두고 (4) 벨크로 테이프를
3 갈고리

독해력을 키우는 어휘와 어법

4 (1) 개발 (2) 연구 (3) 이용
5 (1) ② (2) ①
6 (1) ① (2) ②
7 (1) 관찰 (2) 실생활 (3) 특징
8 (1) 번번이 (2) 일일이 (3) 자세히
9 (1) 한 번 (2) 한번 (3) 한번

---

1 이 글의 중심 내용은 도꼬마리라는 식물의 특징에 흥미를 느낀 메스트랄이 이를 실생활에 이용할 방법을 연구해 벨크로 테이프를 개발하였다는 것입니다.

3 메스트랄은 '갈고리' 모양의 도꼬마리 열매의 끝이 옷에 잘 붙는 특징을 이용하여 벨크로 테이프를 만들었습니다.

독해력을 키우는 어휘와 어법

4 (1)은 친환경 자동차를 새로 만들었다는 의미이므로, '개발'이 알맞습니다. (2)는 인간의 생명에 대한 이치를 밝히려고 자세히 조사하고 분석하는 일이 전 세계에서 진행되고 있다는 의미이므로, '연구'가 들어가기에 알맞습니다. (3)은 발명품을 실생활에 이롭게 쓴다는 의미이므로 '이용'이 들어가기에 알맞습니다.

5 (1) '상품'은 '사고파는 물품.'이므로 ②의 빈칸에 들어가기에 알맞습니다. (2) '기업'은 '돈을 벌려고 물건을 만들거나 팔거나 하는 활동을 하는 조직체.'이므로 ①의 빈칸에 들어가기에 알맞습니다.

6 (1) '드디어'는 '무엇으로 말미암아 그 결과로.'라는 뜻으로, 비슷한 말로는 '마침내, 결국' 등이 있습니다. (2) '누비다'는 '이리저리 거리낌 없이 돌아다니다.'라는 뜻입니다.

7 메스트랄은 도꼬마리 열매의 생김새를 '관찰'해 벨크로 테이프를 만들었습니다. 우리 '실생활' 속에서 식물의 특징을 활용해 만들어진 예로 지우는 비에 젖지 않는 연꽃잎의 '특징'을 활용해 만든 물이 스며들지 않는 옷을 말했습니다.

8 (1) '일이 있을 때마다 늘.'의 뜻을 나타내는 말은 '번번이'입니다. (2) '하나씩 하나씩', '한 사람씩 한 사람씩.'의 뜻을 나타내는 말은 '일일이'입니다. (3) '사소한 부분까지 아주 구체적이고 분명히.'의 뜻을 나타내는 말은 '자세히'입니다.

9 (1)은 '두 번', '세 번'으로 바꾸어도 뜻이 통하므로 '한 번'으로 띄어 쓰는 것이 맞지만, (2), (3)은 그렇지 않으므로 '한번'으로 붙여 쓰는 것이 맞습니다. (2)와 (3)의 '한번'은 '어떤 일을 시험 삼아 시도함.'을 나타내는 말입니다.

Day 35

본문 156쪽

1 (1) ③ (2) ① (3) ②
2 약
3 (1) 강약   (2) 약점, 강점
4 해설 참조

2 '약소국', '약점', '약자'에 공통으로 들어갈 말은 '약(弱, 약할 약)'입니다.

3 (1) 야구를 할 때 손목 힘의 강하고 약한 정도를 조절하지 못해 공이 너무 멀리 날아가 버렸다는 의미이므로 '강약'이 알맞습니다. (2) 평범한 사람들은 자신이 다른 사람보다 부족하고 불리한 점을 보완하는 데 시간을 쓴다는 의미이므로 '약점'이 알맞습니다. 성공하는 사람들은 남들보다 우세하고 더 뛰어난 점을 키우는 데 시간을 사용한다는 의미이므로 '강점'이 알맞습니다.

4 주어진 한자를 보고, 알맞은 뜻과 소리를 따라 가며 친구에게 가는 길을 찾도록 합니다.

Day 36

본문 162쪽

1 (1) × (2) ○
2 (1) 우라노스   (2) 크로노스
3 지옥, 형제, 아이

독해력을 키우는 어휘와 어법

4 (1) ① (2) ③ (3) ②
5 (1) 선뜻   (2) 다급하다   (3) 부탁하다
6 (1) ○   (3) ○
7 ④
8 민철
9 (1) ③ (2) ① (3) ②

1 (1) 최고의 신이 된 크로노스는 어머니의 부탁을 무시하고 지옥에 갇힌 형제들을 구해 주지 않았습니다.

3 우라노스가 자식들을 '지옥'에 보내자 화가 난 가이아는 크로노스를 시켜 우라노스를 내쫓았습니다. 그러나 크로노스가 우라노스를 내쫓고도 '형제'들을 구해 주지 않자 가이아는 크로노스도 자식에게 죽임을 당할 것이라는 예언을 남깁니다. 이에 겁이 난 크로노스는 레아가 낳은 '아이'들을 모두 삼켜 버렸고, 아내 레아는 막내 제우스를 지키려고 크로노스에게 돌멩이를 준 후, 제우스를 동굴에 숨겨 몰래 키웠습니다.

독해력을 키우는 어휘와 어법

4 '복수'는 원수를 갚음을, '예언'은 앞으로 다가올 일을 미리 알거나 짐작하여 말하는 것을 뜻하며, '묘책'은 매우 교묘한 꾀'를 뜻합니다.

6 '족족'은 '어떤 일을 하는 하나하나.'의 뜻으로 '~하는 족족'의 형태로 주로 쓰입니다. '전시하는 족족 다 팔려 나갔다.'라는 것은 전시하자마자 하나씩 전부 팔려 나갔다는 뜻이며, '건져 내는 족족 다 먹어 치웠다.'도 건져 내자마자 하나씩 다 먹어 치웠다는 뜻입니다. (2)에는 '족족'이 아니라 '졸졸'이 더 자연스럽습니다.

7 '성장하다'와 '자라다'는 뜻이 비슷한 낱말입니다.

8 '눈앞이 캄캄하다'는 '어찌할 바를 몰라 막막하다.'라는 뜻입니다. 민철이는 아버지께서 이번 방학 동안 줄넘기를 하루에 500개씩 하라고 하신 상황에 대해 어찌할 바를 몰라 막막하다는 의미의 '눈앞이 캄캄하다'를 썼습니다. 그러나 수지는 줄넘기 실력이 하루가 다르게 늘고 있는데 '어찌할 바를 몰라 막막하다.'라는 표현을 쓰는 것은 어색하므로 알맞지 않습니다.

9 '낳다'는 새끼나 알을 몸 밖으로 내놓는 것을, '낫다'는 병이나 상처가 고쳐지는 것을, '낮다'는 높이나 수준이 보통 정도에 미치는 못하는 것을 말합니다. '새끼를 낳다.', '병이 낫다.', '점수가 낮다.'가 각각의 예에 해당합니다.

1 (1)○ (2)× (3)×
2 구토, 전쟁, 올림포스
3 비슷하고, 어울리고, 쉬움

독해력을 키우는 어휘와 어법

4 (1) 전쟁 (2) 승리 (3) 투구
5 (1)② (2)③ (3)①
6 ②
7 (1)○ (2)○
8 (1) 게 (2) 개
9 (1) 앉은 채 (2) 그동안

1 (2) 대부분의 티탄족은 크로노스의 편을 들었습니다. (2) 최고의 신 자리에 오른 제우스는 자신과 맞서 싸운 티탄족들을 모두 지옥 타르타로스에 가두었습니다.

2 제우스는 크로노스의 음식에 몰래 구토하는 약을 넣어 형제들을 구해 내고, 그들과 힘을 합쳐 아버지인 크로노스와 전쟁을 하였습니다. 전쟁에서 승리한 제우스는 이후 올림포스 산에 근거지를 꾸렸습니다.

3 "가재는 게 편"은 가재가 자신과 모양이 비슷한 게의 편을 든다는 뜻으로, 모양이나 형편이 서로 비슷하고 인연이 있는 것끼리 서로 잘 어울리고, 사정을 보아주며 감싸 주기 쉬움을 비유적으로 이르는 말입니다.

독해력을 키우는 어휘와 어법

4 대립하는 나라나 민족이 군대와 무기를 사용하여 서로 싸우는 것을 '전쟁', 겨루어서 이기는 것을 '승리', 예전에, 전투할 때 머리를 보호하기 위해 쓰던 쇠로 만든 모자를 '투구'라고 합니다.

6 형태가 바뀌는 낱말은 국어사전에서 찾을 때 낱말의 기본형으로 찾아야 합니다. '꾸렸습니다'는 형태가 바뀌지 않는 부분인 '꾸리'에 '-다'를 붙인 '꾸리다'가 기본형입니다.

7 "가재는 게 편"은 모양이나 형편이 서로 비슷하고 인연이 있는 것끼리 서로 잘 어울리고, 서로 감싸 준다는 말입니다. 같은 무리 즉, 비슷한 특성을 가진 사람들끼리 서로 어울려 사귄다는 뜻의 '유유상종', 풀색과 녹색은 같은 색, 즉 처지가 같은 사람들끼리 한패라는 뜻의 "초록은 동색"도 그 뜻이 비슷합니다. "도랑 치고 가재 잡는다"는 한 가지 일로 두 가지 이득을 얻게 됨을 비유한 말로 '일거양득', '일석이조'와 뜻이 비슷합니다.

8 그림에서 남자아이가 먹고 있는 반찬은 '게', 남자아이 옆에 있는 동물은 '개'로 씁니다.

9 (1) '채'는 이미 있는 상태 그대로 있다는 뜻을 나타내는 말로, 앞말과 띄어씁니다. (2) '앞에서 이미 이야기한 만큼의 시간적 길이'를 나타내는 '그동안'은 하나의 낱말입니다.

1 (1)○ (2)× (3)○
2 공동묘지, 시장, 서당
3 교육, 이사, 환경

독해력을 키우는 어휘와 어법

4 (1) 여의다 (2) 붐비다
5 (1)② (2)① (3)③
6 (2)○
7 (1) 욕심꾸러기 (2) 잠꾸러기
8 창욱
9 (1) 흐뭇한 (2) 곰곰이 (3) 훗날
10 (1)① (2)② (3)②

1 (2) 맹자 어머니가 자식을 가르칠 만한 곳이라고 생각한 곳은 서당 근처입니다.

2 맹자는 어렸을 때 공동묘지 근처에 살아서 이웃집 아이들과 무덤을 만들고 노래를 부르며 놀았습니다. 그리고 시장 근처로 이사해서는 장사꾼의 흉내를 내며 놀았고, 서당 근처로 이사해서는 글공부를 했습니다.

3 '맹모삼천'은 맹자 어머니가 아들의 '교육'을 위해 세 번이나 '이사'하였음을 이르는 말로, 교육에 있어 '환경'의 중요성을 일깨우는 말입니다.

독해력을 키우는 어휘와 어법

6 보기 와 같이 '세상에 알려진 평판이나 명성.'의 뜻으로 쓰인 것은 (2)의 '이름'입니다. (1)의 '이름'은 '다른 것과 구별하기 위하여 사물, 단체, 현상 따위에 붙여서 부르는 말.'을 뜻하며, (3)의 '이름'은 '성과 이름을 아울러 이르는 말'을 뜻합니다.

7 욕심이 많은 사람을 '욕심꾸러기'라고 하고, 잠이 아주 많은 사람을 '잠꾸러기'라고 합니다.

9 (1) '매우 만족스럽다.'의 뜻을 가진 낱말은 '흐뭇하다'입니다. (3) '시간이 지나고 앞으로 올 날.'에 해당하는 낱말은 '훗날'입니다.

10 (1) 받침 'ㄺ'은 뒤에 이어지는 말이 없으면 [ㄱ]으로 발음합니다. (2), (3) 받침 'ㄺ'이 뒤에 오는 'ㅇ'을 만나면 'ㄹ'은 받침으로 발음하고, 'ㄱ'은 뒷말의 첫소리로 옮겨 발음하므로, '흙을'은 [흘글]로, '흙이'는 [흘기]로 발음합니다.

1 (1) 문화유산 (2) 어우러진
2 여운, 잡음, 소리
3 문화유산, 유형, 무형

독해력을 키우는 어휘와 어법

4 (1) ③ (2) ① (3) ②
5 (1) 기술 (2) 집약
6 ①
7 (1) 손꼽히는 (2) 두께
8 (1) 비회원 (2) 비인간적
9 (1) 어떻게 (2) 어떡해 (3) 어떻게

1 (1) 신라 시대의 유물 가운데에는 불교문화의 아름다움을 보여 주는 문화유산이 많습니다. (2) 성덕 대왕 신종은 아름다우면서도 웅장한 멋이 어우러진 종입니다.

3 조상 대대로 내려온 문화 중 다음 세대에 물려줄 만한 가치가 있는 것을 문화유산이라고 하며, 그중에서 형태가 있는 것을 유형 문화유산, 형태가 없는 것을 무형 문화유산이라고 합니다.

독해력을 키우는 어휘와 어법

4 '손꼽히다'는 '많은 가운데 다섯 손가락 안에 들 만큼 뛰어나거나 그 수가 적다고 여겨지다.'의 뜻, '웅장하다'는 '규모 따위가 거대하고 풍성하다.'의 뜻, '은은하다'는 '뚜렷하게 드러나지 않고 어슴푸레하며 흐릿하다.'의 뜻입니다.

6 보기의 '유물'은 앞선 시대의 사람들이 후손에게 남긴 물건을 말하므로 ①의 뜻이 알맞습니다.

7 (1) '여럿 중에서 다섯 손가락 안에 들 만큼 뛰어나게 여겨지다.'라는 뜻의 낱말은 '손꼽히다'입니다. (2) '사물의 두꺼운 정도.'를 뜻하는 '두께'는 모음 'ㅔ'를 씁니다.

8 일부 낱말에 '비(非)'를 붙이면 '아니다'라는 뜻을 더할 수 있습니다. (1) '비회원'은 '어떤 모임에 소속되어 있지 않은 사람.'이라는 뜻으로, '회원'과 뜻이 서로 반대되는 낱말입니다. (2) '비인간적'은 '사람답지 아니하거나 사람으로서는 차마 할 수 없는 것.'이라는 뜻으로 '인간적'과 뜻이 반대되는 낱말입니다.

9 (1)은 '퍼뜨릴'을 꾸미고 있으므로 '어떻게'가 알맞고, (2)는 문장의 끝에 쓰인 '어떻게 해'의 줄임말이므로 '어떡해'가 알맞습니다. (3)은 '해야'를 꾸미고 있으므로 '어떻게'가 알맞습니다.

1 (1) ① (2) ③ (3) ②
2 술
3 (1) 기술 (2) 사람
4 (1) 건축미 (2) 미술
5 해설 참조

1 • 미담(美談): 아름다운 행실에 대한 이야기. ㉠ 감동적인 미담이 입에서 입으로 퍼져 나갔다.
  • 미식가(美食家): 맛있고 좋은 음식을 찾아 먹는 것을 즐기는 사람. ㉠ 이 음식은 미식가들의 추천을 받을 만큼 맛이 뛰어나다.
  • 건축미(建築美): 건축물이 지닌 아름다움. ㉠ 나는 아름다운 집 앞에서 그 건물의 빼어난 건축미에 깊은 감동을 받았다.

2 빈칸에 공통으로 들어갈 말은 술(재주 術)입니다.

의(醫)		술(術)
화(話)		술(術)
호(護)	신(身)	술(術)

3 (1) '학문과 기술을 아울러 이르는 말'이라는 뜻의 '학술'에서 '학(學)'은 '배우다', '술(術)'은 '기술'이라는 뜻입니다. (2) '아름다운 사람.'이라는 뜻의 '미인(美人)'에서 '미(美)'는 '아름답다'라는 뜻을 가진 글자입니다. '人'은 '사람'이라는 뜻입니다.

4 (2) 물감으로 수채화를 그렸다고 하였으므로 '미술'이 알맞습니다.

5 가로, 세로 열쇠를 보고 십자말풀이를 완성해 보도록 합니다. 모르는 낱말이 나올 때, 다음 열쇠로 넘어가 칸을 채우다 보면 실마리가 떠오를 수도 있습니다.

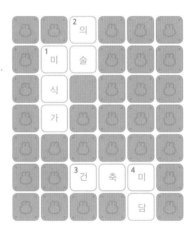

1주차

1 체면	2 ③
3 (3)✕	4 지층, 화석, 퇴적물
5 ②	6 ①

1 '체면'은 '남을 대하기에 떳떳한 입장이나 얼굴.'이라는 뜻으로, '체면이 깎이다', '체면을 차리다', '체면을 세우다' 등으로 쓰입니다.

2 ③은 말문이 나오지 않게 된 상황이므로, '말문이 막혀'로 쓰는 것이 알맞습니다.

3 "낫 놓고 기역 자도 모른다."라는 속담은 기역 자 모양으로 생긴 낫을 보면서도 기역 자를 모른다는 뜻으로, 아주 무식함을 이르는 말입니다. '목불식정', '우이독경'은 모두 아주 무식함을 뜻하는 한자 성어입니다. '문일지십'은 하나를 들어도 열을 안다는 뜻으로 총명하고 영특하다는 의미이므로 "낫 놓고 기역 자도 모른다."와 비슷한 의미라 할 수 없습니다.

4 자갈, 모래, 진흙 등이 쌓여 있는 층을 '지층'이라고 하고, 이 속에 남아 있는 옛날 생물의 몸체나 흔적 등을 '화석'이라고 합니다. 화석은 죽은 생물의 몸체 위로 '퇴적물'이 오랫동안 쌓이면서 만들어집니다.

5 '현재'는 '지금의 시간.'이라는 뜻입니다.

2주차

1 ②	2 ②, ④
3 ①	4 ④
5 ③	6 신문
7 ④	

1 첫 번째 문장은 새로운 제품을 만들기 위해 밤낮없이 깊이 있게 조사하고 생각하여 진리를 따져 보는 일에 매달렸다는 의미이므로 '연구'가 들어가기에 알맞습니다. 두 번째 문장은 화석을 발굴하고 깊이 있게 조사하는 과학자가 되고 싶다는 의미이므로 '연구'가 들어가야 알맞습니다.

2 '헐값'은 그 물건의 원래 가격보다 훨씬 싼 값이라는 뜻으로 '저가', '싼값'과 뜻이 비슷한 낱말입니다. '고가'는 비싼 가격, '금값'은 금과 맞먹는 비싼 가격을 뜻합니다.

3 '작은 힘이라도 꾸준히 노력하면 큰일을 이룰 수 있다.'라는 뜻의 속담은 "낙숫물이 댓돌을 뚫는다."입니다.

7 '-ㄹ 뿐만 아니라'는 앞의 말이 나타내는 내용에 더해 뒤의 말이 나타내는 내용까지 작용함을 나타내는 표현입니다. ④에서는 '비가 올 뿐만 아니라'와 같은 형태로 띄어 써야 알맞습니다.

3주차

1 본전	2 (1) 입 (2) 눈 (3) 손 (4) 발 (5) 코
3 ①	4 ③ 5 ④
6 ㉠ 액체 ㉡ 기체	

1 '본전'은 '장사나 사업을 할 때 밑천으로 들인 돈.'이라는 뜻입니다. '본전도 못 찾다.'는 일의 결과가 좋기는커녕 아무 보람이 없이 끝나 오히려 하지 않은 것만 못할 경우에 사용하는 말입니다.

2 여러 사람이 같은 의견을 말하는 것을 '입을 모으다', 정신을 똑바로 차리고 집중하는 것을 '눈을 똑바로 뜨다', 하던 일을 그만두는 것을 '손을 떼다', 많은 사람이 모여 수선스럽고 혼잡스러운 것을 '발 디딜 틈이 없다', 잘난 체하고 뽐내는 것을 '코가 높다'라고 합니다.

3 '너'와 '나'의 성격이 같지 않다고 하는 것이므로 '다르다'라고 써야 합니다.

4 '우공이산'은 우공이 산을 옮긴다는 뜻으로, 어떤 일이든 끊임없이 노력하면 반드시 이루어짐을 이르는 말입니다.

5 '앞을 가로질러 막다.', '일이나 행동을 방해하거나 막다.'를 뜻하는 낱말은 '가로막다'입니다.

6 물은 흐르는 성질이 있는 '액체'이고, 수증기는 공기 중에 있는 '기체'입니다.

4주차

1 부임	2 ④ 3 ③
4 ①	5 관리, 정신
6 ②	

1 '어떤 지위나 임무를 받아 근무할 곳으로 감.'을 뜻하는 낱말은 '부임'입니다.

2 '눈이 번쩍 뜨이다'는 '정신이 갑자기 들다.'라는 뜻으로 바로 앞의 '그럴 줄 알았다는 듯이'와 어울리지 않습니다.

3 보기 의 '자리'는 조직에서의 지위나 직위를 뜻합니다. 이와 같은 뜻으로 쓰인 것은 ③입니다.

4 순간적으로 아찔하거나 막막한 기분을 느낄 때 '하늘이 노랗다', 기세가 몹시 세차거나 대단한 것을 이를 때 '하늘을 찌르다', 무엇에 크게 기대를 걸어 전적으로 의지하는 것을 '하늘처럼 믿는다', 자기의 분수를 모를 때 '하늘 높은 줄 모르다'라고 합니다.

5 전봉준은 못된 관리들과 외세의 침입으로 고통받는 백성들을 돕기 위해 농민군을 지휘하며 열심히 싸웠습니다. 비록 그가 바라던 세상을 만드는 데는 실패했지만 농민과 나라를 위했던 전봉준의 정신은 지금까지 이어지고 있습니다.

5주차

1 ①	2 ③	3 (1) 발견 (2) 발명
4 ②	5 ④	6 화산, 분출, 용암
7 사회	8 ②	

1 "소 뒷걸음질 치다 쥐 잡기"는 '뜻밖에 좋은 결과를 얻다.'라는 뜻의 속담입니다.

2 ③은 신상품의 반응이 좋아 잘 팔린다는 뜻이므로 '날개 돋친 듯'이 알맞습니다. '가물에 콩 나듯'은 어떤 일이나 물건이 어쩌다 하나씩 드문드문 있는 경우를 비유적으로 이르는 말이므로 문장에 어울리지 않습니다.

3 (1)에서 민지는 찾아내지 못했던 제비꽃을 풀숲에서 찾아내었으므로 '발견'한 것이고, (2)에서 장영실은 지금까지 없던 새로운 물건인 해시계를 처음으로 만들어 낸 것이므로 해시계를 '발명'한 것입니다.

4 어떤 식물도 자라기가 어려운 땅은 '비옥한 토양'과 뜻이 반대됩니다. 밑줄 친 부분에는 '땅이 기름지지 못하고 메마르다.'라는 뜻을 가진 '척박하다'가 들어가는 것이 알맞습니다.

5 ④ '축적하다'는 '지식, 경험, 돈 등을 모아서 쌓다.'라는 뜻이므로 빈칸에 들어갈 말로 알맞지 않습니다.

6주차

1 ③	2 ②
3 (1) 당황 (2) 능력 (3) 당부 (4) 유익	
4 ③	5 ③
6 구분	7 ①

1 ③ '발을 빼다'는 어떤 일에서 완전히 관계를 끊고 물러나는 것을 뜻합니다. '자기 일인 것처럼 열심히 하다.'라는 뜻으로는 '발 벗고 나서다'가 알맞습니다.

2 두 문장 속 모두 '굳게 믿고 의지함.'이라는 뜻의 '신뢰'가 들어가기에 알맞습니다.

4 '충고'는 '남의 허물이나 잘못을 진심으로 타이름.'을 뜻합니다. 이와 바꾸어 쓸 수 있는 것은 '말로 거들거나 깨우쳐 주어서 도움.'이라는 뜻을 가진 '조언'입니다.

5 지도에서 실제 거리를 줄인 정도를 '축척'이라고 합니다.

6 어떤 기준에 따라 전체를 몇 개의 부분으로 나누는 것을 '구분'이라고 합니다. 문제를 어려운 것과 쉬운 것으로, '읽은 책과 안 읽은 책'으로 기준에 따라 나누고 있으므로 빈칸에 들어갈 말은 '구분'이 알맞습니다.

7 '되다'의 '되'는 '-다', '-어'와 같이 끝에 붙는 말 없이 쓰일 수 없으므로 '안 되'는 알맞지 않습니다.

7주차

1 ②	2 ②	3 소매	4 호랑이
5 ②	6 ②, ④	7 ③	8 ③

1 (1)은 '나'가 건후의 비밀을 '어쩌다가 저절로 이루어진 면이 있게' 알게 되었다는 뜻이고, (2)는 오빠가 시험에 합격한 것은 '어쩌다가 저절로 이루어진' 것이 아니라는 뜻입니다. 따라서 '우연'이 들어가기에 알맞습니다.

2 ②는 '수나 양을 세다.'라는 뜻으로 쓰였으므로 '짐작하다'를 대신 쓰는 것은 알맞지 않습니다. ①, ③, ④는 '어떤 일을 다른 것에 비추어 생각하거나 짐작하여 살피다.'라는 뜻으로 쓰였습니다.

5 '어부지리'는 두 사람이 다투고 있는 사이에 엉뚱한 사람이 애쓰지 않고 이익을 얻게 된 상황에 어울리는 한자 성어입니다.

6 ②는 '싣고', ④는 '되고'가 바른 표현입니다.

7 메스트랄은 도꼬마리 열매의 생김새를 '관찰'해 열매의 끝이 휘어져 있다는 '사실'을 알게 되었습니다. 그런 다음 이 식물의 '특징'을 실생활에 '활용'할 수 있는지 연구하였습니다.

8 '대소(大小)'는 뜻이 서로 반대되는 '大(크다)'와 '小(작다)'가 어울려 만들어진 한자어입니다.

8주차

1 ②	2 ①	3 ②
4 (1) 형제 (2) 자매 (3) 남매		
5 (1) 무형 (2) 기술		
6 ②	7 ②	

1 첫 문장에서는 '앞선 시대에 살았던 사람들이 후대에 남긴 물건.'이라는 뜻으로, 두 번째 문장에서는 '죽은 사람이 살아 있을 때 사용하다 남긴 물건.'이라는 뜻으로 쓰였습니다.

3 '가재는 게 편'은 서로 비슷하고 인연이 있는 것끼리 잘 어울리고 감싸준다는 뜻으로, 만나기만 하면 싸우는 것과 관련이 없습니다.

4 형과 아우를 아울러 '형제', 언니와 여동생을 '자매', 오빠와 누이를 아울러 '남매'라고 합니다.

5 해녀 문화는 형태가 없는 문화유산으로 '무형 문화유산'에 해당합니다.

6 그림·조각 등과 같이 눈으로 볼 수 있는 아름다움을 표현한 예술을 '미술'이라고 합니다.

7 병이나 상처가 고쳐지는 것을 뜻하는 낱말은 '낫다'입니다.

어휘력
자신감

4
단계